D1133434

BREVE HISTORIA
DE LOS PIRATAS

BREVE HISTORIA DE LOS PIRATAS

SILVIA MIGUENS

nowtilus

Colección: Breve Historia
www.brevehistoria.com
www.nowtilus.com

Título: Breve historia de los piratas
Autor: ©Silvia Miguens

© 2010 Ediciones Nowtilus, S.L.
Doña Juana I de Castilla 44, 3º C, 28027 Madrid

Editor: Santos Rodríguez
Edición: Juan Francisco Díaz Hidalgo
Coordinación editorial: Graciela de Oyarzábal
Marketing: Donatella Iannuzzi
Diseño y realización de cubiertas: Universo Cultura y Ocio

ISBN:978-84-9763-708-4
Fecha de edición: enero 2010

Printed in Spain
Depósito legal: M. 49.971-2009
Imprime: Imprenta Fareso, S.A.

*En un trabajo honrado lo corriente es
trabajar mucho y ganar poco:
la vida del pirata, en cambio, es plenitud
y saciedad, placer y fortuna,
libertad y además poder.*

BARTHOLOMEW ROBERTS
(1682-1722)

LA CANCIÓN DEL PIRATA
José de Espronceda

Con diez cañones por banda,
Viento en popa a toda vela,
No corta el mar, sino vuela
Un velero bergantín:
Bajel pirata que llaman
Por su bravura el *Temido*,
En todo el mar conocido
Del uno al otro confín.

La luna en el mar riela,
En la lona gime el viento,
Y alza en blando movimiento
Olas de plata y azul;
Y ve el capitán pirata,
Cantando alegre en la popa,
Asia a un lado; al otro Europa,
Y allá a su frente, Estambul.

«Navega, velero mío,
            Sin temor,
Que ni enemigo navío,
Ni tormenta, ni bonanza
Tu rumbo a torcer alcanza,
Ni a sujetar tu valor.

            »Veinte presas
            Hemos hecho
            A despecho
            Del inglés,
            Y han rendido
            Sus pendones
            Cien naciones
            A mis pies».

»Que es mi barco mi tesoro,
Que es mi Dios la libertad,
Mi ley, la fuerza y el viento,
Mi única patria la mar.

»Allá muevan feroz guerra
Ciegos reyes
Por un palmo más de tierra,
Que yo aquí tengo por mío
Cuanto abarca el mar bravío,
A quién nadie impuso leyes.

»Y no hay playa,
Sea cualquiera,
Ni bandera
De esplendor,
Que no sienta
Mi derecho
Y dé pecho
A mi valor.

»Que es mi barco mi tesoro,
Que es mi Dios la libertad,
Mi ley, la fuerza y el viento,
Mi única patria la mar.

»A la voz de '¡barco viene!'
Es de ver
Cómo vira y se previene
A todo trapo a escapar:
Que yo soy el rey del mar,
Y mi furia es de temer.

»En las presas
Yo divido
Lo cogido
Por igual.
Solo quiero
Por riqueza
La belleza
Sin rival.

»*Que es mi barco mi tesoro,*
Que es mi Dios la libertad,
Mi ley, la fuerza y el viento,
Mi única patria la mar.

»¡Sentenciado estoy a muerte!
        Yo me río;
No me abandone la suerte,
Y al mismo que me condena
Colgaré de alguna entena
Quizá en su propio navío.

        »Y si caigo,
        ¿Qué es la vida?
        Por perdida ya la di,
        Cuando el yugo
        Del esclavo,
        Como un bravo,
        Sacudí.

»*Que es mi barco mi tesoro,*
Que es mi Dios la libertad,
Mi ley, la fuerza y el viento,
Mi única patria la mar.

»Son mi música mejor
Aquilones,
El estrépito y temblor
De los cables sacudidos,
Del ronco mar los bramidos
Y el rugir de mis cañones.

»Y del trueno
Al son violento,
Y del viento
Al rebramar,
Yo me duermo
Sosegado,
Arrullado
Por el mar.»

»Que es mi barco mi tesoro,
Que es mi Dios la libertad,
Mi ley, la fuerza y el viento,
Mi única patria la mar.»

ÍNDICE

Todos los piratas...

Desde el momento mismo en que los humanos comenzaron a producir bienes que consideraron propios y privados y esto determinó diferencias entre ellos, hubo quienes quedaron fuera de esos bienes y decidieron apropiárselos por la fuerza. Así surgieron los bandidos, bandoleros y salteadores que ponían temor a aquellos que transportaban riquezas por los caminos. A su vez, cuando algunos hombres descubrieron que podían viajar y transportar productos por el mar, se hicieron navegantes. Y cuando otros se dieron cuenta de que podían asaltar a esos navegantes, se volvieron piratas.

Mediante la invasión, las guerras de conquista, el dominio y el saqueo, se formaron riquezas personales y Estados. En medio de todo ello siempre hubo trabajadores autónomos, profesionales marginales, a veces mercenarios asociados a gobernantes y otras, patriotas luchando por la independencia, pero siempre dispuestos a compartir la tarea de quitarle la riqueza a los otros.

De esta manera, la piratería, al transcurrir paralela a la historia de la navegación, tuvo diferentes momentos de esplendor que coincidieron fundamentalmente con la cantidad de barcos cargados de mercancías que circulaban por los mares.

Desde los trirremes fenicios de una sola vela, dueños absolutos del Mediterráneo antiguo, pasando por sus primos los cartagineses desplazando a los griegos con sus pentecónteras de cincuenta remos y eternamente enfrentados a sus vecinos romanos, hasta las modernas embarcaciones que aún hoy se dedican al pillaje en los mares cerca de Borneo y Sumatra, la piratería ha tenido momentos de gloria y de decadencia, con actores que han conocido la celebridad y otros que han sido devorados por el olvido.

Aunque pocos son los registros que nos quedan, muchos fueron los piratas que asolaron las aguas del Mediterráneo en la época arcaica sobre naves fenicias, griegas o romanas. Fueron aventureros hambrientos de riqueza o socios de unos u otros según se construían o desarmaban los imperios.

Empujados por el destierro reconstruyeron la geografía con los Pueblos del Mar que avanzaron por las costas del Mediterráneo buscando un lugar nuevo donde establecerse. Asaltaron barcos fenicios cuando éstos eran soberanos del comercio y de las colonias costeras, combatieron a los persas y pusieron en jaque al Imperio romano en uno de sus momentos de mayor crecimiento.

Desde el Norte llegaron en veloces *drakkars* de velas rayadas en el siglo VIII, cuando los rubios vikingos entraron en escena y dispersaron el temor por todas las costas europeas o en los *dhows* mozambiqueños abrieron la mayor ruta comercial entre China y la península arábiga llevando y trayendo productos para comerciar y esclavos para vender.

En el Oriente mismo, ya en el siglo XII, los *wokou*, temibles piratas japoneses, se adueñaron de las costas de China y Corea y pusieron en aprietos a las naves del emperador y a la posterior dinastía Ming.

Pero, de toda esta historia las mejores páginas pertenecen, sin duda, a los siglos XVI y XVII en que se dio la Edad de Oro de la piratería. Fue sobre las aguas calientes del Caribe donde se escribió el capítulo más característico de la historia de la piratería. Más allá de la construcción de los estereotipos que la hicieron famosa, la piratería como hecho histórico no fue un fenómeno simple o de manifestaciones aisladas de los mercaderes errantes o una delincuencia organizada con intenciones de saqueos y riqueza fácil, ni la expresión romántica de aventureros buscando la fama.

Aunque, por lo general, los piratas no reconocían más leyes ni gobiernos que los propios y su empresa era un acto autónomo en el cual arriesgaban la vida por una fortuna rápida, las actividades piráticas en una determinada región tenían como consecuencia la dinamización de la vida económica de la ciudad que les servía de base y en donde se volcaban los productos obtenidos. Allí se creaban numerosos empleos que generaban aumento de la población, se reactivaba la vida social y surgían especialidades profesionales, incluso dentro de la misma piratería, que exigía expertos en navegación, oficiales y capitanes, maestres de velamen, pilotos, médicos cirujanos, músicos, carpinteros, artilleros, herreros (J. y F. GALL, *El filibusterismo*, México, FCE, 1978, 160-162).

Si bien muchas ciudades fueron asoladas y gran cantidad de pequeños asentamientos desaparecieron, también en el norte de África, en el Mediterráneo, en el Atlántico norte o en el Caribe crecieron prósperas ciudades donde antes solo había aldeas de pescadores o costas desiertas.

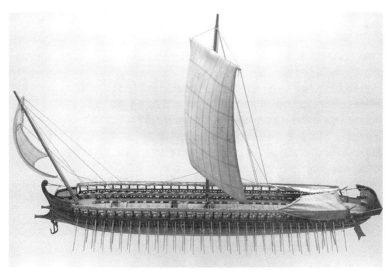

Trirreme griega, una nave utilizada frecuentemente por los piratas en el Mediterráneo. Deutsches Museum, Munich, Germany.

«La piratería exige necesariamente un circuito de intercambio; es inseparable del comercio. Argel no habría llegado a convertirse en un gran centro de corsarios sin llegar a ser, al mismo tiempo, un gran centro comercial» (FERNAND BRAUDEL, *El mediterráneo y el mundo mediterráneo en la época de Felipe II*, 4a. reimpresión, México, FCE, 1997, Tomo II, 291).

En cualquiera de sus tiempos, la piratería fue siempre un fenómeno complejo que podía ofrecer una forma de vida para los piratas, un lugar de refugio para las minorías étnicas, religiosas, raciales, culturales o sexuales expulsadas de sus lugares, un negocio lucrativo para grandes empresarios y armadores o una empresa con motivaciones globales de hegemonía mundial para los monarcas y sus allegados.

Como resultado de la carestía y la presión demográfica, la piratería congregaba a los distintos grupos de desheredados del mar, desertores, aventureros, exconvictos y gente de todo tipo que veían en esas naves que transportaban riquezas una posibilidad de cambiar su destino. Pero no todos los que llegaban a ser piratas procedían de las zonas más empobrecidas, muchos de ellos eran comerciantes adinerados que encontraban en el saqueo una manera de acrecentar sus fortunas.

Otro motor fundamental de esta actividad fueron los reinos o los países que rivalizaban por el control marítimo, ya sea en el Mediterráneo antiguo como en los océanos del siglo XVI, y que, al no poseer la fuerza necesaria para competir de igual a igual, vieron en la piratería una forma de entorpecer el tráfico de sus enemigos y de poder socavar su hegemonía. Era el complemento perfecto a la actividad de sus flotas militares regulares y comenzaron a contratar a estos grupos de saqueadores dando lugar a la figura del corsario.

En el siglo VI, Histieo y Dionisio el Foceo usaron la piratería para su batalla personal contra los persas, mientras que los piratas cilicios fueron un eficaz instrumento del rey Mitridates en su guerra con Roma. En el Caribe del siglo XVI fue la manera de suplir la pobreza y el subdesarrollo industrial y tecnológico que en ese momento tenían países como Inglaterra, Francia y Holanda, y unido a la determinación de sus reyes de no quedar fuera del reparto del mundo que intentaban portugueses y españoles.

La piratería, que, en sus diferentes momentos, ha servido para acelerar la acumulación originaria del capital y potenciar el desarrollo de los países que se atrevieron a practicarla con éxito, permitió además, en plazos muy breves, a estos países acumular conocimientos técnicos y científicos sobre astronomía, geografía, cartografía, navegación a vela, aprovechamiento de las corrientes marítimas, construcción de barcos, artillería, conservación de alimentos, anatomía humana, cirugía, antropología e idiomas. Al tiempo que asaltaban las naves para saquearlas, asesinaban a la tripulación o a los pasajeros que pudieran causar problemas, seleccionaban a los notables para secuestrarlos y pedir rescate, también

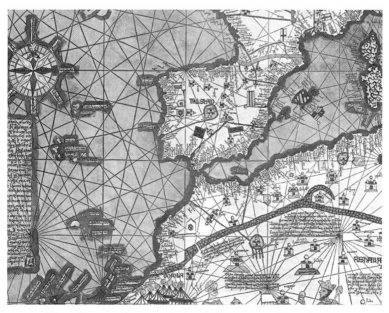

¿Contribuyeron las actividades de los piratas a la confección
de los portulanos, como este del judío mallorquín
Abraham Cresques?

se apropiaban de toda la información técnica o científica que hasta entonces controlaban los peninsulares. Se copiaban los diseños de las naves, las armas, los instrumentos de navegación y todo lo que fuera de utilidad.

Estos capitanes, que muchas veces eran gente de muy alto nivel social y cultural en sus países, salían a hacer fortuna y a causar todo el daño posible al Imperio español y siempre estaban alerta de las oportunidades que pudieran surgir en el trayecto. Por ejemplo, como ocurrió el 20 de marzo de 1579 en el Golfo de Nicoya cuando Drake capturó una nave entre cuyos documentos encontró las cartas de la ruta Manila Acapulco, o cuando, al regresar del ataque al puerto de Cádiz en 1587, capturó la nave portuguesa «San Felipe» entre cuyos papeles halló la clave del comercio portugués con el oriente, esto es, rutas, tiempos de recorrido, puertos principales, datos políticos sobre las costas para una navegación segura y de esta información salió el plan para fundar la famosa Compañía Inglesa de las Indias Orientales, es decir el Imperio inglés.

Por otra parte, como lo había sido primero en el antiguo Mediterráneo, luego en el Atlántico y en el Caribe, las innumerables acciones piratas sirvieron también como enormes escuelas prácticas que capacitaron en el terreno a sus comandantes y a sus tripulaciones:

«La historia del Caribe en el XVI hay que verla como un campo de batalla donde se juegan, con los dados de los piratas, las coronas de los reyes de Europa. Ahí se gradúan de Almirantes los marinos ingleses» (G. Arciniegas: *América mágica*, Ed. Sudamericana, Buenos Aires, 1959).

Por eso, a pesar de que la historia de la piratería es extensa, sin duda, la época de los más grandes y famosos piratas comienza cuando el navegante Cristóbal Colón llega a América. Es a partir de aquí cuando los conquistadores españoles encuentran un continente de riquezas nunca soñadas que da comienzo el gran juego de saquear al saqueador.

En Perú hay riquísimas minas repletas de toda clase de metales valiosos; plata, oro y piedras preciosas abundan en México y en las islas del Caribe las tierras fértiles dejan crecer nuevas especias y rarísimas plantas como la papa, el maíz o el tabaco que ellos desconocían. Pero para llegar a Europa con los pesados galeones cargados de esas riquezas, los españoles debían atravesar un mar repleto de naves armadas y sedientas de codicia por esos tesoros. De esta manera, mientras los conquistadores españoles saqueaban las riquezas de la América indígena, los piratas robaban esas riquezas a los barcos españoles que las transportaban.

Con ese pase de manos del oro americano se construía el nuevo mapa político europeo, de allí nacían los nuevos imperios, los estados modernos y, además, comenzaba a construirse la leyenda. Desde el mismo centro del Mar Caribe, de la mano de la literatura y luego del cine, surgieron las inconfundibles figuras con su andar de pata de palo, su medio mirar emparchado, ondeando banderas negras de calavera y tibias cruzadas, un mapa, dos pistolones al cinto y un infaltable loro al hombro. Los novelistas y Hollywood los hicieron buenos o muy malos, crueles o enamorados, pero siempre valientes y temerarios, dispuestos a la aventura y a dejarlo todo por su libertad.

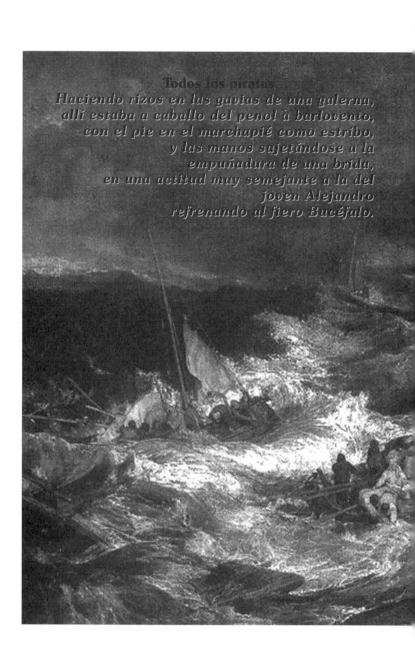

Todos los piratas...
Haciendo rizos en las gavias de una galerna,
allí estaba a caballo del penol à barlovento,
con el pie en el marchapié como estribo,
y las manos sujetándose a la
empuñadura de una brida,
en una actitud muy semejante a la del
joven Alejandro
refrenando al fiero Bucéfalo.

Todos los piratas...

*Magnífica figura, arrojada a lo alto
como por los cuernos de Taurus
contra el cielo tormentoso gritando
con júbilo...*

HERMAN MELVILLE,
(Nueva York, 1819-1891)
de *Billy Bud*

Así como la piratería hunde su origen en el inicio mismo de la actividad humana, también es antigua su manera de nombrarla. Aunque actualmente consideramos diferencias entre el pirata como ladrón que roba en el mar y el bandido que asalta en los caminos, en el mundo antiguo ambos conceptos estaban muy asociados y no se expresaban estas diferencias.

El griego antiguo tenía diferentes vocablos para denominar al pirata. Por lado estaba *leistes* que deriva de la raíz *leis* (botín) y es empleado con frecuencia por Homero y otros autores. El otro es *peirates* que procede de *peira* o *peirao* (tentativa, intentar algo) y, aunque no es mencionado en los textos de Homero ni en los autores del Periodo Clásico (500 al 330 a.C.), es el vocablo que ha seguido en uso desde entonces. Ambos términos podían referirse indistintamente a un pirata o a un bandido.

Otra palabra en griego es *katapontistes*, que significa «aquel que se lanza al mar» y se empleaba exclusivamente para referirse al pirata. Aunque esta palabra definía expresamente a los piratas, su empleo no era muy común y aun siendo mucho más preciso no prosperó en su uso.

Uno de los pocos autores que usa con frecuencia el término *katapontistes,* es el cuestionado historiador del siglo III a.C. Cassius Dio, y lo utiliza para distinguir expresamente la actividad marítima de los piratas de la terrestre de los bandidos. Para este autor, es precisamente la habilidad de los piratas de operar en cualquier lugar y de cualquier forma «*lo que de por si les diferencia de los saqueadores o bandidos y les convierte en una seria amenaza*».

A la palabra *peirates*, que fue la que finalmente perduró y llega hasta nuestros días, se la encuentra por primera vez en una inscripción ática de mediados del siglo III a.C. en un decreto en honor a Epichares, responsable de la defensa costera. El decreto menciona un intercambio de prisioneros llevados por *peiratai* y el castigo para sus cómplices:

«… castigó a aquellos que trajeron a los piratas a nuestra tierra, hombres de la ciudad, que fueron interrogados de forma acorde a lo que provocaron con su acto».

Otro de estos primeros registros de la palabra *peirates* aparece en una inscripción del año 200 a.C. procedente de Egiali, en la costa septentrional de la pequeña isla de Amorgos. En ella se narra una incursión nocturna a la ciudad en la que los piratas tomaron rehenes y dos ciudadanos intentan negociar su liberación:

«…se unieron y presentaron ante Sokleidas, capitán de los piratas, para persuadirlo de que liberara a aquellas personas libres…»

En latín también existían dos palabras con sentido similar a las griegas. Por un lado estaba *praedo* que significaba botín y es el vocablo más utilizado por los escritores latinos. La otra era *pirata*, claramente derivada del término griego *peirates*. También podía emplearse el término *latro* para referirse al pirata, que en sus orígenes significaba *mercenario* y luego se convirtió en sinónimo de *praedo*.

Junto al término pirata que, a partir de sus usuarios en el Caribe, quedó institucionalizado para aquel que roba en el mar o viene por mar a robar en las costas, fueron apareciendo en su desarrollo histórico otros vocablos: *corsario*, *bucanero* y *filibustero*.

En algunos casos estas palabras se utilizaron como sinónimos, pero, aunque para sus víctimas resultaran indistintas, cada una tiene una acepción diversa y plantea una variante dentro del oficio de robar bienes cerca del mar.

El *pirata* era un empresario autónomo que actuaba indiscriminadamente contra cualquier navío mercante, lo que provocaba su persecución por los gobiernos que eran víctimas de esta piratería.

En cambio, los *corsarios* fueron aventureros que voluntariamente se ofrecían a las autoridades de un país para actuar en el mar contra los enemigos de esa nación. El tratadista José Luis de Azcárraga y de Bustamante los define así:

«Bajo el nombre de corso marítimo se comprende la empresa naval de un particular contra los enemigos de su Estado, realizada con el permiso y bajo la autoridad de la potencia beligerante, con el exclusivo objeto de causar pérdidas al comercio enemigo y entorpecer al neutral que se relacione con dichos enemigos».

Es decir, los corsarios hacían lo mismo que el pirata, pero autorizados por su gobierno o el monarca de turno, para causar daños a una nación enemiga. Para ello utilizaban la *letter of marque* o *patente de corso* que les aseguraba un salvoconducto, al menos con las autoridades del país que se la expedía, y legalizaba sus vandalismos. De esta manera, el corso fue un recurso utilizado desde la antigüedad por reyes y gobiernos para reforzar sus armadas mediante el recurso de atacar al enemigo con estos particulares y, a la vez, compartir las ganancias obtenidas.

Muchos han sido los corsarios famosos por sus acciones de conquista y saqueo, como por el reconocimiento de aquellas naciones que ayudaron a liberarse durante las guerras de independencia. También ha sido muy diversa la fortuna y el final que han tenido. Es el caso de los ingleses Francis Drake, quien fuera armado caballero por la reina Isabel I de Inglaterra, y de Walter Raleigh, favorito de la misma Reina y decapitado por traidor y pirata por su sucesor Jacobo I cuando los tiempos políticos habían cambiado.

Los *bucaneros*, en cambio, son piratas de menor despliegue que presentan mayores diferencias en su origen y en su metodología. Inicialmente colonos de las islas, en su mayoría franceses, recibieron ese nombre por su método de ahumar la carne que vendían a los navegantes. Las agrupaciones de bucaneros no reconocían autoridad alguna por lo cual siempre eran un problema para los diferentes gobiernos, incluso los que propiciaban la piratería. A diferencia de los piratas, que solían limitar sus actividades al mar, los bucaneros no desdeñaban las actividades en tierra firme y mezclaban sus trabajos como campesinos con el saqueo y el pillaje, pero se mantuvieron siempre dentro del ámbito del Caribe.

A su vez, el término filibustero se utilizará para designar a los piratas que, asentados principalmente en la isla Tortuga y Jamaica, conformaron la Hermandad de la Costa. Eran en su mayoría bucaneros que se habían dedicado de lleno al saqueo, pero que ahora

Dos famosos corsarios que fueron tolerados en principio por la monarquía británica. A la izquierda, el nombrado caballero como Sir Francis Drake, en un óleo de Marcus Gheeraerts, el Joven, 1591 (National Maritime Museum, Londres). A la derecha Walter Raleig (Fuente: *The Beginner's American History,* 1904).

formaban parte de agrupaciones con reglas estrictas. Su característica especial, que los diferenciaba de los otros piratas, era que, por lo general, preferían no alejarse de la costa. La bordeaban y saqueaban localidades costeras y barcos que eventualmente circularan por allí. El más famoso de estos filibusteros fue Henry Morgan.

Si bien los cuatro conceptos presentan variaciones y particularidades dadas por su origen o su conducta, estas diferencias solo son tenidas en cuenta en el ámbito académico, ya que todos ellos de igual manera mataban, robaban, violaban y secuestraban sin considerar estas sutiles distinciones.

Sin embargo, estos términos poseen distinciones ideológicas cuando se enfrenta el concepto de pirata con el de conquistador, cuando se compara la acción de particulares con la de un ejército de ocupación, la delincuencia en pequeña escala con la del imperialismo.

Henry Morgan (1635-1688), bucanero que llegó a ser gobernador de Jamaica.
(Fuente: *Bucaneros de América*, A. O. Exquemelin).

Dice San Agustín:

«"¿Si suprimimos la justicia, qué son entonces los reinos sino grandes latrocinios? ¿Y qué son pues los latrocinios sino pequeños reinos?

Una banda está formada por hombres, es gobernada por la autoridad de un jefe, está entretejida por el pacto de una confederación y el botín es dividido por una ley convenida.

Si por la aceptación de hombres desinteresados, crece este mal a un grado tal que toma posesión de lugares, fija asientos, se apodera de ciudades y somete a los pueblos, asume directamente el nombre de reino, porque ya la realidad le ha sido conferida manifiestamente al mismo, no por la eliminación de la codicia, sino por el uso de la impunidad".

Esta fue una respuesta elegante y verdadera que le dio a Alejandro Magno un pirata que había sido capturado. Y es que cuando ese rey le preguntó al hombre qué quería significar al tomar posesión del mar con actos hostiles, este respondió:

"Lo mismo que tú quieres significar cuando tomas posesión de toda la tierra; solo que yo porque lo hago con un pequeño barco, me llaman pirata, mientras que a ti, que lo haces con una enorme flota, te llaman emperador"» (SAN AGUSTÍN, *La Ciudad de Dios*, Libro IV).

San Agustín de Hipona, pintado por Sandro Boticelli en 1480.

Esta afirmación, y la ilustrativa anécdota que incluye, señalan con claridad que el uso de un concepto puede depender del poder que posee quien lo proclama y quien lo recibe. Pirata, saqueador o asesino es quien no posee un ejército de ocupación, aviones o tanques para legalizar su accionar. Se es pirata por utilizar medios mucho más limitados que quien oprime desde el poder.

No hay ninguna otra diferencia entre ambos, salvo la legitimidad que da la fuerza. En este caso la definición por la que el Estado es el monopolio de la fuerza legítima puede darse vuelta al afirmarse que lo que hace legítima la fuerza es el propio monopolio. Lo que hace de Alejandro un emperador es que posee el monopolio efectivo de la fuerza o de la piratería.

Esta idea, que para San Agustín resultaría aberrante, pues la legitimidad del poder se basa según él en la justicia, se ha convertido en una verdad de sentido común en nuestra época que confunde el monopolio de la fuerza con la paz y ve en esta paz, ejercida por la fuerza, un bien absoluto.

Las vías marítimas

Jacques Le Goff, historiador medieval nos cuenta como eran las rutas comerciales:

«...Pero, de modo muy especial, es el transporte marítimo el medio por excelencia del comercio internacional medieval, el que hará la riqueza de esos grandes mercatores que son quienes nos interesan en particular. También en este terreno los obstáculos siguen siendo grandes».

«En primer lugar tenemos el riesgo de naufragio y la piratería. Esta última actuó siempre en gran escala. Primero fue obra de marinos particulares, verdaderos empresarios de piratería, que la practicaban alternándola con el comercio. Estos marinos, para el desarrollo de su actividad establecían verdaderos contratos que aseguraban su parte de beneficio a los honorables comerciantes que financiaban sus empresas. Obra también de las ciudades y los

Estados, en virtud del derecho de guerra o de un derecho de precio ampliamente interpretado; y si bien este 'ius naufragii' pronto
fue abolido en el Mediterráneo (aunque los reyes angevinos de Nápoles lo restablecieran a fines del siglo XIII con gran escándalo de
los italianos), siguió existiendo durante mucho más tiempo en el
dominio nórdico, practicado especialmente por ingleses bretones a
lo largo de una tradición ininterrumpida que conduciría a la guerra de corso de los tiempos modernos. Solamente las grandes ciudades marítimas —sobre todo Venecia— pueden organizar
convoyes regulares escoltados por naves de guerra» (JACQUES LE
GOFF, *Mercaderes y banqueros de la Edad Media*).

Fragmento de un mapa de América Central de 1594. Theodor de Bry
representa la zona donde mayor auge habría de tener la piratería, sobre
todo en la isla de Tortuga, que puede verse al norte de Haiti.

PIRATAS EN LA MITOLOGÍA Y LA LITERATURA GRIEGA

«¡Forasteros! ¿Quiénes sois?
¿De dónde llegasteis, navegando por
húmedos caminos?».

HOMERO, *Odisea*, Canto III, 69

A la vez que los piratas surcaban las aguas del Egeo y del Heles-ponto, que extendían sus dominios hacia los confines del Medite-rráneo, también transitaban las aguas imprecisas de la mitología y de la primera literatura griega.

El robo y el saqueo aparecen en muchas de las historias de sus míticos personajes. Heracles, tal vez el mayor de los héroes griegos, debe pagar su penitencia por haber matado a sus propios hijos y a dos de sus sobrinos en un ataque de locura, mediante una serie de tareas imposibles. De los doce trabajos que debe realizar, cuatro de ellos son acciones de hurto; debe robar las yeguas de Diomedes, el cinturón de Hipólita, el ganado de Gerión y las manzanas del jar-dín de las Hespérides.

Pero, seguramente, una de las primeras acciones piratas de la mitología, ya que en este caso los saqueadores llegan por mar, es la que lleva a cabo Jasón en la lejana Cólquide.

Jasón y los argonautas

El relato mítico refiere que en Tesalia, en la vieja ciudad de Yolcos, reinaba Pelias, quien había conseguido destronar a su hermano Esón. El rey destronado tenía un hijo, Jasón, que, luego de ser edu-cado por el centauro Quirón, regresa a Yolcos para reclamar su de-recho legítimo al trono.

Al llegar, Jasón tiene que atravesar un río donde una anciana le pide ayuda. Él la toma en brazos y pasa las aguas. Esta anciana no era otra que Hera quien a partir de entonces sería su protec-tora. Pero al cruzar, la corriente le había llevado una de sus sanda-lias. Aun así se presenta ante su tío Pelias, quien se horroriza al verlo pues, además de saber que estaba ante el legítimo heredero, conocía un augurio que le había vaticinado que un hombre con una sola sandalia acabaría con su vida y le arrebataría el trono. En-tonces decide deshacerse de él a la manera griega y le envía a una misión en la que seguramente encontrará la muerte. Le dice que si realmente es merecedor del trono deberá probarlo trayendo el ve-llocino de oro que se encuentra en el lejano país de la Cólquide.

Jasón no tiene más remedio que aceptar aunque sabe que la misión le sobrepasa. Él es un héroe atípico que no tiene la astucia de Ulises ni el valor de Aquiles, solo cuenta con los recursos que los demás le conceden. Es un jefe indeciso con una tripulación de héroes que lo supera y a la que muchas veces no sabe como manejar. Al enfrentarse a los peligros se muere de miedo y, por lo general, se refugia tras sus compañeros o tras las mujeres. Tiene la protección de tres diosas: Hera, Atenea y Afrodita y, cuando ellas no lo protegen directamente, lo hace Medea, su esposa.

Con un barco especialmente construido por Argo y una tripulación de cincuenta reconocidos héroes, entre ellos Hércules, Orfeo, Cástor, Pólux, Teseo y Atalanta, partieron los argonautas en su misión pirata a robar el vellocino de oro.

Dionisos y los piratas

Narra la mitología que cuando toda Beocia hubo reconocido la divinidad de Dionisos, el dios, hijo de Zeus y Sémele, con la apariencia de un muchacho se detuvo a contemplar el mar en una playa desierta. En aquel momento pasó por allí una nave de piratas que al verlo desembarcaron y lo capturaron.

—Lo llevaremos a Chipre —dijo el capitán del barco—, y si pertenece a alguna familia rica, conseguiremos un buen rescate.

El dios sin oponer resistencia, se dejó atrapar, feliz de comenzar una nueva aventura. Los piratas lo subieron a bordo y lo amarraron al palo mayor de la nave.

Grande fue la sorpresa de los piratas al ver que el prisionero sonreía continuamente y, sin ningún esfuerzo, se desató los retorcidos y apretados nudos con que lo habían amarrado.

Un viejo marinero tomó la palabra y dijo:

—Amigos, no desafiemos a los dioses. Este jovencito no es un ser común como nosotros. Debe gozar seguramente de la protección de algún dios, y quizás sea él mismo un dios. Liberémoslo y honrémoslo como se merece.

Una carcajada general recibió el prudente consejo del viejo y el mismo capitán, burlándose, respondió:

—Lo liberaremos, sí, pero después de recibir un buen rescate por él. ¿No te das cuenta, viejo inútil, que los nudos que tu haces se pueden desatar con un poco de habilidad?

Dionisos fue dejado en libertad a bordo, pero no se movió de junto al palo mayor en que se apoyaba. Le divertían las maniobras de los marineros y lo alegraban las canciones que éstos entonaban.

La nave se dirigía a velas desplegadas hacia la isla de Chipre. Al anochecer, cuando los marineros se disponían a descansar, vieron asombrados que del palo en que estaba apoyado el prisionero surgía un arroyuelo rojo y de fuerte aroma. Era vino. Al momento el palo de la nave se transformó en el tronco de una vid y las cuerdas en una hiedra que se enroscó en el velamen y los aparejos. El asombro ante tal prodigio se transformó en terror cuando vieron que los remos eran terribles serpientes y el indefenso joven se transformaba en un enorme león.

Presa del espanto, los marineros corrieron hacia la popa del barco y uno a uno fueron arrojándose al mar. Al tocar el agua, los piratas se transformaron en delfines que escoltaron la nave que seguía navegando gallardamente.

Dionisos. Jardines de Aranjuez.

Troya

También la misma guerra de Troya, como acto de conquista, en esos diez años de sitio estuvo llena de hechos piratas. Tras desembarcar en Troya, los griegos aqueos además de atacar la ciudadela, se dedicaron a saquear las ciudades cercanas.

Aquiles, quien siempre estaba en la primera línea de frente, llevó a sus hombres, los mirmidones, de victoria en victoria y, bajo su mando, los griegos tomaron más de veinte ciudades y lograron un cuantioso botín.

Precisamente, al final del noveno año de lucha, cayó la ciudad de Lirneso donde la princesa real, Briseida, fue hecha prisionera y, en el reparto, su posesión le tocó a Aquiles. Aunque no por mucho tiempo. Pues, cuando Agamenón debió renunciar a su propia concubina para apaciguar a los dioses que habían desatado una peste, no tuvo mejor idea que resarcirse quitándole a Briseida. Este hecho, que hizo retirar a Aquiles y a sus hombres de los campos de batalla cambiando la suerte de los griegos, fue el episodio inicial con el que Homero relata la cólera de Aquiles en su *Ilíada*.

La *Odisea*

Tal vez escrita hacia el siglo IX, transmitida por vía oral durante siglos y cantada por los aedos en el siglo XI a.C., el relato de la larga vuelta a casa del héroe griego Odiseo (Ulises para los latinos) después de la guerra de Troya contiene varias referencias a la piratería.

Por ser una obra que se construye en los tiempos en que los griegos ya han desplegado su poderío por las tierras y los mares del Mediterráneo, aparecen en su relato las diferentes y opuestas posiciones frente a la actividad de los piratas que serán condenados, justificados y, a veces, elogiados.

La primera referencia que aparece en el texto surge cuando Telémaco llega a Pilos a la corte de Néstor, el anciano y extenso narrador de sus hazañas, en busca de noticias sobre su padre.

Los extranjeros y desconocidos, a pesar del recibimiento y la comida imprescindible para cumplir las obligaciones de hospitalidad, aparecen siempre como sospechosos y son acogidos con el resquemor de que puedan ser piratas que llegan en busca de información previa. La situación debía ser tan común que a los huéspedes se les asedia con preguntas para indagar sobre las razones de su presencia.

«Esta es la ocasión más oportuna para interrogar a los huéspedes e inquirir quiénes son, ahora que se han saciado de comida. "¡Forasteros! ¿Quiénes sois? ¿De dónde llegasteis, navegando por húmedos caminos? ¿Venís por algún negocio o andáis por el mar, a la ventura, como los piratas que divagan, exponiendo su vida y produciendo daño a los hombres de extrañas tierras?» (Homero, *Odisea*, Canto III, 69).

Odiseo logra sobrevivir a su naufragio y llegar a la isla de los reacios. Allí es recibido en la corte del rey Alcínoo, quien realiza diversos juegos en honor al huésped que aún no ha revelado su identidad. Cuando invitado, Odiseo rehúsa participar por no encontrarse con ánimo para hacerlo, Euríalo, uno de los atletas, lo increpa acusándolo de pirata por su aspecto:

«¡Huésped! No creo, en verdad, que seas varón instruido en los muchos juegos que se usan entre los hombres; antes pareces capitán de marineros traficantes, sepultado asiduamente en la nave de muchos bancos para cuidar de la carga y vigilar las mercancías y el lucro debido a las rapiñas. No, no tienes traza de atleta» (*Odisea*, Canto VIII, 158).

El aedo Demódoco ameniza la comida con un canto sobre la guerra de Troya y al hablar del episodio del caballo de Troya, Odiseo rompe a llorar. El rey manda callar al aedo y pregunta al huésped sobre su verdadera identidad. Odiseo se presenta y comienza a relatar su historia desde que salió de Troya. Primero cuenta la manera en que destruyeron la ciudad de Ismaro. Este breve relato, que refiere una verdadera acción pirata, muestra el nivel de aceptación que esta actividad tenía entre los griegos antiguos:

«Habiendo partido de Ilión, el viento me llevó hacia el país de los cícones, a Ismaro. Allí asolé la ciudad, maté a sus hombres y, tomando las mujeres y las abundantes riquezas, nos lo repartimos todo para que nadie se fuera sin su parte del botín» (*Odisea*, Canto IX, 39).

Al continuar Odiseo con su historia hace referencia a la isla de los lotófagos donde tres compañeros comieron el loto y perdieron el deseo de regresar, por lo que hubo de llevárselos a la fuerza. Posteriormente, llegaron a la isla de los cíclopes y, al ir en busca de alimentos, dieron con la caverna de Polifemo, hijo de Poseidón. Aunque sus soldados le aconsejan saquear la cueva y huir, Odiseo, luego de haber saciado su hambre, prefiere esperar al cíclope y pedirle hospitalidad. Cuando regresa Polifemo y los descubre, los increpa con la consabida fórmula de desconfianza para forasteros que podían ser piratas:

«—Forasteros, ¿quiénes sois? ¿De dónde venís navegando los húmedos senderos? ¿Andáis errantes por algún asunto o sin rumbo como los piratas por la mar, los que andan a la aventura exponiendo sus vidas y llevando la destrucción a los de otras tierras» (*Odisea*, Canto IX, 252).

Odiseo ha regresado a Ítaca con prudente aspecto de mendigo y pide hospitalidad en casa del porquerizo Eumeo. Luego que este le brinda hospitalidad y alimentos, lo interroga sobre su identidad y su historia. Odiseo para ocultar su identidad elabora una pormenorizada historia donde relata que había sido un *hetairoi*, un jefe de expedición cretense y cómo, siendo una persona de fortuna, se había convertido en pirata por el gusto de las armas y de la aventura.

Esta historia, que Homero introduce con el pretexto de un invento de Odiseo como un relato dentro del relato, plantea la figura del pirata que pertenece a una clase social acomodada y que elige la piratería por vocación propia:

«Por mi linaje, me precio de ser natural de la espaciosa Creta, donde tuve por padre un varón opulento. Otros muchos hijos le nacieron también y se criaron en el palacio, todos legítimos, de su esposa, pero a mi me parió una mujer comprada, que fue su concubina; pero guardábame igual consideración que a sus hijos legítimos... Cuando las Moiras de la muerte se lo llevaron a la morada de Hades, sus hijos magnánimos partieron entre sí las riquezas echando suertes sobre ellas, y me dieron muy poco, asignándome una casa. Tomé mujer de gente muy rica, por solo mi valor; que no era yo despreciable ni tímido en la guerra. ... Diéronme Ares y Atenea audacia y valor para destruir las huestes de los contrarios, y en ninguna de las veces que hube de elegir los hombres de más bríos y llevarlos a una emboscada, maquinando males contra los enemigos, mi ánimo generoso me puso la muerte ante los ojos; sino que arrojándome a la lucha mucho antes que nadie, era quien primero mataba con la lanza al enemigo que no me aventajase en la ligereza de sus pies. De tal modo me portaba en la guerra. No me gustaban las labores campestres, ni el cuidado de la casa que cría hijos ilustres, sino tan solamente las naves con sus remos, los combates, los pulidos dardos y las saetas; cosas tristes y horrendas para los demás y gratas para mí, por haberme dado algún dios esa inclinación; que no todos hallamos deleite en las mismas acciones. Ya antes que los aqueos pusieran el pie en Troya, había capitaneado nueve veces hombres y naves de ligero andar contra extranjeras gentes, y todas las cosas llegaban a mis manos en gran abundancia. De ellas me reservaba las más agradables y luego me tocaban muchas por suerte; de manera que, creciendo mi casa con rapidez, fui poderoso y respetado entre los cretenses» (*Odisea*, Canto XIV, 191).

Odiseo continúa con su relato y refiere que luego de haber sido convocado a la armada aquea y participar del sitio y la destrucción de Troya regresa a su patria por un breve momento. Pero, empujado por su gusto por la vida aventurera, se siente nuevamente impulsado a salir como pirata:

«... estuve holgando un mes tan solo con mis hijos, mi legítima esposa y mis riquezas; pues luego incitome el ánimo a navegar hacia

Egipto, preparando debidamente los bajeles con los compañeros iguales a los dioses. Equipé nueve barcos y pronto se reunió la gente necesaria. […] subimos a los barcos y, partiendo de la espaciosa Creta, navegamos al soplo de un próspero y fuerte Bóreas, con igual facilidad que si nos llevara la corriente. … En cinco días llegamos al río Egipto, de hermosa corriente, en el cual detuve las corvas naves. Entonces, después de mandar a los fieles compañeros que se quedasen a custodiar las embarcaciones, envié espías a los lugares oportunos para explorar la comarca. Pero los míos, cediendo a la insolencia por seguir su propio impulso, empezaron a devastar los hermosos campos de los egipcios; y se llevaban las mujeres y los niños y daban muerte a los varones» (*Odisea*, Canto XIV, 243).

Los habitantes, alertados del saqueo, los atacan matando y apresando a la mayoría. Él logra escapar pidiendo clemencia al rey, quien lo protege. En Egipto logra acumular riquezas, pero es convencido por un, cuando no, inescrupuloso comerciante fenicio a

Las aventuras de Odiseo-Ulises y sus compañeros, también incluyeron sus actividades como piratas.

41

viajar a Libia; aunque su intención es venderlo como esclavo. Un naufragio cambia su destino y una ola fortuita lo arroja a tierra de los tesprotos donde lo encuentra el hijo de rey Fidón. En su palacio puede ver el supuesto botín logrado por Odiseo:

«...me mostró todas las riquezas que Odiseo había juntado en bronce, oro y labrado hierro, con las cuales pudieran mantenerse un hombre y sus descendientes hasta la décima generación: ¡tantas alhajas tenía en el palacio de aquel monarca!» (*Odisea*, Canto XIV, 321).

El relato inventado por Odiseo culmina con un nuevo infortunio al ser asaltado por los mismos marineros que lo transportan a su patria y con una nueva huida que lo lleva a la isla de Ítaca y a casa del porquero Eubeo.

Esta historia tiene elementos significativamente similares a los vividos por el propio Odiseo, quien también vive una serie de infortunios, naufraga y es encontrado por la hija de un rey que lo acoge en su palacio y lo envía de regreso a su tierra a donde llega, aunque por propia decisión, vestido de mendigo.

Después del relato de Odiseo, toca el turno de contar su historia al porquero Eumeo . Para ello, Odiseo, lo interroga acerca de su vida y si ha sido capturado y vendido por los piratas en una de las prácticas comunes en esa época:

«¡Oh dioses! ¡Cómo, niño aún, oh porquerizo Eumeo, tuviste que vagar tanto y tan lejos de tu patria y de tus padres! Mas, ea, dime, hablando sinceramente, si fue destruida la ciudad de anchas calles en que habitaban tu padre y tu venerada madre: o sí, habiéndote quedado solo junto a las ovejas o junto a los bueyes, hombres enemigos te echaron mano y te trajeron en sus naves para venderte en la casa de este varón que les entregó un buen precio» (*Odisea*, Canto XV, 381).

Eumeo le cuenta a Odiseo que había nacido en la isla de Siria y que su padre, Ktesio Ormenida, reinaba sobre dos ciudades. Le refiere también que un mercader fenicio llegado a la isla había seducido a una hermosa mujer también fenicia que había en su casa, la cual, a su vez, relata a su amante:

«Me precio de ser de Sidón, abundante en bronce, y soy hija del poderoso y rico Arybante, pero me raptaron unos piratas de Tafos cuando volvía del campo y me trajeron a casa de este hombre para venderme, y él pagó un precio digno de mí» *(Odisea*, Canto XV, 425).

Los mercaderes fenicios se ofrecen a rescatarla y llevarla de regreso a su ciudad. La mujer acepta y huye con ellos robando algunos objetos valiosos y raptando al mismo Eumeo que era un niño. El cual, finalmente, es vendido a Laertes, padre de Odiseo quien lo emplea como su porquero.

En este caso, Homero, vuelve a reiterar el recurso de las historias incluidas y paralelas con dos personajes que pertenecen a familias ricas y poderosas que son raptados y concluyen sus vidas como sirvientes de otros.

En otro momento de la obra, cuando los pretendientes conspiran contra Telémaco que ha logrado escapar a su acecho en el mar, planean una acción contra él propiamente pirata:

«Conque apresurémonos a matarlo en el campo lejos de la ciudad, o en el camino. Podríamos quedarnos con sus bienes y posesiones repartiéndolas a partes iguales entre nosotros y entregar el palacio a su madre y a quien case con ella, para que se lo queden...» *(Odisea*, Canto XVI, 364).

Poco después, cuando los confabulados pretendientes llegan al palacio, la misma Penélope increpa a uno de sus principales líderes recordándole una vieja deuda de su padre que, al ir tras unos piratas, había causado daño a un pueblo aliado:

«¡Antínoo, poseído de insolencia, urdidor de maldades!... ¿Por qué estás maquinando cómo dar a Telémaco la muerte y el destino y no te cuidas de los suplicantes, los cuales tienen por testigo a Zeus? No es justo que traméis males los unos contra los otros. ¿Acaso ignoras que tu padre vino acá huido, por temor al pueblo? Hallábase este muy irritado contra él porque había ido, siguiendo a unos piratas tafios, a causar daño a los tesprotos, nuestros aliados; y querían matarlo, y arrancarle el corazón, y devorar sus muchos y agradables bienes; pero Odiseo los contuvo e impidió que lo hicieran, no obstante su deseo. Y ahora te comes ignominiosamente su casa, pretendes a su mujer, intentas matarle el hijo y me tienes grandemente contristada. Mas yo te requiero que ceses ya y mandes a los demás que hagan lo propio» (*Odisea*, Canto XVI, 418).

Telémaco y Penélope en una ilustración del siglo V a.C.

La referencia final sobre piratas que contiene la obra es una reiteración del relato hecho por Odiseo a Eumeo. En este caso la escena se desarrolla en el propio palacio de Ítaca con Odiseo, vestido de mendigo, pidiendo alimento entre las mesas de los pretendientes. Cuando Antínoo se lo niega, le reclama su falta de generosidad y vuelve a referir la inventada historia en la que él, siendo un hombre importante, había actuado como pirata, aunque con algunas modificaciones a la que antes había relatado al porquero:

«Dame algo, amigo; que no me pareces el peor de los aqueos, sino, por el contrario, el mejor; ya que te asemejas a un rey. Por eso te corresponde a ti, más aún que a los otros, darme alimento; y yo divulgaré tu fama por la tierra inmensa. En otra época, también yo fui dichoso entre los hombres, habité una rica morada, y di muchas veces limosna al vagabundo, cualquiera que fuese y hallárase en la necesidad en que se hallase; entonces tenía innúmeros esclavos y otras muchas cosas con las cuales los hombres viven en regalo y gozan fama de opulentos. Mas Zeus Cronión me arruinó, porque así lo quiso, incitándome a ir al Egipto con errabundos piratas; viaje largo, en el cual había de hallar mi perdición. Así que detuve en el río Egipto los corvos bajeles, después de mandar a los fieles compañeros que se quedaran a custodiar las embarcaciones, envié espías a los parajes oportunos para explorar la comarca. Pero los míos, cediendo a la insolencia, por seguir su propio impulso, empezaron a devastar los hermosísimos campos de los egipcios; y se llevaban las mujeres y los niños, y daban muerte a los varones. No tardó el clamoreo en llegar a la ciudad. Sus habitantes, habiendo oído los gritos, vinieron al amanecer; el campo se llenó de infantería, de caballos y de reluciente bronce... Allí nos mataron con el agudo bronce muchos hombres, y a otros se los llevaron vivos para obligarles a trabajar en provecho de los ciudadanos. A mí me entregaron a Dmétor Yacida, un forastero que se halló presente, el cual me llevó a Chipre, donde reinaba con gran poder, y de allí he venido, después de padecer muchos infortunios» (*Odisea*, Canto XVII, 415).

A partir de los distintos momentos en que se hace referencia a la piratería en el texto homérico pueden establecerse las dos posiciones que serán reiteradas en el mundo griego. Por un lado aparece el temor y la descalificación de alguien por ser sospechado de pirata. Allí el concepto es negativo y rechazada la persona que puede serlo.

Por otra parte, surge la opción de la piratería como una actividad destacada para conseguir fortuna, en donde la condición de pirata no aparece como negativa, sino que, por el contrario, lo muestra como a un hombre de mar acostumbrado a la riqueza y al poder de mando; veterano en una profesión de riesgo, respetada entre los suyos y que lo dignificaba como líder.

Pero, salvo en la breve descripción en que relata el saqueo a la ciudad de Ismaro, esta posición elogiosa de la piratería aparece narrada por una especie de alter ego de Odiseo. Está realizada mediante el recurso de contar una historia que le pertenece a otro. Lo que podría revelar una postura vergonzante que acepta, e incluso elogia, la actividad pirata, pero que lo hace veladamente y en forma indirecta.

Claro que estas consideraciones acerca de las bondades de la profesión de pirata van a depender, como en muchas otras cosas, de en qué extremo de la espada se ubique el que las profiere.

Lo que sí aparece en forma reiterada, y descrita como una práctica común y aceptada, es la referencia hecha en diversas ocasiones sobre el botín humano, en donde las personas son raptadas para pedir rescate o para ser vendidas como esclavos. El comercio de esclavos será una de las características principales de la piratería del Mediterráneo y la venta o el rescate de personas darán lugar a la formación de importantes organizaciones piratas que llegarán a tener famosos centros para la compra y venta de esclavos como si se tratara de un auténtico mercado legal.

PIRATAS DE LA ÉPOCA OSCURA

«En los tiempos antiguos, tanto griegos como no griegos, que vivían a lo largo de las costas o en islas, una vez que descubrieron la manera de navegar por el mar, se dedicaron a la piratería. Acostumbraban caer sobre las ciudades y las saqueaban, estuvieran amuralladas o se tratara meramente de grupos de aldeas. Era una ocupación que proseguían durante toda su vida, que todavía no estaba marcada por ningún estigma sino que hasta se consideraba una profesión honorable... Así, en época más antigua y a causa de la piratería, se prefería construir las ciudades lejos del mar, tanto en las islas como a lo largo de las costas del continente».

TUCÍDIDES (460-396 a.C.)

Las sombras de la *Época Oscura* (1200-900 a.C.) no solo cubren a los pueblos griegos y a su colapsado mundo micénico, sino que además se extienden sobre las poblaciones de influencia troyana y al extenso Imperio hitita, desarticulado en innumerables ciudades-estado.

Es la decadencia en términos de riqueza y cultura material, frente a los periodos precedente y posterior, que se expresa en la notoria escasez de datos de este tiempo y justifica la denominación de *oscura*.

Una de las consecuencias de esta época fue, probablemente, el surgimiento de los llamados *Pueblos del Mar* que, como piratas o migrantes, en acciones de propia supervivencia o de conquista, amenazaron la vida del Mediterráneo oriental. De hecho, tan solo el poderoso Egipto de Ramsés III logró detener su avance, aunque ello le costara una buena parte de su territorio.

Pues pareciera ser que entre los antiguos griegos, hombres de mar por geografía y por vocación, la actividad de la piratería no hubiera estado mal vista y, por el contrario, formara parte de una de las tantas profesiones posibles para hacer fortuna.

Durante la Época Oscura surgieron diversos pueblos que utilizaron la piratería como una forma de vida o como la posibilidad de sobrevivir en un mundo que se desarmaba. Para comprender el surgimiento de estos pueblos es necesario contemplar el fin de uno de los más vastos imperios de la antigüedad.

Los hititas

A partir del siglo XIII a.C. el Imperio hitita, desde la región central de la península de Anatolia (actual Turquía), se había extendido por enormes regiones dominando todo el noroeste de Siria y la zona septentrional de Mesopotamia llegando a tener más de veinte estados vasallos. Fueron hábiles artesanos del hierro lo que los aventajó sobre otros pueblos que solo manejaban el bronce.

Su estado de conquista permanente los llevaba a avanzar sobre territorio sirio y allí chocaban con Egipto, el otro poderoso de la región. Luego de batallas técnicamente empatadas, aunque con victorias adjudicadas para cada uno, intentos fallidos de alianzas matrimoniales, por asesinato del novio, finalmente llegaron a una paz pactada ante la amenaza de un tercero en discordia. En la zona norte de la región mesopotámica, Asiria forjaba su poderoso imperio y no disimulaba sus pretensiones de ampliarlo aún más.

Con una paz firmada, los hititas y Ramsés II guardaron de momento sus pretensiones de expansión. Pero esta tranquilidad no sería duradera. El inicio del fin se daría cuando los asirios tomaron el control de las minas de cobre ubicadas al este de la península de Anatolia. La reacción del rey hitita, Tudhaliya IV (1465-1430 a.C.), fue inmediata. Se apoderó de la isla de Chipre, que por ser rica en cobre le permitía asegurarse el suministro de este metal, y estableció un embargo mercantil contra Asiria. A su vez, obligó a sus pueblos vasallos a bloquear el comercio con los barcos micénicos. Desde Chipre podía controlar las rutas de navegación del este del Mediterráneo y atacar los barcos micénicos que comerciaban en la zona.

Este bloqueo afectó gravemente a los pueblos de la Hélade provocando conflictos y desencadenando el colapso de la economía griega. Como respuesta a la ruptura de su red comercial, los micénicos realizaron sucesivas expediciones piratas contra los pueblos y los barcos anatolios.

De este tiempo es una de las más conocidas acciones piratas, protagonizada por un singular personaje que llega a nosotros a través de la llamada «*Acusación de Madduwatta*», una carta del rey hitita Anurwanda dirigida al mismo jefe guerrero reprochándole su deslealtad.

La acusación de Madduwatta

No hay certeza sobre la patria de origen de Madduwatta, aunque se cree que podría ser alguna población de la Anatolia occidental. Sí se sabe que tuvo que abandonarla por la disputa con Attarsiya «el hombre de Ahhiya» y fue a refugiarse con sus hombres en la corte del soberano hitita Tudhaliya. Allí hizo carrera gracias a sus habilidades políticas y a la capacidad de lucha de su ejército personal. Fue nombrado gobernante de Zisppala, un pequeño país vasallo de la región montañosa. Hasta allí llegó su antiguo enemigo Attarsiya, pero con la ayuda hitita que reforzó su ejército pudo rechazar el ataque. Sin embargo, tiempo después, ya no conforme con su pequeño feudo comenzó a olvidar sus deberes de fidelidad y lealtad con quien lo había ayudado y avanzó sobre los territorios vecinos que eran vasallos de su mismo señor. Conquistó e incorporó a su reino Happalla, Pitassa y tierras del País de Lukka. Los barcos de Madduwatta comenzaron a avanzar sobre las costas y, finalmente, cuando ya poseía gran parte del sudoeste de Anatolia en su poder, no tuvo reparos en aliarse con su antiguo y perseverante enemigo Attarsiya para llevar a cabo la conquista más atrevida, el reino de Alasiya, es decir Chipre, una de las islas más deseadas del Mediterráneo oriental por su posición estratégica.

Madduwatta, acusado de pirata, se defendió afirmando que oficialmente nadie le había comunicado que aquella fuera tierra hitita. Pero las excusas no convencieron ni perdonaron la traición y el peso del poder hitita reconquistó su isla y castigó al insolente.

Pero el vasto Imperio hitita ya había comenzado a tambalearse y a dar muestras de su profunda crisis. Los pueblos vasallos que rendían duros tribu-

Ramses II, un faraón que tuvo que luchar con los piratas.

tos a sus poderosas ciudades-estado pronto verían la oportunidad de retomar su autonomía.

Los hechos decisivos de la gran crisis en el Mediterráneo oriental ocurrieron durante el cambio de siglo. En esa época, los pueblos griegos habían podido resolver temporalmente sus enfrentamientos internos, y emprendieron una campaña con el fin de recuperar el control sobre las principales rutas comerciales. Uno de sus objetivos principales era, lógicamente, Chipre, la estratégica isla que tantas veces cambiaría de señor. Pero para desplazar a los hititas y que su ocupación fuera efectiva era necesario también la conquista de las costas continentales vecinas. El otro objetivo importante era Troya, la gran puerta hacia el comercio con el mar Negro.

Al tiempo que los ejércitos micénicos atacaban Troya y las regiones costeras, los mushki y los kashka completaban la destrucción del Imperio hitita expulsando a muchos pueblos hacia el mar y a la búsqueda de nuevos territorios. Sería este el momento de los llamados *Pueblos del Mar.*

Los pueblos del mar

A finales del siglo XIII y comienzos del XII a.C., el Mediterráneo oriental soportó una serie de ataques de piratería y conquista que culminaron con la destrucción de los principales centros costeros y cuyo protagonismo se atribuye a los llamados *Pueblos del Mar.* Este término agrupa a muy diversos pueblos, de los cuales mucho es lo que se ha escrito y pocas las fuentes que hablen certeramente de ellos. Aunque aparecen en diferentes archivos bajo denominaciones particulares, su existencia o actuación conjunta no ha podido ser totalmente demostrada.

El nombre de *Pueblos del Mar* es una definición creada por el vizconde Emmanuel de Rougé, conservador del Louvre y sucesor del egiptólogo Jean-François Champollion en la cátedra de Arqueología egipcia del *Collège de France.* El vizconde acuñó esta denominación a mediados del siglo XIX para englobar a los distintos y muy diversos pueblos que aparecían en algunos textos e inscripciones donde se indica que estos invasores procedían de «islas en medio del mar», si bien en otros lugares aparecen mencionados como «países del mar» o «guerreros del mar». Y como todo buen reduccionismo ha prosperado y se ha instalado.

La falta de evidencias arqueológicas que llevó a la denominación de este tiempo como la *Época Oscura* hace que, hasta el momento, sean muchas más las teorías que las evidencias. Lo que aparece como cierto es que estos llamados *Pueblos del Mar* estuvieron involucrados, de una forma u otra, en las diversas crisis que trastocaron la «relativa» estabilidad en el Mediterráneo oriental de aquella época.

Una de las teorías más repetidas acerca de su origen considera que la situación de caos entre los países del nordeste Mediterráneo generó inmensas migraciones de pueblos que, una vez perdidas sus posesiones, habrían avanzado hacia la franja costera oriental pirateando y saqueando sus poblaciones. Lo que explicaría sus ataques tanto a Egipto como a toda la franja costera de los actuales países de Siria, Líbano e Israel.

Otros estudios se basan en que estos pueblos eran vasallos de los hititas y tenían su asentamiento original en algunas de las tierras devastadas de Anatolia y Siria, por lo que, habiendo sufrido una gran derrota en sus propios países, tuvieron que emigrar hacia las fronteras egipcias e invadir Palestina.

Una teoría diferente sostiene que, con la crisis del siglo XIII a.C. que involucró al Mediterráneo oriental, el Imperio hitita comenzó a desmembrarse en diferentes ciudades-estado totalmente autónomas que se fueron perfilando, poco a poco, como pequeños reinos, especialmente aquellos situados en el norte de Siria, en Cilicia y en la región central y sur de Asia Menor. Todas estas nuevas ciudades-estado, que estaban situadas a lo largo de rutas comerciales y controlaban lugares imprescindibles para el comercio, no solo lograron sobrevivir a la crisis de la desintegración, sino que cada vez comenzaron a tener mayor relevancia. A su vez tenían conciencia de que, sin el Imperio hitita en el norte, era cuestión de tiempo para que Egipto se apoderara de la región. Por ello, los nuevos estados hititas se coaligaron y crearon un poderoso ejército que se enfrentó a Egipto, anticipándose de ese modo a las pretensiones egipcias.

Ramsés contra los guerreros del mar

Los relieves y textos alusivos del templo funerario de Ramsés III en Medinet Habu narran las grandes batallas libradas por el faraón de la XX Dinastía durante su reinado (1192-1160).

Una de estas batallas tuvo lugar contra «los guerreros del mar» que con sus naves habían destruido los más importantes centros del Mediterráneo oriental en los momentos finales de la Edad del Bronce. La promocionada victoria de Ramsés III habría evitado su entrada en Egipto.

«Los países extranjeros conspiraron en sus islas. Repentinamente, los países se pusieron en movimiento y se diseminaron en (son de guerra). Ninguna tierra podía sostenerse frente a sus armas, desde Kheta, Kode, Karkemish, Arzawa y Alasiya en adelante, siendo amputadas de una vez. (Levantaron) un lugar en Amor. Asolaron a su gente y su tierra fue como lo que nunca había existido. Avanzaban hacia Egipto mientras la llama se preparaba ante ellos. Su confederación la formaban los peleset, tjeker, shekelesh, denyen y weshesh. (Estos) países estaban unidos y pusieron sus manos sobre los países hasta el círculo de la tierra, con los corazones llenos de confianza y seguridad: ¡Nuestros propósitos triunfarán!

Pero el corazón de este dios, el señor de los dioses, hizo que estuviera preparado y dispuesto para atraparlos como aves salvajes; él me proporcionó la fuerza y motivó que mis planes se realizaran. Salí adelante, iniciado en estas cosas maravillosas. Organicé mi frontera en Djahi, preparé frente a ellos a príncipes, jefes de guarniciones y maryannu. Hice equipar las bocas de los ríos como una poderosa muralla, con naves de guerra, de transporte y barcas con la tripulación [completa], pues las ocupaban de proa a popa valientes guerreros cargados con sus armas. Las tropas consistían en hombres escogidos de Egipto. Eran como leones rugiendo en las cimas de las montañas. La fuerza de carros se componía de corredores, de hombres entrenados, de todo guerrero de carro bueno y capaz. Los caballos estremecían cada parte de su cuerpo, dispuestos a aplastar a los pueblos extranjeros bajo sus cascos. Yo era como el valiente Montu, firme frente a ellos para que pudiesen ver la lucha cuerpo a cuerpo de mis brazos. Yo, el Rey del Alto y del Bajo Egipto, Usermaatre Meri-Amón, hijo de Re, Rameses, gobernador de Heliópolis. Yo, yo soy el que actúa, el intrépido, consciente de su fuerza, el héroe que salva su ejército el día del combate.

De aquéllos que llegaron a mi frontera, su simiente ya no existe, su corazón y su alma desaparecieron para siempre jamás. Aquéllos que vinieron juntos por mar, el fuego todo estuvo delante de ellos en las bocas de los ríos y una empalizada de lanzas los rodeó en la playa. Fueron rechazados y tendidos en la orilla, muertos y amontonados de proa a popa de sus barcas. Todos sus bienes fueron arrojados al agua.

He hecho que los países se arredren (incluso) al mencionar Egipto; y cuando pronuncian mi nombre en su tierra arden. Desde que me senté en el trono de Horakhti y la Serpiente-diadema se colocó en mi frente como Re, no he permitido que los países extranjeros contemplaran las fronteras de Egipto [...] En cuanto a los Nueve Arcos, he arrebatado sus tierras y añadido sus fronteras a las mías. Sus príncipes y sus gentes han venido a mí con plegarias. Yo llevo a cabo los proyectos del Señor del todo, augusto, divino padre, señor de los dioses» (Versión de Federico Lara, *El Egipto Faraónico*, Madrid, Ed. Istmo, 1991, 179-180).

En los archivos de Ugarit (norte de la franja sirio-palestina) se encontraron dos textos que se refieren a la amenaza sufrida que venía por mar. El primero es una carta del rey de Alashiya (Chipre) al rey Hammurabi II de Ugarit en la que, avisados del enemigo que se acerca por mar, le insta a fortificarse y defenderse con valor.

«Esto dice el rey a Hammurabi rey de Ugarit. Salud, que los dioses te conserven sano. Lo que me has escrito «se ha divisado en el mar al enemigo navegando". Bien, ahora, incluso si es cierto que se han visto barcos enemigos, mantente firme. En efecto, acerca de tus tropas, tus carros ¿dónde están situados? ¿Están situados a mano o no? ¿Quién te presiona tras el enemigo? Fortifica tus ciudades, establece en ellas tus tropas y tus carros y espera al enemigo con pie firme».

El segundo es probablemente una respuesta, donde el monarca de Ugarit, Hammurabi II, lamenta la destrucción que las naves enemigas ya han producido en su reino.

«Al rey de Alashiya. Mi padre, esto dice el rey de Ugarit su hijo. Me postro a los pies de mi padre. Salud a mi padre, a tu casa, tus esposas, tus tropas, a todo lo que pertenece al rey de Alashiya, mucha, mucha salud. Mi padre,

Estela con el código de Hammurabi, rey de Ugarit.
Hacia 1780 a.C.

los barcos enemigos ya han estado aquí, han prendido fuego en mis ciudades y han causado grave daño en el país. Mi padre, ¿no sabías que todas mis tropas estaban situadas en el país hitita, y que todos mis barcos se encontraban aún en el país de Lukka y todavía no han regresado? De este modo, el país está abandonado a su propia suerte... Que mi padre sepa que siete barcos enemigos han venido y ocasionado gran daño. Si en adelante hay más barcos comunícamelo para que pueda decidir qué hacer (o "saber lo peor")» (Versión de JAIME ALVAR, *Historia del Mundo Antiguo 7. Los Pueblos del Mar y otros movimientos de pueblos a fines del II milenio*, Madrid, Ed. Akal, 28).

La casa lejos

La palabra griega para designar a una colonia es *apoikia,* (απο: lejos y οικια: casa). El rasgo principal de la *apoikia* es su condición de *polis,* con todos sus elementos esenciales que representan la forma de vida griega, trasplantada a regiones no griegas.

De esta manera, la colonización no significaba migración sino más bien expansión, siendo una población que no modificaba su forma de vida sino que se trasladaba y se enriquecía con otras nuevas.

Diversos factores empujaron a los griegos a iniciar una oleada de asentamientos por todo el Mediterráneo. Entre ellos, un desigual reparto de la riqueza con la concentración de la mayoría en manos de unos pocos, el crecimiento demográfico que se venía dando desde la Edad Oscura, la escasez de tierras cultivables por las difíciles condiciones orográficas, el acaparamiento de las más fértiles por unas pocas familias y el cese de la distribución de las tierras de propiedad comunal.

Otro factor de gran relevancia fue el comercio. En una primera época el comercio del Mediterráneo estaba en manos de los fenicios, los grandes mercaderes de la antigüedad. Pero los griegos supieron tomar su experiencia, adoptar su forma de navegación, copiar la estructura de sus barcos, adaptar su sencillo y práctico alfabeto, crear su propia red comercial y competir duramente y, finalmente, aventajar a sus maestros. El aumento en la producción de vino y aceite contribuyó a lograr los excedentes vitales para su primera etapa en el comercio, luego, una eficaz diplomacia les abrió las puertas de muchos pueblos y de sus materias primas.

En poco tiempo la colonización griega avanzó por todo el Mediterráneo estableciendo puertos en cada costa y en cada isla. Para esto fue muy importante que las relaciones con los fenicios y los púnicos, dentro de lo posible, se mantuvieran en los límites de un mutuo acuerdo en el que cada uno se mantenía en su territorio sin perturbar demasiado a los otros.

Era intenso el andar de barcos comerciantes que desde el Oriente hasta España llevaban plata, hierro, plomo y estaño; traían desde Sicilia cereales y lana; marfil, oro y papiros desde África; perfumes, telas e incienso de Arabia o maderas, tintes, tejidos y cerámicas del litoral fenicio.

Pero tanta abundancia no podía pasar impunemente desapercibida para tanto pirata suelto por esas aguas. Muchas veces las guerras que los imperios de turno desataban en la región eran momentos propicios para desarrollar la piratería sin ofender demasiado ostensiblemente los acuerdos pactados.

Piratas foceos

Focea era una ciudad griega fundada en el siglo VIII a.C. por los focidios bajo liderazgo ateniense a escasos kilómetros al noroeste de Esmirna en el Asia Menor. Debía su nombre a la foca, animal que era el símbolo de la ciudad.

Según Heródoto, los foceos fueron los primeros griegos que realizaron largos viajes por mar hasta el Adriático, el Tirreno y llegaron a Iberia. Se transformaron en un importante puerto que comerciaba activamente con todo el Mediterráneo, pero, en estos y en todos los tiempos de mares peligrosos, no bastaban las habilidades mercantiles para asegurar las ganancias, se necesitaba, además, de un número de naves militares acorde al despliegue comercial para proteger los intereses y asegurar las buenas transacciones. De esta manera, los foceos habían conformado un buen número de naves militares que muchas veces no solo servían de protección sino que llegaban a convertirse en piratas temibles.

Cuando comienzan a acabarse los recursos y las reservas de la zona asiática, a aumentar la presión por la llegada de nuevas oleadas de refugiados empujados por los persas que, a su vez, amenazaban con devorar toda Jonia, los focenses ya habían fundado diversas *apoikiais* (casas lejanas) hasta en los puntos más distantes del Mediterráneo occidental.

Focea había logrado permanecer independiente hasta que cayó, primero, bajo control lidio y después, junto con Lidia y el resto de la tierra firme de Jonia, fueron conquistados en el 546 a.C.

por el medo Harpago, general del rey aquemérida Ciro II el Grande de Persia.

Al ser sometidos por los persas, los foceos abandonaron sus ciudades, pero antes de partir hacia las colonias occidentales desembarcaron en Focea, su ciudad madre, y mataron a la guarnición persa que por orden de Harpago ocupaba la ciudad.

En la zona del Mediterráneo occidental, hasta entonces el equilibrio había sido ejemplar. La colonia fenicia de Cartago había ido creciendo hasta lograr independizarse de la metrópoli de Tiro y heredar todos sus puestos comerciales en occidente. Los cartagineses comerciaban especialmente con el mineral de plata extraído del sur de Iberia y con diversos pescados salados que producían en factorías propias y eran muy apreciados en las colonias. Por su parte, Etruria controlaba el paso del comercio centroeuropeo hacia esta parte del Mediterráneo y, a su vez, los griegos aportaban diversas manufacturas y cerámica de lujo.

Todo el comercio convivía en una relativa armonía y sus productos circulaban en todas las colonias, ya fueran púnicas, etruscas o griegas. Pero al extenderse la figura de Ciro en forma amenazadora comenzó a resentirse este equilibrio en el Mediterráneo.

Los foceos, que poseían importantes colonias entre ellas Massalia (Marsella), Aegitna (Cannes), Nicea (Niza), Emporion (Ampurias) en España y Alalia en la costa oriental de Córcega, crecían peligrosamente para sus vecinos, pues se estaban tornando cada vez más agresivos y los actos de piratería eran cada vez más frecuentes y más importantes.

Aunque los foceos no eran los únicos que se valían de la piratería para lograr un enriquecimiento rápido ni tampoco lo hacían de manera ostensible, ésto sirvió de un considerable pretexto para que en el año 537 a.C. se concretara la alianza entre cartagineses y etruscos. Reunida su flota se dirigieron hacia Alalia, a la que consideraban un verdadero nido de piratas, con la firme intención de sacarla de la escena.

La flota etrusco-cartaginesa ha sido estimada entre 100 y 120 naves mientras que la escuadra focense tenía apenas un poco más de sesenta naves. La mayoría de ellas probablemente serían pentecónteras de 48 remos y dos timones y, tal vez, algunos trirremes que en aquella época aún eran muy costosos.

Los relatos refieren que los griegos mediante su superioridad táctica consiguieron suplir la inferioridad numérica y lograron destruir a la flota enemiga. Pero este triunfo se logró a un costo muy alto y con pérdidas enormes, pues cuarenta de las sesenta naves fueron destruidas y las restantes quedaron severamente dañadas.

Pero todas las fuentes de este relato son griegas, los cartagineses no pudieron dejar su versión de los hechos y de su resultado final. Más allá de este poco probable triunfo, lo cierto es que la consecuencia inmediata fue el fin de la política expansionista en el Mediterráneo occidental de los griegos focenses y el comienzo de la cartaginesa.

Con la pérdida de tantas naves, las rutas marítimas comerciales focenses quedaron maltrechas y fueron ocupadas por los cartagineses. Los foceos abandonaron Córcega y buscaron refugio en

Lienzo de muralla fenicia enterrada en el yacimiento de La Fonteta, en las dunas de Guardamar de Segura, Alicante, que demuestra la intensa actividad comercial desplegada por este pueblo en el Mediterráneo.

terreno itálico donde fundaron la ciudad de Elea. Allí comenzaron una prudente actividad comercial que prosperó hasta convertir a la ciudad en un importante centro cultural. A tal punto que allí se creó una de las escuelas filosóficas más importantes de la historia, la eleática. Su primera figura sería el poeta y teólogo Jenófanes, nacido en Colofón y emigrado a causa de la presión persa. A él le seguirían Parménides y más tarde Zenón. Esta Elea también se haría con el tiempo una fiel aliada de Roma.

Los intrépidos marineros que no dudaban en ir al abordaje, pasaron de esta manera a convertirse en ricos mercaderes y en espléndidos intermediarios. Pero su fama de navegantes y de estrategas perduraría.

Una muestra de la permanencia de la fama en proezas navales fue que, cuando en el 500 a.C. se produjo la revuelta jónica contra Persia, se nombró para comandar la flota a Dionisio, un jefe foceo.

Los jonios se rebelan

El gran Imperio persa que sometía a las colonias griegas les permitía una relativa autonomía, pero al mismo tiempo les exigía el pago de pesados impuestos. La población civil de las ciudades estado griegas, incluidas las colonias orientales, cansada de las opresiones y abusos, en reiteradas ocasiones se sublevaba contra los tiranos que las gobernaban, condenándolos al destierro.

Estos tiranos derrocados, por su parte, acostumbrados al ejercicio del poder, buscaban refugio en las cortes de los reyes persas ofreciendo su conocimiento de las tácticas griegas, buscando promover una intervención militar que los reinstalara nuevamente en el poder, aunque fuera como títeres persas.

En el año 502 a.C., Naxos, la mayor de las islas Cícladas, se rebeló instaurando una democracia y desterrando a un grupo de nobles que se habían aliado a los persas. Estos se refugiaron en la ciudad jonia de Mileto y solicitaron la ayuda del tirano Aristágoras. Este a su vez, pensando en liderar una expedición que lo hiciera dueño de Naxos y con ello de un importante botín, convenció a Artafernes, sátrapa de Lidia y hermano de Darío I, acerca de la conveniencia de tomar el control de Naxos, que además de ser rica en dinero y esclavos, era un punto estratégico para aumentar las conquistas:

«Manda, pues, un ejército contra esta región y restituye sus desterrados. Si así lo haces, tengo a tu disposición grandes sumas aparte los gastos del ejército, que es justo paguemos nosotros, ya que te traemos a ello; además, conquistarás por añadidura para el rey la misma Naxo, y las islas que de ella dependen, Paro, Andro y las restantes que llaman Cíclades. Desde esta base, atacarás fácilmente a Eubea, isla grande y próspera, no menor que Chipre y muy fácil de ser tomada. Bastan cien naves para conquistar todas estas islas. Artafrenes le replicó así: Has expuesto provechosas empresas para la casa real y aconsejas bien en todo, salvo en el número de naves: en lugar de ciento, tendrás listas doscientas al comenzar la primavera; pero es preciso que el mismo rey dé su consentimiento» (HERODOTO, *Historia*, Libro V, Primera parte, XXXI).

Darío autorizó la expedición, pero designó como jefe a su primo Megabates. Este hecho disgustó sobremanera a Aristágoras y las diferencias entre ellos fueron creciendo. A tal punto que, ante la desautorización pública de una orden para castigar la falta de uno de los jefes jonios liberado del castigo por el propio Aristágoras, Megabetes envió mensajeros a la isla para alertar de su propio ataque. Avisados los naxios del inminente ataque se fortificaron y prepararon para un largo asedio.

La expedición resultó un verdadero fracaso, las pérdidas económicas de Aristágoras fueron enormes y, ante el temor de ser depuesto de su gobierno, comenzó a preparar la sublevación. Coincidente con esta situación recibió de su tío y suegro, Histieo, un mensaje que lo instaba a la sublevación contra los persas.

Histieo era un general ateniense a quien, como premio por mantener a la flota jonia en el Helesponto y así haber salvado al ejército persa de la derrota ante los escitas, el rey Darío I había convertido en tirano de Mileto y permitido crear una colonia en terrenos de Tracia.

Pero Megabazo, el consejero de Darío, le advierte sobre el peligro que ésto representaba:

«Por Dios, señor, ¿qué es lo que habéis querido hacer dando terreno en Tracia y licencia para fundar allí una ciudad a un griego, a un bravo oficial, y a un hábil político? Allí hay, señor, mucha madera de construcción, mucho marinero para el remo, mucha mina de plata; mucho griego vive en aquellos contornos y mucho bárbaro también, gente toda, señor, que si logra ver a su frente a aquel jefe griego, obedecerle ha ciegamente noche y día en cuanto les ordene. Me tomo la licencia de deciros que procuréis que él no lleve a cabo lo que está ya fabricando, si queréis precaver que no os haga la guerra en casa: puede hacerse la cosa con disimulo y sin violencia alguna, como vos le enviéis orden de que se presente, y una vez venido hagáis de modo que nunca más vuelva allá, ni se junte con sus griegos» (Herodoto, *Historia*, Libro V, Primera parte, XXXI).

Siguiendo estos consejos, Darío llamó a Histieo y con la excusa de convertirlo en su consejero lo retuvo en Susa, lejos de cualquier posible infidelidad. Al partir, Histieo había nombrado como sucesor a su yerno Aristágoras.

Al enterarse del fracaso de la expedición militar, Histieo entendió que era el momento adecuado de provocar una rebelión en Mileto como única posibilidad para retornar a su tierra. Debido a que no podía enviar directamente un mensaje a Aristágoras, pues sería rápidamente interceptado por los guardias o espías persas, resolvió rasurar el cuero cabelludo de su esclavo, tatuarle el mensaje y esperar a que le creciera el pelo. De esta manera el esclavo pudo viajar sin ser descubierto. Al llegar con Aristágoras, se rasuró el pelo y así pudo comunicarle las instrucciones de Histieo.

Aristágoras apeló a la unidad griega para hacer frente común ante tan poderoso enemigo. Solo Atenas y Eritrea ofrecieron escaso auxilio a la causa de Mileto y aunque al principio obtuvieron algunas victorias, finalmente sucumbieron ante el gran ejército comandado por Megabates.

La primera acción de Aristágoras fue, mediante diferentes estrategias, apoderarse de varios de los antiguos tiranos y jefes que habían realizado alianzas con los persas y entregarlos a sus respectivas ciudades jonias donde sufrieron diferentes suertes a manos de los ciudadanos. Depuestos los tiranos e iniciada abiertamente la sublevación, dio orden de elegir un general en cada ciudad y partió hacia los demás pueblos griegos en busca de aliados para enfrentar a los persas.

La rebelión jonia se había iniciado con un verdadero golpe de efecto: el ataque sorpresivo a Sardes, la capital de Lidia. La ciudad fue destruida, pero la dotación persa resistió y no pudieron tomar la ciudadela. La resistencia de la guarnición persa evitó que tomaran la acrópolis, pero sí destruyeron el santuario nacional de los lidios. Ante la inminente llegada del ejército persa los jonios hicieron una desordenada huida y fueron derrotados en Éfeso.

Pero, a pesar de esta derrota, la revuelta estaba iniciada y el ataque a Sardes fue un importante mensaje a todos los pueblos griegos que empujó a unirse a las demás ciudades de la Póntide y el Bósforo, los carios, los licios y también los chipriotas. De esta forma la satrapía de Tracia quedaba aislada.

Los persas reaccionaron con una planificada estrategia. Recuperaron Chipre que era un punto estratégico, atacaron los estrechos que les dieron el control marítimo, después cayeron las ciudades del Helesponto y Caria, ahogando lentamente a Mileto. Las ciudades de los Dardanelos, del Mar de Mármara y Eólide fueron conquistadas con rapidez. Finalmente se produjo el bloqueo de Mileto por las tropas persas.

Los jonios se reunieron en el santuario Panjonion dedicado a Poseidón Heliconio, situado en el cabo de Micale, y en esta asamblea acordaron que sus posibilidades por tierra eran escasas y decidieron como más conveniente plantear el enfrentamiento en una batalla naval.

Los intentos de Aristágoras por plegar al levantamiento al resto de las ciudades griegas no tuvo el eco esperado. Atenas accedió de mala gana y aportó solo veinte barcos y Eretria de la isla de Eubea que aportó cinco naves. Esparta se negó a participar.

De las ciudades jonias, nueve mandaron sus escuadras con lo que lograron reunir alrededor de trescientas cincuenta naves, en su mayoría trirremes. La flota griega se reunió en Lade, frente a Mileto, una isla que, a causa de los sedimentos del Meandro, llevaba años unida al continente.

Por su parte, un enfurecido Darío I congregó a una flota de alrededor de seiscientas naves conformada por embarcaciones fenicias, cilicias, chipriotas y egipcias, dispuesto a aplastar de raíz a la rebelión de los jonios.

Dario I, el Grande, «aquel que apoya firmemente el bien», rey de los Persas del 521 al 485 a.C.

Pero los persas eran fundamentalmente guerreros terrestres y no les interesaba demasiado el mar al que no conocían demasiado. Desde el inicio de su expansión los barcos fenicios habían sido sus vehículos comerciales y ahora, junto a los egipcios, lo serían en la guerra. Así como no confiaban demasiado en la lucha naval, conocían bien los méritos de los griegos como navegantes. Por lo tanto, no se confiaron solamente del número de sus embarcaciones y decidieron fortalecer su posición dividiendo aún más a su enemigo.

Distribuyeron generosos ofrecimientos a los antiguos tiranos y nobles con quienes mantenían contacto junto a severas advertencias y amenazas a todas las ciudades que osaran unirse a los rebeldes y las consecuencias que se acarrearían ante una inminente derrota griega. Esta campaña publicitaria en un comienzo, aparentemente, no tuvo efecto ya que las ciudades que se habían comprometido no desistieron de su actitud. Los jonios y los persas finalmente se encontraron en el año 494 a.C. en la batalla naval de Lade.

De generales a piratas

Después de haber reunido a su flota, uno de los grandes problemas a los que se enfrentaron los jonios fue la falta de un mando militar consensuado. La decisión recayó en Dionisio el Foceo, un valeroso y veterano hombre de mar. Pero este nombramiento, justificado en sus habilidades como estratega y en la antigua fama que precedía a su pueblo, no se condecía con su falta de peso político, ya que de los trescientos cincuenta y tres trirremes que componían la flota solo tres eran naves foceas.

Las diferencias entre los aliados y una participación reticente vinieron a sumarse a un mando estricto por parte del designado almirante. Sometidos los marineros helenos a un entrenamiento extremo y riguroso, comenzaron a manifestar su descontento hasta el punto de que algunos sectores de la flota dejaron de reconocer a Dionisio como comandante, se retiraron de las prácticas de guerra y acamparon tranquilamente en la costa, dispuestos tan solo a acudir a la batalla, pero no a agotarse en ejercicios previos.

Estas discrepancias hicieron pensar a algunos jefes que las posibilidades de triunfo eran escasas y fueron aprovechadas por Éaces, un tirano que Aristágoras había enviado al exilio, para convencer a los jefes samios de llegar a un acuerdo con los persas y retirarse de la batalla una vez comenzada.

«Se formaron de este modo. Ocupaban el ala de Levante los mismos milesios con ochenta naves; seguíanles los de Priena con doce naves, y los de Miunte con tres; a éstos seguían los teyos con diecisiete naves, y a éstos los de Quío con cien naves. Junto a éstos estaban formados los eritreos y los foceos, los eritreos con ocho naves, y los foceos con tres; a los foceos seguían los lesbios con setenta naves; estaban alineados últimos, ocupando el ala de Poniente, los samios con sesenta naves. El número completo de todas estas naves llegaba a trescientos cincuenta y tres trirremes» (Heródoto, *Historia*, Libro VI, 8).

Una vez alineadas en dos alas las naves, los fenicios iniciaron el ataque, confiados probablemente en la deserción de las naves de los samios. Efectivamente, apenas comenzado el combate, las naves de Samos cumplieron su acuerdo con los persas, izaron las velas y se alejaron rumbo a su isla. Seguramente la traición era responsabilidad de los comandantes de la escuadra, pues de las sesenta naves once se negaron a obedecer y permanecieron dispuestas a combatir.

De todas maneras, la repentina huida causó una enorme confusión entre los griegos cuya moral se veía disminuida al ver que una parte importante de su flota se retiraba cobardemente. Ante esto los lesbios, considerando que la batalla ya estaba perdida, tomaron la misma decisión y desertaron de la batalla con sus setenta naves y a ellos les siguieron numerosos jonios.

La flota helena, terriblemente disminuida por las traiciones, se vio sobrepasada y recibió los primeros ataques de los fenicios que causaron gran destrucción entre sus filas.

Los quiotas, decididos a no traicionar la causa que les había llevado hasta allí, lanzaron sus ochenta trirremes al ataque y consiguieron romper las líneas enemigas, destruyendo y capturando un buen número de barcos rivales. Conformes con este botín, encontrándose ya en mar abierto y en vista de la inminente derrota, buscaron retirarse hacia su isla. Pero su alejamiento provocó la persecución de la flota persa que logró destruir al menos cuarenta de sus barcos.

Los navíos griegos que permanecieron lucharon valientemente, pero su derrota fue total, ya que no tenían ninguna posibilidad ante tan numeroso adversario.

El almirante Dionisio de Focea no solo logró sobrevivir a la batalla, sino que dio muestras de su enorme habilidad como combatiente del mar. Avanzó con sus tres trirremes en medio del combate produciendo importantes bajas entre los persas, pero al ver que la derrota estaba decidida, capturó tres naves enemigas, las sumó a su mando y con ellas logró sortear la desigual persecución de la flota persa.

Consciente de que Jonia estaba irremisiblemente perdida y que el avance de los persas sería imparable, dirigió su pequeña escuadra hacia las mismas costas fenicias, el corazón marítimo de sus adversarios. Pues también sabía que no esperarían que se refugiase precisamente allí y, por otra parte, dado que la mayor parte de la flota fenicia se encontraba en la campaña, la zona estaría atractivamente desprotegida.

Durante un buen tiempo, plenamente dedicado a la piratería y a tomarse un personal desquite, se ocupó de apresar, saquear o hundir a cuanto barco fenicio o egipcio se atreviera a cruzarse por su camino.

Aumentada considerablemente su escuadra con las naves capturadas y ante el regreso de la flota, cambió de área y marchó hasta *Sikelia* (Sicilia) desde donde, como pirata profesional, siguió causando terror entre los habitantes de los puertos y las naves mercantes. Pero sus objetivos siempre fueron naves etruscas o cartaginesas, respetando a las embarcaciones griegas, lo que le valió el reconocimiento como patriota de sus contemporáneos.

Otro general que también cambió de general a pirata, al final de esta guerra, fue el malogrado tirano Histieo.

Prisionero voluntario en la corte persa de Darío I, que quería mantenerlo lejos de las tentaciones de infidelidad, una vez que se hubo desatado la rebelión jonia a manos de su cómplice y yerno Aristágoras, buscó los medios para acudir a la zona de conflicto y poder dar su discreto apoyo a los sublevados.

Cuenta Herodoto que cuando Artafernes, gobernador persa de Sardes, le preguntó por qué razón creía que se habían sublevado los jonios, Histieo dijo que nada sabía y se maravillaba de lo sucedido como si no supiese nada de la situación. Pero Artafernes, que conocía la verdad de la sublevación, le replicó: «Histieo, la situación es esta: tú cosiste esos zapatos y Aristágoras se los calzó».

Ya sin poder ocultar su participación en la rebelión, Histieo pretendió regresar a Mileto pero fue rechazado por los mismos ciudadanos que no tenían intención de volver a tenerlo como soberano. Tampoco en Quío lo aceptaron y recorrió varias ciudades hasta que finalmente llegó a Mitilena donde consiguió el apoyo de los lesbios. Partió de allí con ocho trirremes y la imposibilidad de sumarse a ninguna de las ciudades jonias, ya sin patria que defender y resentido por los rechazos, tomó la decisión de actuar por su cuenta.

Navegó hasta Bizancio donde se apostó con sus naves a la entrada del Bósforo y comenzó a atacar los barcos mercantes que venían del Ponto cargados de trigo, cuero, esclavos, miel, cera y salazones. Muchos fueron los barcos jonios que conocieron la furia del nuevo pirata. Salvaban su integridad solo aquellos que declaraban su intención de unírseles o, en caso contrario, terminaban en el fondo del Mármara.

A pesar de que su actividad pirata ya le había redituado buenos dividendos, cuando le llegó la noticia de la caída y destrucción de su antigua ciudad de Mileto, no dudó en dejar sus posesiones en el Helesponto a cargo de un subalterno y partir de regreso para ver qué podía recuperar de sus antiguos dominios.

Llegó primero a la isla de Quíos, pero como su guarnición se negó nuevamente a recibirlo los enfrentó en un lugar llamado Cela.

BREVE HISTORIA DE LOS PIRATAS

Antiguo grabado en el que puede apreciarse el canal del Bósforo, punto de paso obligado para los barcos que navegaban entre el Mar Negro y el Mediterráneo.

Con sus barcos deshechos y devastado su ejército en la reciente derrota con los persas, poco pudieron hacer los quiotas contra los feroces guerreros lesbios de Histieo.

Considerando, tal vez, que aún no tenía una fuerza suficiente como para sostener esa plaza con la flota persa tan cerca, reunió a una buena cantidad de jonios y eolios y decidió retornar al norte del Egeo donde inició el sitio de la ciudad de Thásos en la montañosa isla frente a la costa de Macedonia.

En esa actividad estaba cuando le llegó la noticia de que la armada persa que había estado invernando cerca de las costas de Mileto había partido con intención de avanzar sobre el resto de Jonia. Inmediatamente Histieo, viendo la posibilidad de regresar a su antigua ciudad, decidió abandonar el saqueo de Thasos y partir con toda su tropa.

Hizo una primera escala en la isla de Lesbos, pero ante la necesidad de buscar alimentos para su ejército pasó al continente. Mientras desembarcaba y preparaba su campamento, fue descubierto por los vigías de Harpago, un general persa que por azar se encontraba allí con un numeroso ejército. Harpago atacó a los desprevenidos jonios dando muerte a la mayor parte de los hombres y tomó prisionero a su jefe.

Histieo, llevado a Sardes, fue inmediatamente ejecutado por Artafernes para que no escapase y volviese a gozar del antiguo favor del rey. Empalaron su cuerpo allí mismo y enviaron a Darío, en Susa, su cabeza embalsamada.

Así terminó este general que fue soberano de Mileto, consejero del rey Ciro I y pirata sin patria en el final.

También Aristágoras, su yerno, sucesor en el trono de Mileto y jefe de la rebelión jónica, siguió un camino semejante, aunque con menor trascendencia. Después de la batalla naval de Lade, prácticamente sofocada la rebelión, se dispuso el sitio a la ciudad de Mileto. Ante la inminente derrota que se avecinaba, Aristágoras planeó establecerse en alguna colonia que le permitiera refugiarse y reunir las fuerzas necesarias para, en una mejor oportunidad, regresar a rescatar sus dominios.

Reunió, entonces, a una buena cantidad de hombres y nobles comprometidos en la causa contra los persas y marchó hacia Tracia con intención de ocupar Mircino, una plaza situada en los Edonos junto al río Estrimón. Esta ciudad, que en otro tiempo había sido fortificada por el propio Histieo después de recibirla de manos de Darío I, pertenecía a una zona rica en madera, oro y plata, lo que ofrecía buenas expectativas para el saqueo. Pero su mayor importancia consistía en su ubicación estratégica, pues desde allí podía controlarse la amplia ruta costera de Tracia.

La llegada sorpresiva de Aristágoras le permitió apoderarse sin demasiado esfuerzo de la ciudad y pronto intentó ampliar sus conquistas buscando expandirse en otras colonias sobre el río Estrimón. Pero cayó en manos de los tracios edones cuando intentaba saquear una ciudad vecina y, a pesar de sus intentos de capitulación, fue muerto con la mayoría de sus hombres.

La ferocidad demostrada por los tracios tiene su razón en el hecho de que tantas veces habían sufrido el asesinato y el saqueo de sus costas que identificaban a todo griego como a un pirata y los atacaban de forma proporcional al salvajismo de sus incursiones.

Mercancía humana

Después de haber destruido la ciudad de Mileto, promotora de la rebelión jónica, y pasado el invierno, la Armada de los persas salió al mar y empezó una campaña de conquista de las islas griegas. Primero avanzaron sobre las islas adyacentes al continente, Quíos, Lesbos y Ténedo. Ya no había nadie para oponerse al avance arrollador de las tropas de Darío que continuó tomando ciudades sistemáticamente hasta finalizar su campaña en el año en el año 492 a.C.

De nada sirvieron los desesperados intentos de los jefes griegos que trataron de congraciarse con los vencedores. Comenzaron a concretarse las advertencias hechas a los que habían osado sublevarse y el saqueo de las ciudades fue una constante, al que se sumó una enorme cacería de esclavos.

«Entonces los generales persas no defraudaron las amenazas que habían hecho a los jonios, acampados frente a ellos. Porque, así que se apoderaron de las ciudades, escogían los niños más gallardos, los castraban y convertían de varones en eunucos, y remitían al rey las doncellas más hermosas. Ésto hacían y quemaban las ciudades con los mismos templos. Así, por tercera vez fueron esclavizados los jonios, la primera vez por los lidios, y dos veces seguidas por los persas» (HERÓDOTO, *Historia*, Libro VI, 32).

Cilicia, capital de la piratería

Al tiempo que el mundo griego competía en crecimiento con los fenicios, Cartago se transformaba en uno de los principales centros de poder y comercio y Roma comenzaba a extender sus dominios por tierra y por mar, en el extremo oriental del Mediterráneo surgía con mayor empuje una fuerza marginal que pondría en apuros a los poderosos.

Esta nueva entidad política era Cilicia. Situada en la zona sur de la región costera de la península de Anatolia, se extendía tierra adentro desde la costa sudoriental de Asia Menor (actual Turquía) hacia el norte de la isla de Chipre. Poseía tierras fértiles y una ubicación privilegiada muy cerca de las principales rutas comerciales, con una gran multitud de pequeños puertos resguardados entre islas y acantilados, y facilitó el crecimiento de varias generaciones de piratas que la hicieron su patria y su refugio.

Cilicia estaba tradicionalmente dividida en dos regiones que marcaba la geología. Por un lado la *Cilicia Pedias* era la región llana situada al este donde los ríos *Pyramus* y *Saurus* bañaban los llanos ricos en cultivos de cereales, lino y uva moscatel. Hacia el oeste la *Cilicia Tracheia* era una zona prácticamente inhabitable debido a que la enorme cadena montañosa de la Cordillera del Tauros rompe sobre el mar Mediterráneo, formando enormes acantilados. Esta región, rica en maderas de cedro, tenía un solo acceso hacia el interior en el río *Calycadnus*. La costa estaba poblada de pequeños puertos de difícil ingreso para grandes buques comerciales, salvo el puerto de Antíoco que era uno de los más grandes de esa zona.

Tras la caída del Imperio asirio, Cilicia fue una región independiente hasta que Ciro el Grande absorbió la región incorporándola al extenso Imperio persa. Años después, el Imperio persa sería disuelto por Alejandro Magno. A la muerte de Alejandro, sus generales, los llamados diádicos o herederos, se repartieron el im-

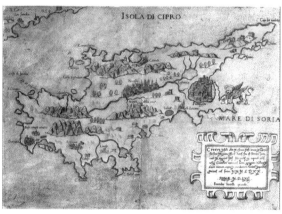

Una vieja representación de la isla de Chipre, firmada por Ferandus Berielli.

perio en veinte años de luchas por el poder. Luego los epígonos (los nacidos después) prosiguieron estos enfrentamientos durante otros casi·cincuenta años. La región de Babilonia, Siria y parte del Asia Menor quedó en manos de la dinastía Seléucida.

Pero era un reino demasiado grande, demasiado plural y los Seléucidas fueron perdiendo poco a poco su influencia. Los gobernadores de estos territorios tan alejados y de culturas tan diversas aprovecharon la decadencia de los Seléucidas para ser independientes.

En Asia Menor estuvieron frecuentemente en guerra con la dinastía Ptolemaica de Egipto que finalmente logró arrebatar la *Cilicia Tracheia* a sus enemigos.

La decadencia y la anarquía política fue la oportunidad para que muchos gobernantes del interior de Anatolia ampliaran sus territorios con los anteriormente dominados por los seleúcidas. Fue también el momento de expansión de los piratas cilicios que, tolerados y utilizados alternativamente por diferentes gobernantes, fueron organizados por *Diodotus Tryphon* como un recurso para hacer frente a los rivales que pretendían la tierra cilicia.

Entre el 146 a.C. y el 138 a.C. Tryphon dispuso fuerzas navales a lo largo de la costa de *Cilicia Tracheia*, concretamente en *Coracesium* (Alanya) que se convirtió eventualmente en el cuartel general de los piratas y, muchos años después, sería el último baluarte frente a la acometida romana.

Este puerto, ubicado en la costa sur, yacía en una península rocosa que abullaba en el mar con profundos precipicios escarpados y paredes de natural fortificación.

Abundantes cantidades de madera para la construcción naval, una posición ideal para controlar las rutas comerciales, multitud de escondrijos entre los acantilados con promontorios fácilmente defendibles y aguas poco profundas, infranqueables para los grandes barcos de guerra enemigos, convertían a estas costas en un verdadero paraíso para los piratas.

El progresivo decrecimiento del poderío naval de Rodas en aquella parte del Mediterráneo ofreció las condiciones ideales para que la piratería cilicia se convirtiera en toda una pesadilla.

Tras la muerte de Tryphon en el año 138 a.C., sus fuerzas navales continuaron actuando como piratas independientes y autónomos, asolando Siria y el resto de las costas del Asia Menor.

Inicialmente, las incursiones piratas habían sido toleradas por los reinos del Mediterráneo oriental, ya que contribuían de forma significativa a la economía gracias al comercio de esclavos y propiciaban la reventa de bienes robados. Precisamente, entre los negocios más lucrativos de los piratas, se encontraba el control del mercado negro de toda clase de productos, siendo capaces de suministrar algunos de los bienes cruciales a los mercados legales.

También, en muchos casos tenían el apoyo explícito de algunos gobernantes, pues podían servir efectivamente a los intereses alternativos de muchos de los reinos del Asia Menor, en tanto los ataques piratas iban directamente dirigidos a los reyes seléucidas o a otros enemigos de estos gobernantes.

Pero la violencia en sus acciones se fue haciendo cada vez más indiscriminada y, paulatinamente, a extenderse hacia el resto del Mediterráneo. Hacia el fin del siglo II a.C. la piratería ya era un verdadero problema en todo el Mediterráneo. La mayoría de las ciudades costeras habían construido muros defensivos y muchas directamente abandonaron las costas y se desplazaron hacia el interior para evitar la amenaza permanente de saqueo.

También muchas ciudades prefirieron cooperar con los piratas y beneficiarse de su comercio y de su protección, transformándose, en algunos casos, en sus mercados principales como Delos, la pequeña isla entre las Cícladas, que fue uno de los principales mercados de esclavos. Así lo describe Estrabón en su *Geografía*:

«La exportación de esclavos les indujo a conseguir más en su maléfico negocio desde el mismo momento en que se demostró que podía ser más provechoso. No solo porque los esclavos se capturaban con facilidad, sino porque existía un mundo cargado de dinero dispuesto a pagar no muy lejos de allí. Me refiero a Delos, desde donde podían zarpar en barcos decenas de miles de esclavos en un solo día».

Claramente lo expresa el geógrafo e historiador de la antigüedad: la piratería es posible porque alguien desde la legalidad se beneficia con su existencia.

Roma y los piratas

Después de la destrucción de Cartago en Occidente y la derrota de los griegos en Oriente, Roma se constituyó en la dueña del Mediterráneo y comenzó a llamarlo *Mare Nostrum*. No existía en ese mar ninguna potencia marítima que pudiera hacer frente a Roma, salvo los piratas.

Al desplegar su poder sobre el mundo antiguo, Roma, también lo hizo a través de enfrentamientos y de acuerdos diplomáticos con el mundo pirata. Pero, cuando la creciente actividad pirata extendió el temor por todo el Mediterráneo y su flota, en número cada vez mayor, comenzó poco a poco a estrangular el flujo comercial entre las ciudades, se vio en la necesidad de intervenir activamente.

La enorme presencia pirata ponía en riesgo no solo su comercio, sino también la posesión misma de los territorios en el Asia. A fin de utilizar la presión diplomática y la fuerza militar, creó la provincia romana de Cilicia con el objeto de dar legitimación a sus leyes contra la piratería.

En el año 102 a.C. la República Romana nombró como pretor con potestad proconsular de Cilicia al general Marco Antonio el Orador. Su misión principal era doblegar la amenaza pirata y durante los tres años de su mandato realizó una persecución sistemática por tierra y por mar logrando un importante éxito, a tal punto que el Senado romano aprobó dedicarle un triunfo en su honor. El triunfo era una espectacular ceremonia que solo podía conceder el Senado para un comandante militar que hubiera regresado victorioso de alguna campaña en tierras extranjeras.

Pero este fue un triunfo momentáneo y parcial, pues los piratas pronto estuvieron nuevamente en escena. Y esta vez lo hicieron asociados a Mitríades VI, rey del Ponto desde el 120 a.C. hasta su muerte en el 63 a.C., que fuera uno de los enemigos más temibles y exitosos de Roma y que combatió contra tres de sus más grandes generales de finales de la República: Sila, Lúculo y Pompeyo.

Unidos en la lucha contra Roma, la alianza entre los piratas cilicios y Mitrídates fue estratégica y mutuamente beneficiosa. Además de tener un enemigo común e igualmente odiado, los cilicios obtenían un reconocimiento legítimo para sus actividades de saqueo, mientras que el rey del Ponto recibía el importante apoyo de un grupo altamente organizado que mantenía ocupados a los romanos en el Mediterráneo oriental.

Cuando en el año 90 a.C. Mitrídates ocupó Capadocia, una provincia del Asia, surgió un conflicto con los romanos que estaban en plena expansión. Viéndose atacado en el Ponto, Mitríades envió a su comandante Arquelao que, dos años después, derrotaba al ejército romano y rendía a su flota. Las provincias romanas del Asia fueron arrasadas y muchas antiguas ciudades griegas como Pérgamo. Éfeso y Mileto recibieron a Arquelao como a un libertador del control romano.

Tras conquistar el oeste de la península de Anatolia, Mitrídates ordenó la matanza de todos los ciudadanos romanos que ahí vivían. La muerte de más de cien mil hombres, mujeres y niños atrajo inevitablemente la ira de Roma.

El encargado de dirigir esta guerra fue el cónsul Lucio Cornelio Sila quien realizó su campaña con escaso apoyo de Roma por lo que su lucha sería con los enemigos y con la penuria. La falta de dinero se suplió mediante el saqueo de las poblaciones y los tesoros de los diversos templos griegos, especialmente del más rico de todos, el santuario de Delfos.

Silas atacó Atenas, gobernada por Aristón, un fiel subordinado de Mitrídates, y, tras un largo sitio, logró conquistarla en el año 86 a.C. Aquí tampoco se diferenció la actitud del general romano de los más sanguinarios piratas. Cuenta Plutarco:

«...el mismo Sila [...] entró a la medianoche, causando terror y espanto con el sonido de los clarines y de una infinidad de trompetas y con la gritería y algazara de los soldados, a los que dio en-

Delfos fue víctima del saqueo de los romanos en su lucha con los piratas aliados del rey Mitrídates.

tera libertad para el robo y la matanza: así, corriendo por las calles, con las espadas desenvainadas, es indecible cuánto fue el número de los muertos...» (PLUTARCO, *Vida de Sila*, XIV).

Tras estas derrotas, Mitrídates fue expulsado de Grecia. Pero Sila debió regresar de urgencia a Roma para enfrentar la revuelta de Cayo Mario, lo que permitió a Mitrídates firmar una paz temporal que le permitió reagrupar sus fuerzas y prepararse para las nuevas contiendas.

Posteriormente, cuando Roma quiso anexionarse Bitinia, la atacó con un ejército aún mayor iniciando la Segunda Guerra Mitridática en los años 83 a 81 a.C. Se enfrentó primero a Lucio Licinio Lúpulo y luego a Pompeyo, quien finalmente lo derrotó en la Tercera Guerra Mitridática que se desarrolló entre los años 75 y 65 a.C.

El coraje y la habilidad demostrada por los piratas que sirvieron al lado de las tropas de Mitrídates valió para que este les financiara y ayudara a fundar nuevas bases navales. Nuevamente los jefes piratas habían acumulado suficiente poder como para establecer sus territorios independientes y construyeron verdaderas fortalezas impenetrables a lo largo de la costa de Cilicia con el consecuente problema para los romanos.

En el 77 a.C., el comandante romano Publio Servilio Vatia Isaurico llevó a cabo una fuerte campaña a la región. Asentó sus tropas en la ciudad costera de Atalleia (Atalya) y llegó a privar a los ciudadanos de sus tierras como castigo por haber establecido alianzas con los piratas. Ante esto los cilicios trasladaron sus actividades al oeste, en un intento de desviar la atención romana y de otros potenciales enemigos alejándolos de sus bases en la *Cilicia Tracheia*.

Posteriormente comenzó un avance sobre la región de Isauria, al norte de Cilicia. Este país salvaje y montañoso, que casi no tenía ciudades y estaba cubierto de montañas, era un verdadero refugio de pueblos que vivían del robo, el saqueo y la piratería. Solo después de una campaña de tres años, pudo ser aparentemente sometida a Roma. Pues, a pesar de su derrota, los isaurios continuaron con sus costumbres depredadoras.

Muchos años después, cuando el territorio fue incorporado a Galacia, la antigua región del Asia Menor que debía su nombre a las tribus migratorias de galos procedentes de las tierras germanas, su soberano Amintas intentó eliminar a los piratas, pero murió en una emboscada preparada por los saqueadores. Tampoco Pompeyo podrá contra estos piratas.

Al ver que no podía perseguirlos por las montañas estableció una serie de fortalezas para rodearlos, pero los isaurios pudieron esquivar el bloqueo y no serían realmente dominados hasta los tiempos de Justiniano en el siglo VI.

El Imperio contraataca

Cuando Roma comenzó a considerarlos uno de sus principales enemigos, las agrupaciones de piratas, que llegaron a la misma conclusión, se lanzaron a realizar incursiones en las ciudades interiores del Imperio romano, sobre todo en el sur de Italia, a hostigar a sus fuerzas navales y a secuestrar altos dignatarios.

Su audacia y su seguridad, aumentada ante la falta de oposición pues los romanos estaban ocupados en sus disputas internas, era tal que llegaron a desembarcar en la misma desembocadura del Tíber, llegando hasta las cercanías de Roma sin ser molestados.

«El poder de los piratas, que comenzó primero en la Cilicia, teniendo un principio extraño y oscuro, adquirió bríos y osadía en la Guerra Mitridática, empleado por el rey en lo que hubo menester. Después, cuando los Romanos, con sus guerras civiles, se vinieron todos a las puertas de Roma, dejando el mar sin guardia ni custodia alguna, poco a poco se extendieron e hicieron progresos; de manera que ya no solo eran molestos a los navegantes, sino que se atrevieron a las islas y ciudades litorales» (PLUTARCO, *Vidas paralelas*, Tomo V, XXIV).

La cantidad de naves piratas, según Plutarco, eran más de mil y ya habían tomado cuatrocientas ciudades y, lo que era imperdonable, se habían atrevido a saquear catorce templos que siempre habían sido considerados como lugares inviolables. También eran frecuentes las represalias piratas con las ciudades que los habían traicionado y que eran arrasadas.

Por otra parte, el crecimiento de esta práctica y las enormes ganancias que proporcionaba habían llevado a un gran número de hombres, aun de noble procedencia, a dedicarse a la piratería como un negocio rentable.

«Entonces, ya hombres poderosos por su caudal, ilustres en su origen y señalados por su prudencia, se entregaron a la piratería y quisieron sacar ganancia de ella, pareciéndoles ejercicio que llevaba consigo cierta gloria y vanidad. Formáronse en muchas partes apostaderos de piratas, y torres y vigías defendidas con murallas, y las armadas corrían los mares, no solo bien equipadas con tripulaciones alentadas y valientes, con pilotos hábiles y con naves ligeras y prontas para aquel servicio, sino tales que más que lo terrible de ellas incomodaba lo soberbio y altanero, que se demostraba en los astiles dorados de popa, en las cortinas de púrpura y en las palas plateadas de los remos, como que hacían gala y se gloriaban de sus latrocinios. Sus músicas, sus cantos, sus festines en todas las costas, los robos de personas principales y los rescates de las ciudades entradas por fuerza eran el oprobio del Imperio romano» (PLUTARCO, *Vidas paralelas*, Tomo V, XXIV).

El secuestro de personas para pedir rescate era una práctica muy frecuente y reiterada. El mismo Julio César será una de estas víctimas célebres de los piratas. A los 23 años, se embarcó para dirigirse a la isla de Rodas con el propósito de estudiar leyes y oratoria con el gramático Apolonio Molón. Pero cuando navegaba por la costa de Caria, en el sudoeste de Asia Menor, su barco fue apresado por los piratas y conducido a Farmacusa. Allí los piratas le dijeron que pensaban pedir un rescate de veinte talentos por su persona.

El joven patricio se indignó y les respondió que por su rescate podían pedir unos cincuenta talentos. Entre tanto se negociaba el rescate, el joven César trataba a los piratas con autoridad e incluso llegó a anunciarles que cuando se viese libre los atacaría y los haría crucificar. Los piratas se burlaban de sus amenazas y de la oratoria de César.

Después de permanecer cuarenta días prisionero, según relata Suetonio en *Las vidas de los doce Césares*, fue liberado al hacerse efectivo el rescate. Posteriormente, César se entrevistó con el legado en Mileto, Valerio Torcuato, y le pidió ayuda para apresar a los piratas. Con una pequeña flota de tres naves se dirigió a Farmacusa. Desembarcaron de noche, consiguiendo apresar a los piratas y recuperar los cincuenta talentos de su rescate. Luego César se dirigió a Pérgamo y solicitó al pretor permiso para ajusticiar a los piratas. Como la respuesta fuese algo vaga, César decidió crucificar a los piratas tal como les había anunciado. A los que se habían portado mejor con él durante el cautiverio, les alivió la pena permitiendo que les cortasen la garganta antes de clavarlos en la cruz.

Pero no todos los secuestros terminaban de esta manera. La humillación para el poderoso Imperio era constante y explícita. Nadie

podía estar seguro y menos aún las personas nobles o de fortuna que moraran en las costas, ni podía alguien aventurarse fuera de su ciudad sin correr serios riesgos de caer en manos piratas. Si además se trataba de un ciudadano romano las consecuencias podían ser aún peores.

«Insultaban de continuo a los romanos, y bajando a tierra robaban en los caminos y saqueaban las inmediatas casas de campo. En una ocasión robaron a dos pretores, Sextilio y Belino, con sus togas pretextas, llevándose con ellos a los ministros y lictores. Cautivaron también a una hija de Antonio, varón que había alcanzado los honores del triunfo, en ocasión de ir al campo, y tuvo que rescatarse a costa de mucho dinero. Pero lo de mayor afrenta era que, cautivado alguno, si decía que era Romano y les daba el nombre, hacían como que se sobrecogían, y temblando se daban palmadas en los muslos, y se postraban ante él, diciéndole que perdonase. Creíalos, viéndolos consternados y reducidos a hacerle súplicas; pero luego, unos le ponían los zapatos, otros le envolvían en la toga, para que no dejase de ser conocido, y habiéndole así escarnecido y mofado por largo tiempo, echaban la escala al agua y le decían que bajara y se fuera contento; y al que se resistía le cogían y le sumergían en el mar» (PLUTARCO, *Vidas paralelas*, Tomo V, XXIV).

Este giro en los acontecimientos, con ataques que afectaban directamente a Roma y a los cimientos de su poder comenzó a

Julio César Augusto, protagonista de una célebre anécdota tras ser secuestrado por piratas.

afectar gravemente la comunicación con las colonias. Una consecuencia inmediata, que despertó el descontento popular en la ciudad que ya contaba con más de un millón de habitantes, fue la
escasez y el aumento del precio del pan debido a la interrupción del
tráfico de trigo.

Esta situación decidió al Senado a organizar una campaña
que terminara con el incesante hostigamiento de los piratas,
normalizar el comercio y dar seguridad a sus provincias. En el
año 67 a.C. la Asamblea del pueblo aprobó la *Lex Gabinia* propuesta por Aulo Gabinio que, como tribuno de la plebe, consiguió que el Senado concediese a Gnaeus Pompeius Magnus los
más amplios poderes posibles para liderar una guerra contra
los piratas.

El decreto provocó fuertes protestas y tensiones porque se iba
a concentrar en las manos de un solo hombre un enorme poder. La
Ley proveía una máxima libertad operativa por la que podía anu-
lar cualquier decisión de un magistrado romano en cincuenta millas a la redonda, fuera en el mar o en tierra, lo cual dejaba muy
poco territorio dentro del cual no pudiera ejercer su poder. Tendría
además una armada con más de quinientas naves, cinco mil caballeros, formación compuesta de guerreros de buenas familias y
poseedores de dos caballos y un total de veinte legiones con alrededor de cinco mil infantes cada una.

La ley fue aprobada gracias al apoyo político de Julio César
y de Cicerón que, aun siendo conscientes de su ilegalidad, la consideraban necesaria.

La estrategia inicial de Pompeyo fue asegurar con la armada
y el asentamiento de tropas los graneros de Sicilia, África y Cerdeña a fin de terminar con el bloqueo al tráfico de trigo hacia Roma
e iniciar la ofensiva para acabar con los piratas en el *Mare Nostrum*, combinando ataques navales y terrestres.

«Dividió este los mares y todo el espacio del Mediterráneo en
trece partes, y asignó a cada una igual número de naves con un
caudillo, y sorprendiendo a un tiempo con estas fuerzas así repartidas gran número de naves de los piratas les dio caza y se apo-

deró de ellas, trayéndolas a los puertos. Los que se anticiparon a huir y evadirse se acogieron como a su colmenar a la Cilicia, contra los cuales marchó él mismo con sesenta naves de las mejores; pero no dio la vela contra aquellos sin haber antes limpiado enteramente de piraterías y latrocinios el Mar Tirreno, el Líbico, el de Cerdeña, el de Córcega y Sicilia, no habiendo reposado él mismo en cuarenta días, y habiéndole servido los demás caudillos con diligencia y esmero» (PLUTARCO, *Vidas paralelas*, Tomo V, XXVI).

Las águilas romanas surcaban el mar con ganas de sangre pirata. El Imperio vengaría con Pompeyo demasiados años de ofensas y agravios.

Las naves piratas fueron destruidas en el mar o bien acorraladas eran dirigidas a tierra donde estaban las legiones esperándolas. Las fortalezas costeras fueron arrasadas y los piratas desconcertados escapaban o se rendían viendo en la huida algo inútil.

La política de Pompeyo de ser indulgente con los que se entregaban se considera una de las razones principales por la que se suprimió tan rápidamente la piratería cilicia. En lugar de condenar a muerte a los piratas capturados, tal y como se hacía en Roma en aquellos momentos, Pompeyo les ofrecía una opción de pacífica rendición y tierras a cambio de sus barcos, justificando tal actitud «porque podía distinguir entre aquellos que innatamente estaban poseídos y aquellos otros que fueron llevados por las circunstancias».

«De los piratas que todavía quedaban y erraban por el mar, trató con benignidad a algunos; y contentándose con apoderarse de sus embarcaciones y sus personas, ningún daño les hizo; con lo que concibieron los demás buenas esperanzas, y huyendo de los otros caudillos se dirigieron a Pompeyo y se le entregaron a discreción con sus hijos y sus mujeres. Perdonólos a todos, y por su medio pudo descubrir y prender a otros, que habían procurado esconderse por reconocerse culpables de las mayores atrocidades» (Plutarco, *Vidas paralelas*, Tomo V, XXVII).

Por supuesto que otra razón, para estos gestos de indulgencia, fue que la guerra contra Mitrídates estaba en marcha y era imprescindible resolver rápidamente el problema de la piratería y, sobre todo, quitarle al rey del Ponto ese invalorable aliado que tanta ayuda le había brindado en las guerras anteriores.

Con el tráfico comercial establecido en el occidente mediterráneo, Pompeyo se dirigió a la base central de los piratas, donde los que se escaparon habían huido. Los piratas confiaban en las fortalezas inexpugnables de las costas escarpadas de Cilicia y retaron a Pompeyo desde allí.

Cuando los romanos estaban cerca de las costas cilicias los piratas salieron a su encuentro confiados en derrotarlos en el mar que ellos mejor conocían. Pero la armada de Pompeyo era enorme y su estrategia, impecable. Derrotados en el mar, los piratas huyeron hacia sus fortalezas terrestres en el monte Tauro, pero hasta allí llegó el asedio romano. El despliegue de la fuerza de las legiones y las promesas de indulgencia fueron efectivos y la rendición no se hizo esperar. Pom-

Las naves romanas llegaron a ser las más poderosas y mejor pertrechadas de la antigüedad.

peyo nuevamente fue generoso y perdonó a veinte mil piratas estableciéndolos en las ciudades de Solos y Dime como colonos.

Con los tesoros piratas en las bodegas de sus barcos y noventa naves capturadas la flota romana, con Pompeyo al frente, surcó el Mediterráneo rumbo a Roma. El *Mare Nostrum* estaba limpio y pacificado y Roma resplandecía en el centro de su Imperio.

Plutarco refiere que, en solo tres meses, Pompeyo había terminado con años de terror e inseguridad pirata. Aunque parece muy difícil que en tan poco tiempo Pompeyo pudiera acabar con tal cantidad de piratas. Si bien su ejército era enorme y la estrategia a seguir excelente, pero el marco de acción, todo el Mediterráneo, era demasiado grande para que los remeros lo recorrieran y sus legiones acabaran con todos los piratas en tres meses.

Seguramente el despliegue de tan enorme flota facilitó las negociaciones con las cúpulas piratas donde Roma, a cambio de perdonar los delitos y dar tierras para colonizar, obtuvo el abandono de la piratería y parte de sus tesoros, nunca Roma negoció sin algo a cambio. Pompeyo tuvo que realizar acciones puntuales contra aquellos que no quisieron negociar, así como destruir sus fortalezas costeras y sancionar a las ciudades tributarias con ellos. Pero Pompeyo era un hábil negociador y ofreció a los piratas la única salida que les quedaba, transformarse en colonos. Éstos, sabiendo que la disposición romana era exterminarlos, optaron por lo único que les podía salvar ya que, dado el despliegue militar romano, plantear una guerra contra el Imperio sería suicida.

Tras la campaña de Pompeyo, la región de *Cilicia Tracheia*, a pesar de haber sido sometida a la Pax Romana, siguió siendo un foco rebelde debido a la propia naturaleza de sus gentes, aunque nunca volvieron a llegar al nivel de poder y de expansión que habían tenido hasta hacía poco tiempo atrás.

El hijo que fue pirata

La historia siempre guarda sus sorpresas y en la circularidad de sus caminos suelen aparecer los cruces y las ironías. En este caso, para uno de los más importantes generales romanos cuyo camino de honor se realizó mediante los triunfos sobre los piratas, el destino planeó que su hijo menor luchara por los ideales de su padre siendo precisamente un pirata.

Cuando, dentro de la guerra civil, el ejército pompeyano fue derrotado por César en la batalla de Farsalia (48 a.C.) y Cneo Pompeyo Magno debió huir a Egipto donde fue traicionado y asesinado, su hijo menor Sexto Pompeyo se unió a la resistencia contra Julio César en las provincias africanas junto a su hermano Cneo y otros senadores.

César venció a los hermanos Pompeyo en el año 45 a.C. en las llanuras de Munda en Hispania. Su hermano fue capturado y ejecutado, mientras que Sexto Pompeyo enfrentó al ejército romano con una guerra de guerrillas y, ante la derrota segura, consiguió escapar hacia Sicilia.

Luego de esta victoria, César regresó a Roma para asumir como dictador pero fue asesinado al año siguiente. Su muerte no trajo la normalidad que esperaban los senadores, sino que provocó una nueva confrontación civil entre los partidarios de César y sus asesinos. De esta manera se inició el Segundo Triunvirato formado por Octaviano, Marco Antonio y Lépido con el objetivo de vengar a César y someter cualquier tipo de oposición.

Este triunvirato, a pesar de ser legal, funcionó en realidad como una junta militar que tomó toda clase de decisiones sin la participación del senado. Una de las primeras medidas adoptadas fue la proscripción de miles de enemigos políticos.

Bruto y Casio, los dos principales conspiradores en el asesinato de César, habían abandonado Italia y tomado el control de todas las provincias orientales desde Grecia y Macedonia hasta Siria, así como de los reinos orientales aliados. Pero ambos se suicidaron después de ser derrotados en la doble batalla de Filipos.

En poco tiempo el triunvirato comenzó a mostrar signos de disensión y los enfrentamientos entre Octavio y Marco Antonio amenazaban con la profundización de la guerra civil.

A principios del año 40 a.C. Octavio sofocó una rebelión llevada a cabo por Lucio Antonio y Fulvia, el hermano y la esposa de

Marco Antonio. En la primavera de ese mismo año, las fuerzas de los dos triunviros se enfrentaron en Brindisi. Pero poco después ambos contendientes firmaron un acuerdo mediante el cual establecieron un nuevo reparto del Imperio. Lépido continuó siendo parte del triunvirato, aunque relegado a una posición de segunda magnitud en África.

Por el momento retornaba la paz a Roma. El único problema parecía ser la permanente sublevación de Sexto, el hijo menor de Pompeyo que, en este tiempo, había logrado organizar un nuevo ejército al que se habían incorporado muchos de los que habían huido de Roma por la persecución del Triunvirato. También había logrado, mediante la piratería y la captura de barcos, formar una importante armada dirigida por expertos marineros sicilianos.

Utilizando a la isla de Sicilia como base, Sexto Pompeyo había iniciado la progresiva conquista de las poblaciones costeras y el control del tráfico de barcos en esa zona. Sus rápidas incursiones en el mar Tirreno y en el Mediterráneo amenazaban el abastecimiento marítimo de Roma, especialmente al impedir la llegada de los barcos con trigo.

Veleyo Patérculo (*Historia Romana*, IV, 73) comenta que Sexto tenía escasa educación y hablaba mal. Lo cierto es que supo adaptarse a las circunstancias y usar tácticas de guerra de guerrillas en Hispania y de piratería en Sicilia para enfrentarse a sus poderosos enemigos. Su ejército estuvo formado por muchos esclavos libertos de su padre y otros liberados por él mismo con lo que estuvo rodeado de un componente popular y republicano que se expresó siempre en una particular animadversión contra los nobles romanos.

En su momento, Marco Antonio había convencido a Sexto para que lo ayudara en su lucha contra Octavio, pero cuando éstos firmaron el pacto de Brindisi, el hijo de Pompeyo quedó marginado.

Antonio en un gesto de buena voluntad rompió su acuerdo con Sexto Pompeyo, «ordenándole» retirarse a Sicilia. Pero Sexto no tenía intenciones de «volverse para su casa» como se lo había «solicitado» Antonio y por lo tanto ordenó a Menodoro que recuperara la isla de Cerdeña. Mientras, él acrecentaba el cerco sobre las costas italianas, impidiendo totalmente el abastecimiento de trigo africano a Roma y agudizando de esta manera la carestía y el hambre de la ciudad.

Octavio no quería bajo ningún motivo negociar con Pompeyo, pero tampoco tenía fondos para poder equipar una flota para luchar contra los piratas pompeyanos. La cosa se puso más oscura para él cuando estalló una rebelión de masas hambrientas a causa de un edicto en el que anunciaba nuevos impuestos. La vida de Octavio peligró al ser apedreado en el foro, siendo rescatado por el mismo Antonio que lanzó a las legiones en contra de la multitud. Dados los acontecimientos, Antonio presionó a Octavio para que llegara a un acuerdo con Pompeyo.

Por su lado Sexto Pompeyo también tenía sus problemas, ya que sus partidarios estaban divididos entre los que querían negociar con Octavio y los que, liderados por Menodoro, el conquistador de Cerdeña, propiciaban un enfrentamiento total.

Pompeyo finalmente fue convencido a navegar hasta la isla de Enaria, que estaba enfrente del lugar donde se encontraban los campamentos de Octavio y Antonio. El encuentro se realizó a mediados del año 39, en medio de un puente construido especialmente con el fin de unir la orilla de playa, lugar en donde estaban los campamentos de los triunviros con la nave que transportaba a Sexto.

La primera ronda de conversaciones terminó mal, pues Sexto Pompeyo estaba convencido de que había sido citado para integrar el triunvirato en reemplazo de Lépido, en tanto el único ofrecimiento que escuchó fue el de concederle la amnistía. Luego de tiras y aflojes y con un poco de realismo político sobre todo de parte de Octavio, llegaron a un acuerdo.

Se estableció un exilio seguro para los que habían participado en el asesinato de Julio César y que posteriormente se habían unido al bando pompeyano y para el resto de los proscritos refugiados en Sicilia el retorno a Roma y la recuperación de una cuarta parte de sus posesiones confiscadas, mientras que a los que no eran proscritos y que habían huido por temor, se les devolvería la totalidad de sus bienes inmuebles.

Muerte de Julio César, recreada por Vincenzo Camuccini, en 1798.

Pompeyo retiraría las guarniciones que tenía en Italia y permitiría el libre tránsito de las naves por el mar Mediterráneo. Las provincias de Sicilia, Cerdeña y Córcega serían gobernadas por Pompeyo, a cambio de que él proporcionara los tributos en trigo que, por causas de la guerra, no habían llegado a Roma.

Antonio cedería, además, a Pompeyo el territorio de Acaya y las islas Cícladas, a cambio del pago de los tributos adeudados por las ciudades del Peloponeso y se afirmaría el acuerdo con una alianza matrimonial entre Marco Claudio Marcelo, hijo de Octavia, con la hija de Sexto Pompeyo.

La firma de este acuerdo se celebró con grandes banquetes a bordo de los barcos de la flota pompeyana y en las tiendas de la playa. Apiano describe el ambiente como de absoluta desconfianza, pues muchos de los invitados asistían a las respectivas comilonas armados con puñales ocultos entre las ropas. Incluso Menodoro ofreció a Sexto aprovechar la ocasión para asesinar a los triunviros, a lo que Pompeyo reaccionó increpándolo por no haberlo llevado a cabo por iniciativa propia pues, ahora que ya lo sabía, su honor impedía autorizar tal medida.

Concluido el reparto de poderes, Sexto Pompeyo regresó a Sicilia y Octavio y Marco Antonio pusieron camino a Roma, en cuyo trayecto eran recibidos con grandes muestras de alegría por el pueblo, que tenía esperanzas de haber alejado el fantasma del hambre. Igual de alegres estaban los proscritos que retornaban a sus hogares. Los únicos descontentos con tanta armonía eran los que se habían apropiado de las propiedades de los proscritos y que debían devolver una cuarta parte de ellas.

Este ambiente de concordia no iba a durar mucho. Octavio odiaba a Sexto Pompeyo y esperaba la forma de romper el tratado.

Y no hubo de esperar demasiado, a finales del año 39 a.C. estalló de nuevo un conflicto con Pompeyo. Los motivos de la reiniciación de hostilidades no son del todo claros. Tal vez los tributos adeudados de las ciudades del Peloponeso o algunos ataques de «supuestos piratas» a los barcos de suministro de grano que abastecían Roma. Octavio debió volver «presurosamente» de la Galia para apresar a estos denominados «piratas» que afirmaron (bajo tormento, eso sí) que habían sido enviados por Pompeyo.

En este ambiente cargado de tensión, en marzo del 38 estalló el conflicto. Menodoro, gobernador de Córcega y Cerdeña, que tenía tres legiones a sus órdenes y un importante número de tropas auxiliares, por algún motivo se disgustó con Sexto y ofreció, a través de un liberto de Gayo César, desertar al bando octaviano.

Octavio no podía creer la ocasión que se le daba, ordenó reforzar la flota del Adriático con la construcción de nuevos trirremes, fortificó la costa campana, y convocó a las legiones de Iliria y Galia con intención de cruzar a Sicilia, si la ocasión se lo permitía.

Antonio no respaldó las intenciones de Octavio de romper el tratado de Miseno, pero no tomó ninguna medida concreta, aparte de amenazar al desertor Menodoro con crucificarlo si lo encontraba en alguna parte.

Finalmente Menodoro se pasó de bando poniendo a disposición de Octavio las islas y el ejército que estaba bajo su mando. Este último lo recompensó espléndidamente, dándole la condición de un hombre libre (recordemos que tenía la condición de liberto) y lo convirtió en el lugarteniente de Gayo Calvisio Sabino, almirante de la flota del Tirreno.

El plan de Octavio tenía forma de una tenaza, las flotas convergerían sobre el estrecho de Messina para atraer y destruir la escuadra pompeyana fuera de sus bases y así poder cruzar con seguridad su infantería desde Rhegio a Messina, en Sicilia.

Pompeyo vio el peligro y buscó evitar la convergencia de las flotas adriática y tirrena de Octavio. Aguardó con cuarenta naves junto a la ciudad de Messina la llegada de la flota adriática y mandó a Menécrates que saliera al encuentro de la flota tirrena.

El almirante de Pompeyo sorprendió a la escuadra octaviana costeando la bahía en el Golfo de Cumas, cerca del promontorio Miseno. Aprisionada entre la playa y la flota pompeyana, los barcos de la flota octaviana encallaban miserablemente entre las rocas de la costa. Felizmente para Octavio, entre sus filas estaba como lugarteniente de Calvisio el desertado Menodoro, quién odiaba profundamente a Menécrates. Ambos se entablaron en un duelo prácticamente personal y Menodoro, que mandaba una nave más alta que la de su rival, tuvo mejor fortuna en el combate y, aunque salió herido en la acción, logró matar a Menécrates. En tanto Calvisio, ocupado en perseguir estúpidamente a algunas naves pompeyanas a mar abierto, al regresar se dio cuenta de que su ala derecha había sido destrozada junto a la costa al dejarla sin cobertura.

El combate se extendió a lo largo del todo el día y al llegar la noche era evidente la victoria de la flota pompeyana. Tal vez por falta de confianza, Demócares, el nuevo almirante que había reemplazado a Menécrates, prefirió retirarse a Messina para unirse con Pompeyo, lo que salvó a la flota de Calvisio del exterminio.

Entre tanto, Octavio, con su escuadra del mar Adriático, había llegado al estrecho de Messina donde lo esperaba la flota de Pompeyo en formación de combate. La superioridad de su flota era evidente, pero Octavio, que prefería ir sobre seguro o quizás pensó que las pocas naves que estaban enfrente eran una trampa, quiso esperar a la flota tirrena. Al enterarse del desastre de Calvisio en Cumas, optó por ir a su encuentro.

A la altura de Escileo, frente a Messina, Pompeyo comenzó a atacarlo. Octavio, que era un pésimo estratega marino, ordenó echar ancla y enfrentar con sus proas a los atacantes. Las naves octavianas quedaron prácticamente indefensas ante la habilidad de los piratas pompeyanos que, a pesar de ser muy inferiores en número, comenzaron a hacer un desastre en las líneas de sus enemigos. Incluso la propia nave almirante fue atacada y Octavio tuvo que saltar a las rocas para ponerse a salvo y no irse a pique con el barco.

Felizmente su lugarteniente Lucio Cornificio, quién al parecer tenía una mayor experiencia marinera o mejor sentido común, ordenó levar anclas y enfrentar a la flota pompeyana en mar abierto. De esta forma logró hundir la nave insignia de Demócares.

Pero los veloces ataques de los experimentados piratas amenazaban con destruir hasta la última nave de la escuadra octaviana. Los salvó la súbita aparición en escena de la flota tirrena al mando de Calvisio y Menodoro. Sexto Pompeyo, al ver llegar a esta flota de refuerzo, optó por no arriesgarse a un revés y regresar a Sicilia.

La noche que siguió al desastre de la flota adriática en el estrecho de Messina debió haber sido una de las más amargas en la vida de Octavio. Estaba rodeado, en medio de unos roqueríos, de restos de maderos de la que era, hasta hace poco, una poderosa flota que él había organizado en Rávena y flotaban por aquí y allá los cuerpos de sus soldados.

A su vez, la llegada de la XIII legión le dio seguridad a Octavio, que envió mensajes a todas las ciudades de Italia anunciando que estaba a salvo, para evitar cualquier intento de rebelión. Pero de la poderosa flota que él había organizado en

El gran Octavio César Augusto fue un pésimo estratega en cuestiones navales, aunque tuvo la ayuda de excelentes colaboradores.

Rávena quedaba poco. Apiano señala que al día siguiente Octavio «inspeccionó la superficie del mar, contempló naves quemadas, otras a medio quemar, otras todavía a medio arder y otras deshechas; y vio el mar lleno de velas, de gobernalles y pecios, y a la mayor parte de las naves que se habían salvado, gravemente averiadas» (APIANO, *Historia de Roma,* V, 88).

Octavio, a pesar del desastre, intentó recuperarse y reparar las naves menos deterioradas para aprovechar lo que consideraba una inexplicable inactividad de Pompeyo y lanzar una nueva invasión de Sicilia. En eso estaba cuando se le presentó un nuevo enemigo no menos poderoso y que no había visto venir. Un poderoso viento del sur levantó un oleaje tan violento en el estrecho de Messina que lanzó a algunas de las naves octavianas sobre las rocas de la costa haciéndolas estrellar entre sí.

Nuevamente Menodoro mostró que era el almirante más capacitado del bando octaviano al ordenar a sus naves el echar ancla en mar abierto, en donde el oleaje era más débil. El resto de las naves octavianas, al mando de Calvisio, Cornificio y el mismo Octavio, ancló cerca de la orilla y con esta decisión los restos que quedaban de las flotas tirrena y adriática fueron borrados del mar.

Apiano da una visión de los hechos «...se producía la misma mortalidad entre los que estaban en las propias naves y aquellos otros, que arrojados por la borda, eran destrozados por los vientos, las olas y los trozos de madera flotantes. Pues el mar estaba lleno de hombres vivos y muertos; y todo el que, huyendo de estos peligros, trataba de escapar a nado hacia la costa, era estrellado contra las rocas por la fuerza de las olas».

Octavio decidió entonces, abandonar el sitio del desastre y marchar por tierra a través de las montañas, con la firme determinación de impedir cualquier conspiración de sus enemigos políticos, una vez que se hiciera pública la catástrofe de su flota.

Envió órdenes a sus legiones de desplegarse por la costa tirrena con el fin de evitar cualquiera invasión de Pompeyo y mensajeros a su cuñado Antonio solicitándole una flota. Estaba dispuesto, incluso, a invadir Sicilia «*a lo Julio César*», es decir, por tierra y sin cobertura de la armada, pero Antonio se mostró dispuesto a ayudarlo en su guerra contra Sexto Pompeyo a cambio de legiones para su campaña contra los partos.

Durante el resto del año 38 y todo el 37 a.C., Octavio, sin ataques importantes de Pompeyo que prefería quedarse a la defensiva y proseguir con sus asaltos piratas contra los barcos mercantes, desplegó una intensa actividad construyendo un nuevo puerto en Campania y recomponiendo una nueva flota. En marzo o abril, Antonio regresó conduciendo desde Atenas una flota de 300 naves que estaba dispuesto a ceder a Octavio a cambio de hombres, de acuerdo a lo anteriormente pactado.

Octavio le comunicó a Antonio que había postergado la invasión de Sicilia para el año siguiente, pero que aceptaba un intercambio de 20 000 soldados de infantería por 120 naves de las 300 que tenía en Tarento. Al mismo tiempo, llega a un acuerdo con Lépido para que colabore desde el norte de África con el ataque que planeaba contra Sicilia.

Cuando ya pensaba que tenía todo preparado para cerrar el círculo sobre Sexto, le llegó a finales del 37 a.C. la molesta noticia de que su mejor marino, el inestable Menodoro, había cambiado nuevamente de bando llevándose siete naves de la flota.

El ataque planificado por Octavio requería de una gran coordinación. La flota tirrena, conducida personalmente por él, atacaría la costa septentrional, mientras la del Adriático partiría desde Tarento para amenazar la costa oriental de la isla, en tanto Marco Emilio Lépido, navegando desde África, intentaría desembarcar en la costa occidental.

Pero Sexto contaba con buenos informantes y frente a esta triple amenaza, encargó a su legado Plinio Rufo que hiciera frente a Lépido con una legión y gran cantidad de infantería auxiliar ligera mientras él se encargaría de la defensa de la costa siciliana y de la custodia de las islas Lípara y Cosira. Y, siguiendo la misma estrategia anterior, volvió a concentrar la mayor parte de su flota en Messina.

El 1 de julio del año 36 a.C., la flota tirrena marchó rumbo a Sicilia. Pero el mar no estaba a favor de Octavio o no supo leerlo adecuadamente, y al tercer día de navegación, nuevamente una tormenta sorprendió a la retaguardia en el promontorio de Minerva estrellando algunos barcos contra las rocas de la costa y desviando y dispersando al resto. Octavio logró refugiarse en el golfo de Elea en la Lucania. Cuando el mar se calmó, la flota del Tirreno había perdido treinta y dos naves de las más grandes y muchas de la clase *liburnia*, más pequeñas y rápidas.

Las terribles tormentas del estrecho de Messina cobraban su tributo. «En ninguna parte hay un brazo de mar tan violento y de una impetuosidad no solo rápida sino incluso furiosa, terrible no solo para los que lo experimentan, sino también para quienes lo ven desde lejos» (JUSTINO, *Epítome de Pompeyo Trogo*, Libro IV, 1).

Por su parte, la escuadra adriática tuvo mejor suerte. Partió simultáneamente con ciento dos naves y cuando apenas empezó a soplar el viento, Tauro dio la orden de dar media vuelta para refugiarse de nuevo en la bahía de Tarento.

Por último, la escuadra africana de Lépido, que constaba de setenta navíos de guerra y mil naves de transporte que llevaban a bordo a doce legiones de infantería y quinientos jinetes númidas, pudo sortear la tempestad y llegar a Sicilia, perdiendo solo algunas naves de transporte en la travesía.

Después de desembarcar puso sitio a la fortaleza de Lilibeo, defendida por el pompeyano Plinio.

Octavio en tanto se dio treinta días para reorganizar la flota, antes de reintentar un nuevo ataque sobre la isla. Mandó a la tripulación de las naves naufragadas hacia Tarento para que navegaran las dieciocho naves cedidas por Antonio y que a la fecha no tenían tripulación.

Mientras tanto, Pompeyo aguardaba los acontecimientos y, cuando sus agentes le informaron de que Octavio no desistía los preparativos de invasión, ordenó a Menodoro que con las siete naves con que había desertado emprendiera una incursión sobre la costa mientras acrecentaba los ataques piratas a las naves con transporte para Roma.

Menodoro cumplió con eficiencia su misión, pero debido seguramente a que Pompeyo no lo había restituido como almirante de su armada, ya planeaba una nueva deslealtad. Envía de nuevo mensajes a Octavio y finalmente el infiel Menodoro desertó una vez más. Octavio lo recibió con júbilo pero prudentemente lo puso bajo una estrecha vigilancia.

Como contrapartida a la buena noticia, Lépido había sufrido un desastre cuando Demócares, el almirante de Pompeyo, le había interceptado los transportes que traían desde África a cuatro legiones como refuerzo para su ejército. Solamente la mitad de los hombres de Lépido logró salvarse. Dos legiones perecieron en el mar o, los que lograron llegar a nado a la costa siciliana, masacrados por los pompeyanos que vigilaban las playas. Las otras dos legiones lograron llegar a África, desde donde reembarcarían más tarde para unirse al ejército de Lépido.

En el mes de agosto, Octavio, al mando de la escuadra tirrena en las islas Lípari, observó que frente a él había una gran movimiento de tropas y pensó que Sexto concentraba todas sus fuerzas en la costa septentrional de la isla con el objeto de impedir un posible desembarco. Entonces, cedió el mando de la flota a Agripa y se dirigió al campamento de Tauro con la firme determinación de esperar la ocasión de desembarcar.

Marco Vipsanio Agripa tenía la misma edad que Octavio y ambos eran íntimos amigos desde la infancia. Habían servido como oficiales de caballería bajo el mando de Julio César en la

Mosaico
representando
navíos romanos
en Rímini.

BREVE HISTORIA DE LOS PIRATAS

batalla de Munda y, juntos también, habían sido enviados por César a estudiar con las legiones ubicadas en Macedonia. Era un excelente militar y su hombre de mayor confianza. En el 41 a.C. se había encargado de la guerra contra Lucio y Fulvia, el hermano y la esposa de Marco Antonio, y dos años después había pacificado la Galia. Ahora también sería el arma decisiva en la guerra de Octavio.

Tras ser nombrado comandante en jefe puso a sus tripulaciones a realizar un duro entrenamiento en el combate naval y solo cuando sintió que estaban capacitadas para enfrentarse con éxito a la flota de Pompeyo comenzó a hacer sus movimientos.

En primer lugar, Agripa conquistó Termesa, la isla más meridional de las Lípari, con la intención de aumentar la presión sobre el frente oriental pompeyano y así abrir una brecha que permitiera el ansiado desembarco de Octavio.

Luego decidió atacar, con la mitad de su escuadra tirrena, el fondeadero de Mylas que en ese momento estaba defendido por una flota de cuarenta barcos al mando de Demócares.

Pompeyo, creyendo que Agripa intentaría desembarcar en la costa ubicada entre Tíndaris y Mylas, ordenó al almirante Apolófanes que reforzara la posición de Demócares con otras cuarenta y cinco naves y, por último, ganado por la ansiedad, él mismo acudió a Mylas con setenta barcos de guerra.

Agripa, al ver que se le venía encima toda la escuadra pompeyana, dio rápido aviso a Octavio, situó a sus naves de mayor tonelaje al centro preparándose para soportar el embate y mandó llamar al resto de su flota, anclada en la isla de Termesa.

El almirante de la flota romana Druilius era consciente de que a corto plazo era imposible adquirir la velocidad y capacidad de maniobra que tantos siglos habían necesitado las tripulaciones púnicas. Por eso intentaron adecuar el combate naval a las técnicas de combate terrestre en la cual eran muy experimentados.

Las naves piratas de Pompeyo entraron veloces al combate. Las de Agripa tenían mayor calado y eran más pesadas, por eso para evitar las maniobras envolventes de las ágiles naves pompeyanas se había preparado minuciosamente. El combate fue intenso.

Apenas una nave pompeyana hacía contacto se ponían en acción los *manus ferrea*, especie de ganchos lanzados que servían para atrapar a los barcos enemigos y provocar el abordaje llevando la batalla naval a una modalidad terrestre. Los piratas pompeyanos conocían muy bien este sistema que era usado desde la antigüedad para los abordajes, pero Agripa había introducido una novedad sustituyendo las cuerdas por cadenas de hierro para evitar que pudieran ser cortadas.

Agripa, además, había equipado a las naves mayores con *corvus*, un ingenio que había tenido gran éxito contra la flota cartaginesa. Era una máquina formada por una especie de pasarela de poco más de un metro de ancho por once de largo, que se podía levantar, bajar y mover lateralmente por medio de aparejos. Se sujetaba con un mástil de siete metros de alto fijado en la proa del barco y llevaba, en su extremo, un arpón de hierro afilado hacia abajo que se clavaba en el barco atacado. Así las dos embarcaciones quedaban amarradas. Los primeros soldados en pasar a través de la pasarela colocaban sus escudos como protección a los lados de la barandilla. El resto de tropas podían pasar de un barco al otro con una protección total. El combate naval pasaba a ser un encuentro cuerpo a cuerpo para el que la flota pompeyana estaba en evidente desventaja.

Los pompeyanos se vieron desbordados y, apenas eran abordados, se lanzaban al mar para ser recogidos por las naves auxiliares que estaban cerca del lugar donde se desarrollaba el combate. Cuando Pompeyo vio que se iba a pique la nave almirante de Demócares, que sus hombres flaqueaban en el combate cuerpo a cuerpo y la llegada del resto de la flota que desde Termesa acudía en ayuda del almirante Agripa, ordenó la retirada general hacía los bajíos de la costa. Los barcos de Agripa, por ser de mayor calado no pudieron seguirlos y echaron ancla frente a las costas sicilianas. Pero Agripa, para no caer en la posibilidad de que una nueva tempestad repitiera la historia, decidió replegarse hacia sus bases en las islas Lípari.

La flota pompeyana había perdido treinta y cinco de sus barcos, mientras que Agripa solo cinco de los suyos.

Octavio, al ver que Sexto había mordido el anzuelo de Agripa, se preparó para desembarcar y abrir una cabeza de playa en Tauromenio (Taormina). Navegó hasta el promontorio de Leucopetra, en la punta de la bota itálica y allí embarcó en las naves de transporte 3 legiones, 500 jinetes sin caballos, 1 000 soldados auxiliares, 2 000 colonos voluntarios y dejó el resto del ejército a cargo de Mesala, para que se embarcaran cuando los navíos regresaran.

Al llegar a Tauromenio exigió la rendición de la ciudad, pero los seguidores de Pompeyo no aceptaron la intimidación, por lo que descendió un poco hacia el sur y desembarcó en la vecina playa de Naxus, con la intención de establecer allí su campamento y posteriormente atacar Tauromenio.

Mientras, al otro lado de la isla, Pompeyo, al ver el repliegue de Agripa a sus bases de Lípari, comprendió que se trataba de una maniobra de distracción y puso proa a Messina, dejando unas pocas naves en Mylas.

Agripa intentó atraer de nuevo la atención de la flota pompeyana penetrando en la bahía de Tíndaris, pero su primer ataque fue rechazado por la guarnición pompeyana acantonada allí.

Al tiempo que Sexto se presentaba por mar en Naxus, por tierra lo hacían su infantería y su caballería, sorprendiendo a los soldados de Octavio en pleno trabajo de fortificación. Ayudados tal vez por la llegada de la noche, los soldados octavianos lograron rechazar a la caballería pompeyana y terminar el campamento fortificado.

Octavio dejó a las tropas de desembarco bajo las órdenes de Lucio Cornificio, mientras él volvía a embarcar con intención de romper el bloqueo y poder traer el resto del ejército que había quedado con Mesala.

Pero Octavio dio nuevamente muestras de su torpeza como marinero y su intento por romper el bloqueo de Pompeyo fue, como siempre, un completo desastre. La mayoría de sus barcos fueron hundidos o capturados. Solo la buena fortuna ayudó a la mayoría de sus tripulantes que, gracias a los dioses, lograron ponerse a salvo en el campamento.

Cornificio, sabiendo la trampa en que estaba, ordenó recoger a los náufragos, quemar las naves que quedaban, destruir el campamento y emprender una marcha a través de la isla con dirección a Mylas, buscando unirse a las tropas de Agripa. Finalmente, luego de avanzar varios días y sufrir los permanentes ataques de los pompeyanos, se encontró con las fuerzas de Quinto Laronio que, desde las cercanías de Mylas, venían en su socorro.

A su vez, Agripa había logrado apoderarse de la plaza fuerte de Tíndaris y rápidamente Octavio aprovechó esta nueva cabeza de playa para desembarcar todo su ejército de invasión: 21 legiones, 20 000 jinetes y más de 5 000 soldados auxiliares.

Pompeyo, confinado a la franja costera que iba desde Mylas hasta el promontorio de Velorio en el extremo de la isla, ordenó el repliegue general hacia Messina y llamó también a las tropas que estaban en la parte occidental conteniendo a las legiones que Marco Emilio Lépido había traído de África.

Las tropas de Octavio avanzaron desde Tíndaris hacia el oriente y se apoderaron sin dificultad de Mylas. En las cercanías de Artemisio y de los Montes Neptuno convergieron las legiones de los dos triunviros Octavio y Lépido y juntos inician el sitio de Messina. Con su característica minuciosidad, Octavio ordenó a la flota adriática que cortara la línea de suministros que abastecía a Messina.

Entonces, Sexto, desconfiando de las posibilidades de su infantería, ofreció a Octavio decidir la suerte de la guerra en un combate naval y, contra todo lo pensado, este aceptó el desafío. Probablemente prefirió confiar en las habilidades de su amigo Agripa antes que arriesgarse a un sitio prolongado teniendo tan cerca la posibilidad de una traición de Lépido, su colega en el Triunvirato.

En la costa siciliana, frente a Mylas y Nauloco, el 3 de septiembre del 36 a.C., con las legiones de ambos ejércitos formadas en la orilla como espectadores privilegiados, se enfrentaron ambas flotas compuestas cada una por trescientos navíos.

Por un lado se ordenaban las veloces naves de Sexto Pompeyo, controladas por hábiles marineros sicilianos experimentados

Lorenzo A. Castro representó en 1672 todo el dramatismo de un combate naval en tiempos clásicos. En este caso se trata de la batalla de Actium, el 2 de septiembre del año 31 a. C.

en innumerables acciones de piratería. Por el otro, con la astucia y el conocimiento técnico de Marco Vipsanio Agripa, estaban las pesadas naves romanas.

Sexto ya había sufrido las tácticas de Agripa con sus *corvus* y sus ganchos de cadenas para retener las naves y no estaba dispuesto a repetir la historia. La velocidad de sus naves podría evitar el acercarse demasiado y plantear un combate de artillería y solo utilizar los choques cuando fuese seguro.

Pero el arquitecto Agripa tenía preparada un arma secreta que luego sería conocida como *harpax*. Consistía en una viga de madera de dos o tres metros de largo, protegida por placas de hierro para que no pudiera ser cortada con las hachas, y que estaba provista en una de los extremos de un garfio de hierro y en el otro de unas fuertes amarras. El *harpax* era lanzado hacia la cubierta del navío enemigo con la ayuda de una ballesta de grandes dimensiones, a modo de proyectil. Una vez clavada, la amarra era recogida por una especie de torno que atraía hacia sí la embarcación alcanzada por el disparo.

El combate fue feroz, pero la estrategia de Agripa volvía a ser mortalmente eficaz. Aunque las naves de Pompeyo se movieran a distancia, el novedoso artefacto lograba atraparlas y retenerlas permitiendo el abordaje donde la superioridad de las tropas octavianas era decisiva.

Finalmente se produjo una desbandada entre los piratas pompeyanos. Veintiocho de sus naves habían sido hundidas y el mismo Sexto huyó con apenas diecisiete hacia el estrecho a refugiarse en su base de Messina. El resto de las otras trescientas naves de su armada habían sido capturadas, mientras que la flota de Agripa perdió solo tres naves.

El almirante Démócares se suicidó antes de ser capturado y Apolófanes, el otro almirante pompeyano, optó por rendirse. Tisieno Galo, comandante de la infantería pompeyana, ante este desastre rindió sus legiones a Octavio al igual que lo hizo la caballería que se encontraba junto a él.

Pompeyo optó por llamar en su ayuda a Plinio, que se encontraba al otro extremo de la isla, pero sin esperar la llegada de estas ocho legiones, optó por huir hacia Asia con las pocas naves que le quedaban.

Posteriormente, estas legiones al mando de Plinio ocuparán Messina, pero, ya sin su conductor, pronto se pasarán al bando de Octavio y serán decisivas en la derrota y destitución de Marco Emilio Lépido, uno de los hombres más poderosos del mundo romano, triunviro, pontífice máximo, dos veces cónsul, dos veces *Magister equitum* y general de veintidós divisiones, que, despojado de su indumentaria de comandante en jefe, es enviado a Roma en calidad de simple *privatus* y que pasará el resto de su vida bajo estrecha vigilancia de los agentes de Octavio.

Octavio, después de eliminar militar y políticamente en pocas semanas a Sexto Pompeyo y Marco Emilio Lépido, dos de los hombres que le disputaban el poder del Imperio, se prepara para su regreso triunfal a Roma.

Mientras tanto, Sexto, perdida su base de apoyo en Sicilia, huyó hacia el Mediterráneo oriental, pero al llegar a Mileto es capturado y ejecutado por Marco Titio, uno de los hombres de Marco Antonio.

Esta muerte, sin juicio previo, como hubiera correspondido por ser ciudadano romano, será utilizada después por Octavio como propaganda en contra de su eterno rival Marco Antonio.

Con la muerte de Sexto Pompeyo, caía la última esperanza de volver a instaurar la republica en Roma. De él dice Lucano: «Ensució los triunfos que su padre Pompeyo había ganado contra los piratas haciéndose él pirata».

Pero, en contra de lo que intentan hacernos creer los autores antiguos, Sexto Pompeyo no fue solo un pirata que se dedicaba al saqueo con un ejército de esclavos, sino un excelente estratega que practicó la guerra de guerrillas y logró integrar un ejército con antiguos soldados de su padre y hermano, con auxiliares indígenas españoles y sicilianos, con libertos manumitidos por él mismo según la antigua tradición romana y con importantes sectores de la población descontentos con la colonización. Sexto tuvo, además, un programa político basado en el apoyo de los ciudadanos romano-itálicos e hispanos y de los caballeros que formaban las oligarquías indígenas locales.

Sin duda, Sexto Pompeyo fue el digno hijo de uno de los más grandes generales romanos, al que las ironías del Destino lo llevaron a convertirse en aquello que su padre había combatido, porque al no tener un ejército ni una flota tan poderosa como la de sus enemigos debió hacerse pirata. Sin embargo, desde esa manera de pelear sostuvo sus ideas, fue fiel al legado de su padre y puso en jaque al Segundo Triunvirato romano.

LOS PIRATAS QUE VINIERON DEL FRÍO

Immigrant song

«Ah ah
we come from the land of the ice and snow
from the midnight sun where the hot
springs flow.
the hammer of the gods
will drive our ships to new lands
to fight the horde singing and crying:
valhalla i am coming!
on we sweep with threshing oar
our only goal will be the western shore.
ah ah
we come from the land of the ice and snow
from the midnight sun where the hot
springs flow.
how soft your fields so green,
can whisper tales of gore,
of how we calmed the tides of war.
we are your overlords.
on we sweep with threshing oar,
our only goal will be the western shore.
so now you'd better stop and rebuild all
your ruins,
for peace and trust can win the day
despite of all your losing».

LED ZEPPELIN

Irrumpieron, como lo harán durante los tres siglos siguientes, sorpresiva y estruendosamente en la escena europea el 8 de junio de 793 a.C. con un escalofriante saqueo y matanza en el monasterio de la pequeña isla de Lindisfarne, en el norte de Gran Bretaña.

Los ataques se sucedieron en otros centros religiosos, atractivos por la acumulación de valiosos objetos sagrados y por la pasividad de los monjes que los habitaban, y luego, en todas las costas europeas. Desde el Mar del Norte hasta el Cantábrico, incluyendo el Mediterráneo, desde las estepas rusas hasta el estrecho de Gibraltar conocieron el alcance de su furia.

Los franceses los conocieron como *normandos* (hombres del norte), mientras que los cronistas alemanes los describen como *ascomanni* (hombres del fresno), las fuentes musulmanas españolas se refieren a ellos como *al-Madjus* (hechiceros paganos), las bizantinas como *rhos* (rojos) y los ucranianos de Kiev los llamaron *varegos*, pero perdurarían en la historia universal con el nombre de *vikingos*.

El origen de la palabra es discutido. Algunos proponen que proviene de *wik* (hombres del mar) y que posteriormente cambió a *vik*, también se ha sugerido que viene del sajón *wic* (campamento militar), otros, de la frase *vik in* (bahía adentro) refiriéndose a los desembarcos o que procede de la región geográfica de Vik en Noruega.

En definitiva, los mismos escandinavos en sus fuentes escritas llamaban *viking* a los viajes que organizaban para saquear las regiones vecinas y al que participaba en el saqueo le llamaban *vikingr*. Con este nombre serán conocidos después y será usado indistintamente para todas las naciones escandinavas.

Pero estos demonios del Norte, que cayeron sobre las tierras europeas como azote divino, no formaban un único pueblo que se lanzaba a la guerra tras un objetivo expansionista. Eran en realidad un grupo muy diverso que en algunos casos compartían un origen común o pertenecían étnicamente a una misma familia y en otros eran enemigos mortales.

La península escandinava comenzó a poblarse alrededor del siglo III a.C. con las migraciones de los cimbrios, ambrones y teutones para continuar después con los godos que se escindirían en ostrogodos y visigodos. En el siglo VIII los noruegos ocuparán el territorio de la Noruega actual, al este los suecos, al norte los lapones y debajo de estos los finlandeses. Estos dos últimos no tendrán relación cultural, racial o idiomática con los anteriores. Sí en cambio sus vecinos al sur, los jutos en la península de Jutlandia y los daneses, habitantes de la Marca danesa. Al este los wendos, con los que se mantendrá una fiera guerra de siglos. Al Sur sus primos los germanos. Primos también serán los frisones (Holanda) y los sajones en la Sajonia alemana y en Inglaterra.

De estos pueblos los más significativos serán los daneses, los noruegos y los suecos.

Los vikingos daneses eran el pueblo más numeroso, con una fuerte organización militar, habitaban las penínsulas de Jutlandia y Escania y las islas que separan al mar Báltico del mar del Norte entre ambas penínsulas. Esta posición les daba una ubicación estratégica que les permitía piratear y dominar las rutas de comercio.

Los noruegos, colonizadores de Islandia, Groenlandia y Finlandia, fueron extraordinarios navegantes y hábiles constructores que controlaron el mar del Norte, recorrieron el océano Atlántico y compitieron con los árabes en el Mediterráneo.

Los suecos, por su parte, recorrieron toda la Europa septentrional y meridional, avanzando principalmente hacia el este, hacia los territorios de los actuales Países Bálticos, Rusia y el Mar Negro.

Se piensa incluso que hayan llegado aún más lejos por las imágenes de Buda y objetos del Lejano Oriente que se han encontrado entre sus tesoros.

Estos pueblos tenían en común, además, una geografía muy segmentada y un clima riguroso que hacía muy difícil la comunicación por tierra, lo que les obligó a navegar. El mar fue su principal medio de comunicación, para andarlo construyeron los mejores barcos de su tiempo y con ellos se hicieron los piratas más temidos.

Pero no solo los escandinavos conformaban las bandas vikingas, sino que estas incluían a personas de otras etnias, irlandeses, sajones, bretones, eslavos, francos, frisones que de vez en cuando entraban en contacto con ellos y se les sumaban.

Aunque no todos los escandinavos fueron vikingos, de esa conjunción de pueblos, que se dio en un momento fundamental de evolución cultural, social y económica, surgió la denominada «Era vikinga».

No es posible saber los motivos exactos que llevaron a estos pueblos decidir, casi al mismo tiempo, lanzarse en ese afán militar y de conquista a lo largo y ancho de tan vastas extensiones y en empresas sumamente arriesgadas e inciertas.

Este momento, que ha sido considerado como el paso de la prehistoria a la edad propiamente histórica de los escandinavos, fue producto, tal vez, de la necesidad de encontrar nuevos espacios ante la explosión demográfica producida por la generalización de una agricultura más eficiente en las tierras escandinavas durante los siglos anteriores. Lo cual, sumado al avance de los astilleros que produjeron embarcaciones hasta entonces no pensadas con barcos sólidos y veloces que podían trasladar tanto grandes contin-

Mapa antiguo de la zona de Dinamarca, Suecia y Noruega, lugares de los que vinieron los vikingos.

gentes como bueyes y caballos, navegar en mar abierto o avanzar por ríos interiores.

Pero nada hay que pruebe este supuesto aumento demográfico y muchas de las tierras nórdicas, aunque poco fértiles, disponían de amplias zonas que no fueron habitadas al momento en que se lanzaron al mar y al saqueo.

Una argumentación repetida es que los vikingos se aprovecharon de la debilidad de las regiones que atacaban y ocupaban, pues la época de los grandes ataques coincide con la fractura del Imperio carolingio y la división británica. Tras la caída del Imperio romano y el inicio de la dinastía carolingia, los francos se convirtieron en una potencia europea y a la vera de las costas del mar del Norte y los ríos Támesis, Sena, Rhin o Elba se fueron levantando ciudades con fincas y monasterios, puertos florecientes y escasamente protegidos.

A su vez, el declive de las antiguas rutas comerciales puede haber sido un factor decisivo, pues, desde la caída del Imperio romano en 476, al romperse la unidad política y de mercado, los intercambios comerciales en Europa no hicieron más que disminuir, dando a los vikingos una gran ocasión como comerciantes.

Otro elemento importante pudo haber sido la destrucción del poder naval frisio por los francos que dejó a los vikingos sin rivales en el Atlántico occidental, dándoles la oportunidad de ocupar su antigua zona de influencia.

Sin embargo, estas hipótesis explican más bien cómo pudieron extenderse, aunque no el porqué.

A su vez, las relaciones comerciales entre Escandinavia y las regiones de Alemania, Francia y Gran Bretaña habían alcanzado su mayor volumen en el siglo VIII. Fue entonces cuando los daneses y nórdicos proveían a estas ciudades de pieles, madera, ámbar y marfil de ballena. Puede que esas riquezas, mal custodiadas por los francos y anglosajones, produjeran esa ambiciosa piratería inicial de los vikingos. Esa desprotección, sumada a la disgregación del Imperio franco entre el 830/840, abrió frentes cada vez más abordables a los vikingos que finalmente ocupan y se establecen en las costas de Normandía, Inglaterra y Escocia.

SILVIA MIGUENS

La sociedad vikinga

Como ha ocurrido con todos los pueblos y los personajes que han ingresado al mundo de la literatura y especialmente al del celuloide hollywoodense, los vikingos también han sufrido transformaciones en sus características, sus costumbres y su aspecto.

De esta manera aparecen como bestias furibundas, vestidos con pieles y cascos de enormes cuernos, eternamente borrachos y solo interesados en la matanza y el sufrimiento ajeno.

En los fragmentos del manuscrito de Ahmad ibn-Fadlan, el frustrado embajador que registró sus experiencias con los vikingos en el 921, aparece una de las descripciones más antiguas, aunque en este caso hecha desde los posibles prejuicios de un cortesano habituado a unas costumbres palaciegas de una de las sociedades más refinadas de la época y además enemiga y víctima de los nórdicos:

«Son las criaturas más sucias de Alá. No se lavan ni tras sus necesidades corporales, ni después de mantener relaciones sexuales, ni mucho menos se lavan las manos después de comer».

Pero, más allá de la opinión de este árabe, la higiene personal era una tarea importante de la vida vikinga. Dentro de los parámetros de la época, los nórdicos eran muy limpios. Sin los tabúes contra el desnudo propios del cristianismo, los vikingos se bañaban con mucha más regularidad que los integrantes de las finas cortes vecinas y utilizaban cepillos de dientes por lo que tenían la dentadura en mejor estado que el resto de los europeos.

También usaban peines y dedicaban un buen tiempo a arreglarse los cabellos y la barba. El arreglo personal y el uso de finos ropajes eran una forma de conquistar a las mujeres cuando estaban en el extranjero. Al respecto la *Chronica* de John de Wallingford es muy clara:

«...gracias a su costumbre de acicalarse el pelo todos los días, bañarse cada sábado y cambiarse de ropa regularmente son capaces de minar la virtud de las mujeres casadas e, incluso, seducir a las hijas de nuestros nobles para transformarlas en sus queridas...».

Gustaban de las ropas de tela de colores y, a diferencia de su imagen cinematográfica, no usaban pieles para vestirse, excepto las más nobles o los guerreros *berserks* como elemento distintivo de su condición.

Otra diferencia con las películas, y algunos documentales, es que nada tenían de bárbaros ignorantes y una muestra de eso es el *Hávamal,* uno de los poemas de la *Edda poética* donde se propone una serie de reglas para la supervivencia y para vivir con sabiduría:

«No hay mejor carga para un hombre que el sentido común, no hay peor que demasiada bebida».

«Mira con atención el umbral de la puerta que vas a atravesar, jamás sabes donde se oculta tu enemigo».

«Se amigo de tus amigos, devuelve regalo por regalo, sonríe donde te sonrían, y miente con disimulo».

«Confía en uno, nunca en dos y si lo haces en tres lo sabrá todo el mundo».

Pero el mismo Ahmad ibn-Fadlan que relata su falta de higiene, cuando tiene que describirlos no puede ocultar su admiración:

«Nunca he visto personas con un cuerpo tan perfecto, son como palmeras (evidentemente, altos y derechos) y rosados (de piel). No llevan quertac ni caftán, sino que los hombres llevan un vestido que les cubre medio cuerpo [...] Cada uno lleva un hacha, una espada o un cuchillo [...] Cada individuo lleva, desde la raíz de las uñas hasta el cuello, árboles verdes, imágenes y otras cosas».

Estos seres altos, de piel blanca y ojos claros donde predominan los cabellos castaños y rubios, más allá de los estereotipos, eran miembros de una comunidad acostumbrada a las dificultades geográficas y climáticas con una fuerte estructura social campesina donde las relaciones y los vínculos familiares eran tan importantes como lo era la poesía o una narración bien contada en los eternos días del invierno.

De espíritu libre e independiente, los vikingos eran esencialmente campesinos que construyeron granjas autosuficientes que les permitían vivir de lo que daba la tierra, además de lo que conseguían cazando, pescando, comerciando o pirateando.

Una granja podía tener un total de cuarenta personas distribuidas en unas cinco familias y un promedio de treinta edificios. Las viviendas principales eran largas y rectangulares con cimientos de piedra y, según la región, podían tener paredes de madera o de ramas entretejidas y recubiertas de barro. El suelo era de tierra apisonada y a lo largo de las paredes había unas plataformas de madera cubiertas de pieles que servían como asiento o cama. Los edificios comunes eran el establo, la herrería y el almacén.

El *bondi* o jefe de la hacienda tenía, como signo de su autoridad, un sillón especial sobre una plataforma con pilares tallados con cabezas de dragón, a los que se le otorgaba suficiente importancia como para llevárselos siempre que debían comenzar una nueva vida en otro lugar.

En la granja producían casi todo lo que necesitaban y, como también eran excelentes carpinteros y herreros, fabricaban los utensilios y herramientas necesarios para los trabajos del campo y de la cocina.

En la primavera, con el aumento de la luz y los primeros calores, era una época de gran actividad en la granja. Era tiempo de arar, sembrar, sacar el ganado a pastar, cortar los árboles para los barcos o la granja, trasquilar las ovejas y mandarlas a las montañas, salir a cazar y a pescar.

Durante el verano los hombres libres concurrían al *Thing* (Asamblea) donde, entre otras cosas, se anunciaban los viajes que estaban preparándose. La mayoría de los hombres iban a tierras lejanas para comerciar o saquear y los que se quedaban en la granja eran los encargados de segar los cereales y el heno.

Si las cosas salían bien, en el otoño los hombres estaban de vuelta para preparar la granja para el largo invierno. Almacenaban

Daneses a punto de invadir
Inglaterra. Siglo XII.

grandes cantidades de comida, bebida, especialmente cerveza, leña y heno para los animales. Este también era el momento de las bodas, la mayoría de las cuales se habían convenido en la reunión de la Asamblea durante el verano.

Con las primeras nieves, la vida se aquietaba. Dentro de la casa se hacían algunos trabajos de reparación de herramientas o de hilado y, sobre todo, se contaban historias en torno al fuego.

En términos generales la sociedad vikinga se dividía en dos clases básicas: las personas libres y los esclavos. Los primeros tenían derecho a portar armas y voz en la asamblea, mientras que los esclavos carecían de derechos, aunque solían ser bien tratados y podían alcanzar la libertad e, incluso, status dentro de la sociedad nórdica.

Los hombres libres podían ser campesinos, que eran la base económica de la comunidad y eran expertos ganaderos y apicultores. Otra actividad era la de los artesanos y su apreciación variaba en función de su habilidad y del oficio siendo algunos más apreciados que otros, por ejemplo el de herrero y el constructor de barcos.

Dentro de la sociedad vikinga tenían también un lugar muy especial los *escaldos* o juglares, poetas y narradores profesionales. Su situación social era muy respetada y un buen narrador siempre podía encontrar acomodo y asiento distinguido en la mesa de cualquier señor.

Los *berserks* eran guerreros que, mediante la ingesta de algún tipo de droga o por autosugestión, entraban en un trance de furia homicida que solo terminaba con la muerte del último enemigo o con la propia. No llevaban armadura, se creía que tomaban su fuerza del oso (en noruego *ber* es oso y *serk*, camisa) y eran los únicos que podían llevar ropas hechas con la piel de este animal. Al entrar en trance echaban espumarajos de baba, temblaban, lanzaban aullidos aterradores y mordían los escudos con fiereza. Imprescindibles para la guerra y las incursiones vikingas, podían ser muy molestos en tiempo de paz.

En cuanto a las mujeres, tenían un poder y ascendiente sobre los hombres difícil de comprender para otras culturas. Eran quienes manejaban la granja en las periódicas y prolongadas ausencias masculinas.

Cuidaban mucho su aspecto, llevaban largos vestidos de lino y túnicas de lana, gustaban de usar muchas joyas y cuidaban su larga cabellera que en ocasiones recogían con un moño en la nuca. Los cabellos, trenzados o en cola de caballo eran protegidos de ordinario con una pieza de tela anudada en la nuca. Este uso distinguía a la mujer casada, las solteras llevaban el cabello suelto.

Las mujeres vikingas solían casarse entre los 12 y los 15 años, mantenían su apellido y en señal de autoridad, llevaban colgadas del cinturón o de un broche las llaves de la casa, incluidas las de los arcones donde se guardaban los objetos valiosos de la familia.

Como en todas las sociedades medievales, los matrimonios solían ser de conveniencia, acordados por los padres siguiendo criterios que supusieran una ventaja económica o de prestigio para su familia. De hecho, solo las viudas podían gestionar su propia boda. Debido a las largas ausencias de los hombres, podían tener amantes y poseían un arma terrible contra los hombres: la facultad de divorciarse alegando homosexualidad del marido o impotencia. Ambos alegatos suponían de hecho la muerte civil del marido.

El gobierno de los vikingos tenía una distribución piramidal, pero con fuertes prácticas democráticas, ya que los liderazgos dados por riqueza o prestigio personal finalmente se decidían en la Asamblea.

La primera instancia de gobierno era el caudillo que debía su importancia al tamaño de su tierra, a los vínculos familiares o a su prestigio personal como líder. Este, a su vez, respondía a un *jarl* que era un señor con poder sobre un territorio más extenso y que podía responder a un rey o tener el mismo poder que él. En algunos casos la ruptura con el monarca derivaba en el destierro y se realizaba la colonización de nuevos lugares. Este fue el caso cuando varios *jarls* se negaron a someterse a Harald el Rubio y dieron origen a las colonizaciones en Orcadas, Hébridas e Islandia.

En algunas situaciones un *jarl* podía ejercer como *hostzing* que era un cargo equivalente a un duque y podía tener funciones de regente en ausencia del rey.

Si bien no se puede hablar estrictamente de reinos y reyes en la estructura vikinga, se considera que en el siglo IX se crean los estados de Noruega con Harald el Rubio y Dinamarca con Grom el Viejo y su hijo Harald Diente Azul, iniciadores de la casa de Jelling y unificadores de jutos y daneses.

Los vikingos a su manera fueron fatalistas. En su concepto religioso creían en el destino y admiraban especialmente a aquellos que luchaban, especialmente a aquellos que lo hacían sin esperanza. Este concepto les viene de su propio panteón religioso. Odín, el más poderoso de los dioses, reúne en el Vallholm a los guerreros que han muerto en batalla para combatir en el Ragnarok, la batalla del fin del mundo contra los demonios en la que será derrotado, morirá y vendrá el fin de los días.

Este pueblo, con esta mentalidad guerrera, con los barcos que eran la tecnología naval más avanzada de su tiempo, dejará las tierras nórdicas para lanzarse al saqueo de Europa.

El armamento vikingo

Por lo general, los guerreros vikingos no utilizaban armaduras que por un lado resultaban demasiado caras para el nórdico medio y, por otro, miembros de una cultura que ponía un gran énfasis en el coraje en el combate no valoraba demasiado a ese tipo de protecciones. Sin embargo, los vikingos con recursos o más precavidos podían llevar algunas formas de armadura. La más común y có-

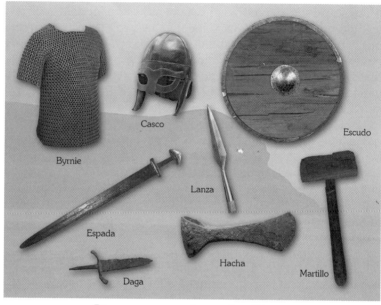

Diversas armas usadas por los vikingos.

moda estaba hecha de pieles superpuestas. Un buen conjunto de pesadas pieles y cuero endurecido podían detener flechas e incluso tajos de dagas y, a la vez, servir contra el frío del norte.

Por otro lado, los vikingos de mejor posición económica podían llevar una *byrnie* o cota de malla hecha de anillos metálicos entrelazados. Mientras los soldados europeos las usaban desde los pies hasta la cabeza, los nórdicos la usaban como una camisa de manga corta.

Contrariamente a lo que se cree y divulgó el cine, los vikingos no llevaban yelmos con cuernos. En realidad, aquellos que podían permitirse alguna protección metálica para la cabeza llevaban simples cascos con protección para los ojos y una banda metálica como protector nasal.

Los que portaban espadas y hachas llevaban por lo general escudos redondos hechos a partir de tablones de madera unidos por un borde metálico circular que iba remachado. Algunas veces, la parte frontal del escudo iba cubierta con cuero pesado como protección adicional. Otras veces los pintaban de vivos colores o con símbolos guerreros, especialmente de su familia. Un escudo redondo exigía el uso completo de uno de los brazos del guerrero, pues era muy pesado y algo inmanejable pero proporcionaba gran protección y un hombre habilidoso con el escudo era muy difícil de alcanzar. Además era relativamente barato, lo que hacía muy populares a los escudos entre los invasores vikingos de recursos limitados.

Entre los piratas vikingos, la espada y el hacha eran las armas preferidas. A diferencia de los europeos, no le prestaban atención al combate a caballo, por lo que las armas más importantes eran las utilizadas en la pelea cuerpo a cuerpo.

La daga de veinte a cincuenta centímetros de largo era una herramienta de trabajo y también un arma muy utilizada. Por su parte, las espadas eran sencillas y prácticas, con una hoja de doble filo, un pequeño travesaño y una empuñadura para usar con una mano. No estaban demasiado afiladas, pues se usaban para golpear las armaduras más que para cortar. Los herreros vikingos las forjaban con un procedimiento de diseño entrelazado con repetidas mezclas de hierro y acero.

La espada vikinga era un arma ligera de una mano usada para dar cortes y pegar tajos, casi siempre combinándose con saltos y esquives rápidos.

Los vikingos, admiradores de la fuerza, eran muy propensos al uso del hacha que servía como una útil herramienta de trabajo como una temible y eficaz arma en la batalla. Acompañando al escudo y manejada con una sola mano, estaba fabricada con hierro, a veces con una delgada franja de acero en el filo. Su mango de más de un metro de largo permitía ejercer una gran fuerza en los golpes y fue aumentando de tamaño, peso y efectividad a lo largo de la historia. El hacha de batalla escandinava tenía un saliente al final de la hoja que era muy útil en el combate naval y servía como gancho para clavarla y trepar a las naves enemigas. Este particular saliente dio origen a la llamada «hacha de abordaje».

Las hachas arrojadizas no eran muy frecuentes debido a su costo y a la dificultad que entrañaba manejarlas con efectividad. Eran muy peligrosas y espectaculares, pero requerían de una gran fuerza y habilidad para ser lanzadas correctamente.

Por el contrario, la lanza era un arma habitual entre los nórdicos y tenía un gran valor en el combate naval. Usadas para la caza y la pesca tanto como en la batalla, eran básicamente armas arrojadizas o para clavarse en distancias cortas.

Otra arma muy común entre los vikingos era el poderoso martillo, debido a que requería un escaso mantenimiento y se podía fabricar a bajo costo. Al igual que el hacha, el martillo de guerra tenía una única cabeza golpeadora colocada sobre un mango de sesenta a noventa centímetros de longitud. Los nórdicos lo apreciaban por su contundencia a la hora de pulverizar los huesos de los oponentes, por mucha armadura que llevaran encima.

Los vikingos utilizaban el típico arco de caza aunque era una habilidad de combate secundaria pues, al no establecer formaciones, eran raros los grupos organizados de arqueros. Su uso estaba más extendido en el combate naval para atacar a un velero que se aproximaba.

Los barcos vikingos

Los navegantes de su tiempo se guiaban por las estrellas, pero en el clima nórdico de noches blancas y nubosas se necesitaban otros sistemas para navegar. Los expertos timoneles vikingos aprendieron a interpretar la forma y dirección de las olas, la temperatura y humedad de los vientos, las tonalidades del agua, la presencia de aves marinas y cierto tipo de peces o el uso de la piedra solar para los largos días nublados. Esta piedra, que se supone era calcita de una isla del fiordo de Oslo, tenía la propiedad de polarizar la luz y cambiar levemente de color justo por el lado donde estaba el sol.

Los vikingos fueron excelentes marineros y especializados constructores que revolucionaron la ingeniería naval con un modelo básico de barco que variaba de tamaño y tipo según el uso y las aguas que tendrían que surcar. Esencialmente tenían dos clases de barcos: los de guerra y los de transporte.

El nombre más extendido para los barcos vikingos es *drakkar*, aunque no es muy seguro que ellos los denominaran así. La palabra no es de origen escandinavo, sino que es una transformación del antiguo término islandés que designaba a los dragones y hacía referencia al adorno que algunas naves solían llevar en la parte alta de la proa. El nombre más adecuado sería *knörr* o *snekkar*.

El *snekkar* era un barco pequeño que podía tener unos 17 m de eslora, una manga de 2,5 m y un calado de solo 0,5 m, con una tripulación compuesta por unos 25 hombres. Fue el barco más frecuente, diseñado para navegar entre los fiordos, en las costas poco profundas o en los ríos. Era tan liviano que no necesitaba usar puertos, podía ser sacado y transportado tierra adentro. Era ideal para las incursiones de saqueo, ya que era muy rápido y manejable. Con su poco calado podía navegar por aguas poco profundas, lo que les permitía acercarse a cualquier playa e internarse por los ríos.

En 1028 Canuto el Grande usó mil cuatrocientos *snekkar* en Noruega y Guillermo el Conquistador llevó alrededor de seiscientos para invadir Bretaña, al noroeste de Francia, en 1066.

Los *knörr*, usados para el comercio o la colonización, eran más lentos, más robustos y menos maniobrables, pero podían transportar mucha mercancía y necesitaban menos gente para manejarlos. Los mercaderes los llevaban cargados de arcones, toneles, hatos de pieles y los demás bultos que constituían sus mercancías. También en ellos iban los grupos familiares completos durante los viajes de colonización, con los animales de la granja, útiles de cocina, herramientas o cualquier cosa necesaria para comenzar una nueva vida.

Los barcos vikingos estaban hechos con delgados tablones de madera cortada con hacha siguiendo las líneas radiales del árbol lo que les daba una enorme flexibilidad y resistencia. Estos tablones iban superpuestos unos sobre otros y remachados con clavos de hierro.

En el siglo VII los constructores vikingos introdujeron los cascos con quilla lo que les dio una mejor estabilidad. Un único mástil central alzaba una vela rectangular de lana o lino de diversos colores, por lo general, negro, blanco y rojo. Este mástil era rebatible y cuando no había viento o la situación lo requería, eran impulsados a remo por los propios guerreros.

Dependiendo del tamaño, la nave podía tener entre veinte y cincuenta remeros. Como no había demasiado espacio, cada vikingo llevaba un propio arcón donde guardaba sus pertenencias y, sobre todo, el botín de los saqueos y además le servía como asiento para remar. En el centro de la cubierta se amontonaban sacos de cuero con las armas, toneles de víveres y los odres de agua. La tripulación pasaba todo el día a la intemperie y por la noche, si no podían acercarse a tierra, hacían una especie de tienda común donde resguardarse. Cuando no podían cazar o robar comida se alimentaban de sus reservas de carne y pescado secos.

La proa y la popa eran iguales; así, en caso de precisar maniobrar hacia atrás, solo tenían que remar en sentido contrario. La quilla era la parte más importante, para la cual elegían una encina del tamaño adecuado, ya que tenía que ser de una sola pieza. Estaba hecha de forma que la nave solo precisaba un metro de agua para navegar, así podían entrar a lugares donde ninguna otra nave podía hacerlo o desembarcar en cualquier playa. El timón estaba en popa a estribor sujeto con una correa de cuero.

Figura típica que los vikingos
situaban en la proa de sus naves.
Museo de Historia Cultural, Oslo, Noruega.

El terror baja del Norte: la Era vikinga

«He aquí que veo a mi padre. He aquí
que veo a mi madre, a mis hermanas y hermanos.
He aquí que veo el linaje de mi gente hasta sus principios.
He aquí que me llaman. Me ofrecen que tome mi lugar entre ellos en los salones
del Valhalla, donde los valientes viven para siempre».

(PLEGARIA VIKINGA ANTES DE LA BATALLA)

Se establece como «periodo vikingo» al espacio de tiempo entre el año 800, fecha en que se generalizan sus incursiones, y el 1066 que coincide con la muerte del noruego Harald Hardrade, el último gran rey vikingo, en la batalla de Stamford Bridge contra el rey inglés Harold Godwinson.

Se sabe que en el año 829 unos piratas vikingos atacaron a un grupo de mercaderes en su ruta desde Dorestad al mercado sueco de Birka, en el lago Malar, cerca de Estocolmo. El tráfico creciente en pieles, cueros, marfil, colchas de plumón, joyas, vidrio y metales preciosos sería una inexcusable invitación a la piratería vikinga y no pasaría mucho tiempo hasta que acosaran ese tráfico hasta su punto de partida. Así, los primeros ataques daneses en Occidente fueron al mercado mismo de Dorestad, saqueado cuatro veces entre los años 834 y 839. Pronto descubrirían otras oportunidades, pero fue el comercio lo que primero les atrajo a tierras occidentales.

Sin embargo, a pesar de que ya habían hecho otras incursiones piratas, se considera que el ataque al monasterio de Lindisfarne en Holy Island, en el reino de Northumbria, en junio de 793, fue la estruendosa entrada en escena que puso en alerta al resto de Europa sobre el nuevo terror que se avecinaba.

El acontecimiento fue tan conmocionante que todas las crónicas de la época lo mencionan y uno de los más ilustres intelectuales de Carlomagno, Alcuino de York, redacta hasta cinco cartas al rey de Northumbria mencionando este incidente sin salir de su asombro:

«Tal atrocidad no se había visto antes. La iglesia de San Cutberto, que es el lugar más sagrado de toda Gran Bretaña, ha sido empapada con la sangre de los sacerdotes del Señor, y le han robado todas sus pertenencias, exponiéndola al saqueo de paganos».

Pero los vikingos no tenían respeto alguno por el carácter sagrado de los monasterios, ni las viejas defensas romanas de las ciudades eran efectivas contra ellos, abandonadas como estaban desde hacía muchos años; algunas incluso habían sido demolidas en la relativa seguridad de la paz carolingia. Para ellos fue todo un descubrimiento encontrar que más allá del mar existían estas comunidades con unos tipos rarísimos que vivían sin mujeres, no tenían armas y guardaban grandes riquezas en unos extraños edificios de piedra que ni siquiera habitaban. Pronto descubrieron que podían hacerse ricos saqueando aquellos lugares, exigiendo rescates por los obispos y abades cautivos e incluso por ciertos libros preciosos, o mediante la extorsión de tributos y dinero a cambio de protección. Fue la señal de largada para las incursiones vikingas a los monasterios de toda la costa inglesa, irlandesa y escocesa.

Conformando pequeñas bandas y aliados de la sorpresa, dieron inicio a una sucesión de ataques similares. Al año siguiente cayeron los monasterios de Monkwearmouth y Jarrow (el monasterio de Beda el Venerable) en la costa inglesa, luego el de la isla escocesa de Iona, el de Inishboffin y de la isla de Rathlin en Irlanda.

La repetición de los ataques en los mismos lugares agotarán la zona y los vikingos deberán aventurarse cada vez más lejos en busca de nuevos botines. Llegaron así por primera vez a la costa francesa en el 799 y avanzaron por el estuario del Loira y las islas de la región.

Los ataques, con el tiempo, se fueron haciendo cada vez más violentos, frecuentes y organizados. Estos asaltos solían realizarse durante el verano, pero entre el año 840 y el 841, los noruegos atacaron durante el invierno recalando en una isla frente a Irlanda. Poco tiempo después llegaron a invernar en suelo inglés.

En documentos de 884 que fueron encontrados en la abadía de Sant Vaast se reseña: «Los hombres del Norte continúan matando y encarcelando a los cristianos; sin cesar destruyen iglesias y casas y prenden fuego a toda la ciudad. Los caminos están sembrados de cuerpos de clérigos y laicos, de nobles y de gente corriente, de mujeres, niños y recién nacidos».

En el 865, un gran ejército danés liderado por Ivar, Halfdan y Guthrum, con unos tres mil vikingos, desembarcó en el extremo más oriental de Inglaterra que en ese momento estaba dividida en cuatro: Northumbria, Mercia, Anglia Oriental y Wessex. Estos reinos, debilitados por sus divisiones, no estaban en condiciones de ofrecer resistencia a los piratas vikingos.

El Imperio escandinavo de Canuto el Grande.

El rey de East Anglia ofreció caballos a los invasores para que se alejaran y así lo hicieron siguiendo hacia el norte y adueñándose de York a la que rebautizaron como Jorvik y fue propiedad de los daneses hasta el año 954. Ocuparon también la capital de Northumbria, que fue su campamento y desde allí organizaron la conquista de East Anglia. Tras diez años de lucha también se adueñaron de la mitad oriental de Inglaterra, que tomó el nombre de Danelaw.

Durante muchos años los vikingos dominaron la mayor parte de Inglaterra sometiéndola al pago de un impuesto que llamaban *danegeld* o «dinero para los daneses».

El único territorio que se mantuvo intacto fue el de Wessex, gracias al rey Alfredo que conservó su territorio marcando, de este modo, el límite de las posesiones vikingas o escandinavas.

En los años siguientes, los sucesores de Alfredo, Eduardo y Edgardo reemprendieron la ofensiva. En el 973, este último se titulaba rey de Inglaterra y jefe de las Islas y de los reyes del mar, lo que suponía el reconocimiento de su autoridad por los caudillos normandos del Danelaw.

Pero una nueva oleada de vikingos llegará en 947 con Eric Hacha Sangrienta quien reconquistó York. La presencia vikinga se prolongó hasta el reinado de Canuto el Grande (1016-1035), quien estableció lo que ha sido considerado como un verdadero Imperio escandinavo en torno al mar del Norte y comprendía Inglaterra, Dinamarca y Noruega hasta que, tras su muerte, una serie de guerras sucesorias debilitó a la familia reinante. El fin de estas luchas sería la derrota de Harald III en la batalla de Stanford Bridge.

Vikingos en Irlanda y Escocia

En el caso de las expediciones a Irlanda, desde 795 los vikingos realizaron numerosos ataques a los monasterios de la costa. Al comienzo fueron pequeños grupos, pero a partir de 830 empezaron a actuar flotas de gran número que realizaron los primeros asentamientos que fueron aceptados por los nativos, produciéndose en muchos casos un mestizaje.

Pese a los escasos recursos y defensas que encontraban en las costas, los vikingos no siempre se atrevían o decidían a lanzarse hacia el interior. Sin embargo en 832 una flota vikinga de ciento veinte barcos invadió los reinos de las costas del norte y, durante esa década, se comenzó a profundizar hacia el interior, en contraposición a los ataques más superficiales y desorganizados que se habían estado llevando a cabo sobre las costas. Ya en 840, los vikingos disponían de varias bases tierra adentro.

En 838, una pequeña flota remontó el río Liffey en el este y fundaron un *longphorts* (campamento) que sería el antecesor de Dublín. El campamento finalmente se convirtió en permanente. A los diez años un rey ya gobernaba esa comunidad. Lo que fue en el comienzo una colonia fortificada se convirtió en un atareado puerto donde se ejercía profusamente el tráfico de esclavos y una importante actividad comercial. De la misma manera que las demás bases vikingas irlandesas, estaba involucrada en la vida política local haciendo de juez y parte en los conflictos con los distintos reinos en que estaba dividida la isla. De este modo, fueron surgiendo otros *longphorts* en Cork, Limerick y Waterford.

Irlanda sufría habitualmente incursiones pasajeras de los vikingos que tenían como base permanente a Escocia y sus archipiélagos. En Escocia, la prolongada presencia de los escandinavos tuvo lugar no solo porque esta plaza fuera una de las primeras que pudieron ocupar sino que los posteriores sitios en los que llegaron a incursionar resultaron ser los menos acogedores y poblados de Europa, por lo tanto eran aquellos donde no encontraban mayor resistencia.

Hacia el 800, acometieron en las islas Orcadas y las Shetland y alrededor del 825 ya se habían instalado en las Hébridas, donde reinó uno de sus mayores jefes de clanes: Ketil el Chato. Las islas Orcadas, a comienzos del siglo XI, fueron convertidos en el centro de un Estado marítimo noruego-danés que dominaba las islas y la costa oeste de Escocia hasta la isla de Man, en el mar de Irlanda, anexionado al reino de Escocia entre los siglos XIII y XIV.

Danegeld en la Francia carolingia

Los feroces guerreros que salían del hielo hicieron escuela en otros que se fueron multiplicando en cantidad de fuerzas y en ambición de saqueo. A poco las incursiones iniciales se habían convertido en verdaderas expediciones militares que aspiraban, además del saqueo, a la conquista.

Durante las décadas anteriores los escandinavos se habían fraccionado en señoríos, cada uno con sus propios e independientes aventureros vikingos y buena cantidad de embarcaciones a disposición de cada líder guerrero. Cada grupo estaba formado por decenas de navíos que al fusionarse constituían verdaderas flotas de cientos de embarcaciones.

Los ataques que se habían concentrado en la zona del Canal de La Mancha y las islas británicas se extendieron por la parte occidental del Imperio carolingio que sufrió durante el siglo IX permanentes asaltos que asolaron sus costas. El mismo Carlomagno tuvo que armar una flota para tratar de proteger sus costas, pero con la ruptura del Imperio las incursiones se hicieron cada vez más frecuentes.

Los funcionales barcos vikingos podían pasar sin inconvenientes del mar a los ríos interiores y los estuarios que desembocaban en el mar eran una invitación abierta a pasar hacia los territorios europeos.

Uno de los más frecuentados fue el Loira y la primera en ser visitada, la pequeña isla de Noirmoutier ubicada en su desembocadura. No solo fueron saqueados el monasterio y la población, sino que la isla se convirtió en una base y centro de operaciones de las incursiones vikingas en Europa.

El Sena también fue otra vía frecuente, siendo las primeras Le Havre, situada al noroeste en la orilla derecha del estuario del

Sena y la ciudad de Ruán, varias veces saqueada. Por ese río ingresó Ragnar Lodbrok, uno de los mayores jefes vikingos, con ciento veinte barcos y cinco mil hombres. Luego de asolar el estuario y la parte occidental del Imperio franco, avanzó sobre París el 28 de marzo de 845.

Carlos el Calvo, rey de los francos y nieto de Carlomagno, consideró que no podría enfrentar a los invasores y decidió negociar con ellos. Envió, entonces, 7 000 libras de plata a los daneses para que abandonaran la región. Aunque este acuerdo no le impidió a Ragnar Lodbrok atacar otras poblaciones francesas.

Pero este pago voluntario fue una manera de echar combustible al fuego del saqueo que avanzaba. Los vikingos no solo empezaron a utilizar este método de tributo inaugurado por Carlos el Calvo en sus siguientes negociaciones, sino que además, al conocerse el hecho en tierras vikingas aumentaron enormemente los contingentes de piratas nórdicos que querían su parte del festín.

Hasta tal punto fue puesta en práctica esta modalidad de tributo o *danegeld* voluntario que no tardó mucho en utilizarse con variantes, como es el caso de Lotario, hermano de Carlos el Calvo, quien ofrecía dineros a los vikingos para que atacaran otras ciudades en su propio beneficio.

El hermano Ermentario de Noirmoutier, autor de la *Vita Sancti Filiberti*, escribió lo siguiente en la sexta década del siglo IX:

«El número de navíos crece. La corriente sin fin de vikingos no cesa de aumentar. Por todos lados los cristianos son víctimas de masacres, incendios y saqueos. Los vikingos conquistan todo cuanto se encuentra a su paso. Nadie les puede hacer frente. Han tomado Burdeos, Perigord, Limoges, Angulema y Toulouse. Angers, Tours y Orleans han sido destruidas. Una incontable flota navega Sena arriba y la maldad se enseñorea del país. Rouen ha quedado desierta, saqueada e incendiada. París, Beauvais y Meaux han sido conquistadas; las fortificaciones de Melun han sido derribadas; Chartres está ocupada, Evreux y Bayeux saqueadas y muchas otras ciudades sitiadas».

Para resistir estos embates fueron surgiendo fortificaciones de puentes y ciudades. Gracias a esto el París del obispo Joscelin pudo resistir durante un año y en el 889 el nuevo conde Otón, que fuera elegido rey de Francia, logró derrotar a los vikingos, circunstancia que posibilitó una nueva etapa de negociaciones entre Francia y Escandinavia. Pero, entre los francos que quedaron en las costas surgieron nuevos grupos también enfrentados y alzados en armas.

Cuando el enfrentamiento directo era inútil se daban las negociaciones y los acuerdos. En la década de 840, Pepino II de Aquitania les solicitó ayuda y permitió un asentamiento vikingo en la desembocadura del Garona y un duque posterior, Sancho Mitarra, les autorizó a instalarse en la desembocadura del Ardour.

Pasadas las generaciones, los escandinavos se fueron adaptando e integrando de manera tal que fueron adoptando no solo la lengua francesa sino el catolicismo, aunque nunca abandonaron totalmente su identidad guerrera.

Los últimos ataques vikingos importantes en Francia fueron repelidos en 911 cuando el líder vikingo Rollon negoció un acuerdo con el rey de Francia, que le dio tierras y reconocimiento a cambio de paz.

Este líder fue Hrolf Ganger, más conocido por el sobrenombre de Rollon el Caminante que, según dicen, se debía a que no había montura capaz de soportar su imponente estatura de más de dos metros de alto y más de ciento cuarenta kilos de peso. Rollon fue un exiliado del reino de Noruega que encabezó un grupo de vikingos con los que se dedicó a la piratería en las costas del Mar del Norte y del Canal de la Mancha y, en algunas ocasiones, como mercenarios en Inglaterra. Posteriormente, estableció su campamento en la desembocadura del Sena desde donde remontó varias veces el río, llegó a tomar Ruan y asedió sin éxito a París en 910.

Carlos el Simple, rey de la Dinastía Carolingia que gobernaba Francia y había librado varias batallas con los vikingos, comprendió que no podría contener sus avances durante mucho más tiempo, por lo que decidió llegar a un acuerdo con Rollon. Mediante el Tratado de Saint-Clair-sur Epte le cedió una parte de Neustria al noroeste de Francia, que incluía el Condado de Ruan y sería la base de la futura Normandía. A cambio Rollon juró lealtad al rey, se convirtió al cristianismo, se casa con una de sus hijas,

Estatua de Hrolf Ganger, alias Rollon el Caminante, en Ruán.

fundando una dinastía ducal que luego llegaría, a partir de Guillermo el Conquistador, a dominar Inglaterra y, lo más importante, se comprometió a evitar que otros grupos vikingos ataquen la región.

Cabe destacar que Rollon cumplió su promesa de defender las orillas del Sena, pero repartió las tierras limitadas por los ríos Epte y Risle entre sus jefes militares y construyó asentamientos con una capital de hecho en Ruan. Estos asentamientos permitieron a otros piratas vikingos realizar incursiones en las regiones interiores con la seguridad que les proporcionaba un asentamiento estable frente a una flota móvil.

Vikingos en la Rus' de Kiev

Los ríos que desembocaban al Mar del Norte fueron muy apropiadas «autopistas» para las veloces embarcaciones vikingas, que pudieron fácilmente acceder y avanzar por sus orillas buscando metas más alejadas cuando crecieron las defensas de las costas.

Por otro lado, el activo comercio del norte en contacto con los centros noruegos y daneses, fueron abarrotadas en el siglo IX, por monedas, tejidos bizantinos y árabes o valiosa mercadería de China y se sabe que cuando los barcos llevan sus bodegas repletas de productos rápidamente aparecen los piratas que quieren que cambien de dueños. Esto provocó la necesidad de reforzar la seguridad en la navegación de aquellos mares, motivo por el cual una gran avanzada de vikingos puso en marcha la instalación de nuevas bases costeras.

En el 834, según los *Anales* de San Bertín: «Una flota de daneses llegó a Frisia y saqueó buena parte de esta. De ahí llegaron a

Dorestad a través de Utrecht saqueando y destruyendo cuanto a su paso encontraron».

Los *varegos*, nombre que daban los bizantinos a los vikingos, se asentaron en el enorme lago Ladoga, tomaron una población que allí había y junto a ella fundaron Staraya Ladoga, sumando su aporte pirata y comercial a esa importante ruta de intercambio con el Imperio bizantino y luego se trasladaron a Nóvgorod, para llegar finalmente a Kiev.

Su presencia también es registrada por las antiguas crónicas rusas que describen su llegada y la manera en que se establecen:

«En el año 6367(859): Los varegos de ultramar recibieron tributo de los chudos, eslavos, merias, veses, kriviches...».

«En el año 6370 (862): Provocaron que los varegos volvieran del otro lado del mar, rechazaron pagarles tributo, y acordaron gobernarse a sí mismos. Pero no hubo ley entre ellos, y cada tribu se levantó contra cada tribu. La discordia se cebó así entre ellos, y empezaron a guerrear entre sí. Se dijeron: "Elijamos a un príncipe que mande sobre nosotros, y que juzgue de acuerdo a la costumbre". Así acudieron más allá de los mares a los varegos, a los rus. Estos varegos eran llamados rus, como otros eran llamados los suecos, normandos, anglos y godos. Los chudos, eslavos, kriviches y los ves dijeron entonces a los rus: "Nuestra tierra es grande y rica, pero no hay orden en ella. Que vengan a reinar príncipes sobre nosotros". Tres hermanos, con su parentela, se ofrecieron voluntarios. Tomaron consigo a todos los rus y vinieron».

Según la *Crónica Primaria*, el relato más antiguo, fue un *varego* llamado Rurik (halcón) quien se estableció como líder de las tribus eslavas y finesas en la ciudad de Nóvgorod en el año 860 y desde allí extendió su influencia a Kiev. La Crónica lo llama patriarca de la Dinastía Rúrika:

El Principado o *Rus' de Kiev* fue fundado en el año 880 por el príncipe Oleg quien dominó con sus caballeros durante treinta y cinco años a las distintas tribus eslavas y finesas. En 907, Oleg llegó a dirigir un ataque contra Constantinopla, y unos años después firmó un tratado comercial con el Imperio bizantino en igualdad de condiciones.

La *Rus' de Kiev* prosperó como nuevo estado mediante el comercio de pieles, cera, miel y esclavos entre el Imperio bizantino y los pueblos de Escandinavia, manteniendo el control sobre la ruta desde el Mar Báltico al Mar Negro y a Oriente.

Los vikingos rusos alternaban lo legal con la actividad de saqueo, la razia y la piratería. Los *varegos* de Kiev continuaron bajando por el Volga, atacando reiteradamente las poblaciones del Mar Caspio y golpeando duramente a persas, árabes y kazires, sus competidores en los mares y en el comercio.

A finales del siglo X, la minoría escandinava ya se había mezclado. Por ejemplo, la guardia real rusa estaba compuesta por vikingos y se completa la fusión de los vikingos del este, los eslavos y la cultura bizantina en un destino común en los principados de Kiev y Novgorod.

El *Rus' de Kiev* se desintegraría finalmente en varios reinos que competirían entre sí por figurar como herederos de su civilización y por el predominio territorial en la zona y que acabaron bajo dominio mongol.

Vikingos en la Hispania cristiana

En los mismos años en que los vikingos llegan a Constantinopla, en Irlanda fundan Dublín, en Francia incendian Ruan y masacran Nantes, se producen los primeros ataques a las costas hispanas.

La presencia de los hombres del Norte no era desconocida en Hispania, incluso había un parentesco étnico lejano entre ellos y los celtas de Galicia. Se dice también que los vikingos, antes de llegar como saqueadores, fueron primero tratantes de esclavos pues al-Andalus omeya, la Hispania musulmana, era un buen mercado de sirvientes y de mamelucos para el ejército califal, ya que los árabes no podían esclavizar a otros musulmanes. Otras víctimas se vendían también en África o incluso en Oriente.

Cuando estos extranjeros llegaron como temibles saqueadores serán conocidos como *al-urdumâniyyûn* o *nordumânî*, y otras veces por *mayûs* o sea idólatras o adoradores del fuego por asociarlos a los zoroastrianos de Persia, aunque este es un término que no les será exclusivo, ya que los árabes lo aplicaban a todo pagano.

En 844 llega una importante expedición normanda compuesta por cincuenta y cuatro barcos grandes y una cantidad semejante de naves pequeñas. Según los relatos de las crónicas cristianas, la expedición fue desviada de su ruta por una tormenta y llegaron a la costa de Gijón. La *Crónica Profética* da como fecha el 1 de agosto. Probablemente por considerar que esta ciudad era inexpugnable, pusieron rumbo a otros puertos asturianos y continuaron recorriendo el litoral de las costas gallegas.

En Gijón la llegada de tamaña flota levantó temor y comunicaron la noticia al rey Ramiro I que se encontraba en Oviedo. Este envió jinetes para que le tuvieran informado y llamó a las armas a su ejército.

Al llegar los vikingos a la Torre de Hércules, el antiguo Faro Brigantium construido por los romanos en La Coruña española, desembarcaron seguramente atraídos por esta gran construcción y creyendo que era parte de una población importante, pero solo encontraron a la pequeña aldea de Clunia emplazada a sus pies y que ese día dejó de existir.

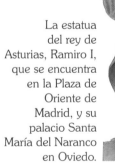

La estatua del rey de Asturias, Ramiro I, que se encuentra en la Plaza de Oriente de Madrid, y su palacio Santa María del Naranco en Oviedo.

Avanzaron luego hasta otros puntos donde desembarcaron obligando a los habitantes a abandonar las poblaciones marítimas entre ellas La Coruña, cuyo vecindario se trasladó al Burgo.

Una vez dueños del lugar, los normandos con su velocidad característica no tardaron en extenderse por el resto de la región. Asolaron y saquearon todas las villas y poblaciones de la zona incluidas las fortalezas de Chantada, Merlán y el Castro de San Sebastián. Los que lograron huir buscaron refugio en Castro Candad, la mayor fortaleza de la comarca construida por los romanos en una península del río Miño, que se hallaba bajo el cuidado de los caballeros Olmundo y Ergica de Erice. Allí pudieron resistir mientras llegaban las tropas del rey.

El ejército de Ramiro I se unió a las tropas locales mandadas por los hermanos Erice y logró empujar y enfrentar a los normandos en la ribera del río Miño. Acorralados por el terreno escarpado de la ribera los obligaron a librar combate en un lugar llamado después Santa María de Camporramiro. El cronista describe en forma muy escueta la batalla que seguramente debió haber sido muy sangrienta:

«Y así ocurrió allí que el rey don Ramiro los venció y desbarató, y luego mandó poner fuego a la flota y les quemó LXX naves» (*Crónica General de España*, RODRIGO DE TOLEDO y LUCAS DE TUY).

Hasting y Bjorn Jernside I

En las sagas escandinavas, *Jacobsland* (país de Santiago) era el nombre que recibía el reino de Galicia que con su carácter de ciudad santa estimulaba la avidez por apoderarse de sus tesoros. Para ello, uno de los caminos que elegían los Normandos, en sus intentos de atacar Santiago de Compostela, era el de la Ría de Arousa.

Por eso, cuando en el 858 una nueva invasión llegaba a Galicia, al mando de los jefes vikingos Hasting y Bjorn Jernside, la flota no iría costeando el norte de la península, sino que se dirigiría directamente al Faro Brigantino. Ingresaron por la Ría de Arousa, saquearon Iria Flavia y pusieron sitio a Santiago de Compostela. Durante dos semanas los habitantes defendieron con gran dificultad la ciudad que apenas tenía murallas y, viendo que no podían mantener la defensa por más tiempo, aceptaron pagar un alto *danegeld* para evitar el saqueo. Pero, una vez cobrado, los vikingos volvieron a intentar el asalto a la ciudad. Afortunadamente en ese momento apareció el conde Don Pedro Theón de Pravia al mando del ejército que el rey Ordoño I (hijo de Ramiro I) había enviado. Tras un duro combate los vikingos fueron derrotados y obligados a embarcar.

La *Crónica Albeldense* es deplorablemente escueta en este sentido: «En aquel tiempo los normandos vinieron de nuevo a las costas de Galicia, donde fueron derrotados por el conde Pedro».

Dado que los jefes vikingos tenían como objetivo llegar a Roma y ya habían cobrado el *danegeld,* era absurdo porfiar en la toma de una ciudad que se revelaba problemática, por lo que continuaron su camino rumbo a la ciudad eterna.

Pero esta no sería su última visita de estos piratas a tierras cristianas; precisamente, después de concluir su incursión en la ciudad de Génova con los barcos cargados de riquezas y de esclavos, decidieron que ya era tiempo de regresar a su tierra por lo que pusieron rumbo sur y en el camino saquearon Pamplona.

Para ello, ingresaron a la península por el río Ebro en Tortosa, lo remontaron hasta el reino de Navarra dejando atrás las demasiado fortificadas ciudades de Zaragoza y Tudela, siguieron por sus afluentes hasta Pamplona. En el año 859 saquearon la ciudad y raptaron a García Iñíguez, hijo y sucesor de Iñigo Arista, por el que cobraron un importante rescate en monedas de oro.

«Pasaron las naves infieles a Pamplona donde aprisionaron a su gobernador García, quien se liberó mediante el pago de un rescate de 70 000 dinares» (*Libro de los Ejemplos*, Ibn Jaldún).

De acuerdo al relato del *Cronicón Iriense*, en 968 una nueva expedición danesa al mando de Gunderedo, con más de cien barcos y varios miles de hombres, entró por la Ría de Arousa y permaneció por espacio de dos años asolando la región mientras preparaba el asalto definitivo a Compostela. El Arzobispo de Santiago, Sisnando, no pudo resistir el empuje de los atacantes muriendo en la batalla que tuvo lugar en Fornelos, en la parroquia de Rarís. Luego de saquear el monasterio de Curtis, los vikingos lograron adentrarse hasta Lugo y al interior de sus tierras destruyendo todo lo que estaba a su alcance.

«En cuanto a Sisnando, cumplióse en él la sentencia de la noche de Navidad. Habiendo los normandos y frisones acometido de nuevo la Galicia con una flota de cien velas al mando de su rey Gunderedo (968), y derramándose por la comarca de Compostela, talando, devastando y cautivando hombres y mugeres según su costumbre, ármase loca y arrebatadamente el guerrero obispo Sisnando de todas armas, y con su gente salió furioso en busca de los invasores: hallólos cerca de Fornelos, los acometió, pero pagó su temeridad cayendo atravesado de una saeta; con lo que huyeron los suyos quedando los normandos dueños del campo. Alentados por este triunfo internáronse esta vez aquellos piratas hasta los montes de Cebrero, saqueando, incendiando y degollando sin piedad; hasta que al regresar hacia la costa con objeto de embarcar el fruto de sus depredaciones, viéronse arrollados por un ejército gallego capitaneado por el conde Gonzalo Sánchez […] que arremetiendo con ímpetu y bravura hizo un espantoso degüello en aquella gente advenediza, quedando entre los muertos el mismo Gunderedo. Quemadas fueron enseguida sus naves, y de este modo desapareció en Galicia aquella hueste de atrevidos aventureros, que tan afortunados habían sido en Francia y en Bretaña. Era el tercer año del reinado de Ramiro (969)» *(*M. Lafuente, *Historia General de España*, Libro I, Parte II, Pag. 267).

El rey gallego Sancho Ordóñez había nombrado virrey de Galicia y obispo de Compostela a Rosendo, que luego sería santo, con el encargo de luchar contra los normandos, misión que cumplió con éxito junto al conde Gonzalo Sánchez venciendo y matando a Gunderedo en 971.

Esta invasión de Gunderedo fue el impulso requerido para que se construyesen las Torres del Oeste en Catoira y la Torre da Lanzada, como fortificaciones para detener otras eventuales invasiones.

Sin embargo, a pesar de estas precauciones, los actos de piratería continuaron. En el año 1008, los *Anales Complutenses* vuelven a hacerse eco de una nueva invasión normanda en el Miño y en el Duero, que llega a Compostela.

Seguramente la mejora en las fortificaciones hizo que los vikingos buscaran otros lugares donde atacar y eligieron la desembocadura del Miño. Algunas crónicas refieren una incursión vikinga en 1008 en la región de Braga, pero sin demasiadas precisiones. Más significativa habría sido la que ingresó en 1015 causando una verdadera desolación en la región.

Al parecer esta flota vikinga habría estado dirigida por Olaf Haraldsson, quien llegaría a ser santo y rey de Noruega, pero que en esos años había estado arrasando las costas holandesas, británicas y francesas. Los piratas nórdicos ingresaron por el río Miño y atacaron Castropol, Betanzos, Ribas de Sil. El conde Menedus intentó detenerlos, pero su ejército fue masacrado por los invasores que atacaron la sede episcopal de Tui, destruyeron la ciudad y apresaron al obispo Alfonso por el que cobraron un importante rescate. Tras arrasar Tui, los vikingos continuaron asolando las tierras del sur del reino, desde el Miño hasta Braga hasta que, finalmente, fueron expulsados por Alfonso V tal como lo refiere en una carta del 29 de octubre de 1024.

Tal fue la destrucción de Tui que el rey Alfonso V prefirió integrar esta diócesis en la de Santiago antes que reconstruir toda la ciudad, llevando la catedral del río a la ladera para prevenir otra masacre como esta.

En el 1028, cuando ocurría la crisis política en el contexto de la lucha entre Fernando I de Castilla y el rey galaico-leonés Bermudo III, los vikingos penetraron nuevamente por la ría de Arousa. Varias fuentes refieren que este nuevo ataque habría estado comandado por Ulf, llamado el Gallego por su larga actividad pirata en suelo galaico. Saquearon la villa de O Grove y el castillo de Labio cerca de Lugo. El obispo Cresconio de la diócesis de Compostela reunió un ejército y, asumiendo el liderazgo de la nobleza gallega, derrotó a los vikingos hasta lograr su expulsión.

Cresconio se empeñó durante su mandato en terminar con

Las llamadas Torres Vikingas de Catoira, construidas para defender Santiago de Compostela de los vikingos.

las invasiones vikingas en un momento en el que el Reino de Galicia necesitaba seguridad política y económica debido a la creciente afluencia de peregrinos a la ciudad del Apóstol. Para ello edificó la muralla de la ciudad de Santiago de Compostela y fortificó aún más la puerta marítima de Santiago reconstruyendo los *Castellum Honesti* o Torres del Oeste en Catoira y mantuvo un ejército altamente adiestrado encargado de convencer a los vikingos de la poca rentabilidad de las invasiones a Galicia. El éxito de su esfuerzo pudo comprobarse en el hecho de que, después de Ulf el Gallego, los vikingos no volverían a efectuar ninguna incursión en el codiciado *Jakobsland*.

Solo habría una última y anecdótica batalla contra los vikingos en el año 1111, al participar una tropa de guerreros nórdicos junto a los nobles gallegos partidarios de las pretensiones de Alfonso de Aragón en su lucha por la Corona del Reino con Doña Urraca. El obispo Xelmírez derrotó a los vikingos en la Lanzada, liberándolos posteriormente a condición de que no volviesen a Galicia. A partir de aquel hecho, las relaciones con los escandinavos se tornarían más fluidas, como lo demuestra la convocatoria a unos arquitectos normandos para realizar las primeras obras de la Catedral de Santiago de Compostela.

Vikingos en al-Andalus

Al-Andalus fue en su momento el reino más poderoso de la península y el más avanzado culturalmente de Europa. Regido por la dinastía Omeya, tenía una rica economía basada en el comercio, los sistemas de cultivo y el desarrollo industrial que fomentaba las ciencias y las artes.

Una de las principales fuentes de beneficios del califato era su comercio de esclavos, especializándose en el de eunucos que eran castrados en Córdoba por un equipo de cirujanos judíos. Prácticamente todo esclavo eunuco de la cuenca mediterránea tenía su origen en el mercado cordobés y la mayoría de estos esclavos eran de origen eslavo. De esta manera los cordobeses conocían a los nórdicos, como los principales proveedores de esclavos eslavos, pero aún no los habían identificado con los que estaban a punto de llegar.

Luego del frustrado intento en La Coruña, los vikingos arriban a Lisboa por primera vez como piratas, de acuerdo con algunas fuentes, con cincuenta y tres barcos grandes y cincuenta y ocho más pequeños.

«En el año 230, los madjus que habitaban en las tierras más lejanas de al-Andalus invadieron las tierras de los musulmanes, presentándose ya en el mes de Du-l-higga del año 229 (20 de agosto-17 septiembre del 844) ante Usbuna (Lisboa) quedándose allí durante trece días» (Sihab al-Din al-Nuwairi).

El gobernador de Lisboa preparó a la ciudad para el sitio y comunicó la novedad a Abderramán II, el cuarto emir omeya de Córdoba, capital de al-Andalus, y este, a su vez, envió instrucciones precisas de cómo repeler el ataque a cada una de las poblaciones costeras cercanas.

Los vikingos desembarcaron y durante casi dos semanas intentaron hallar el modo de doblegar a la guarnición musulmana. Pero no tenían máquinas de asalto para superar las fuertes murallas y no era una forma de guerrear que ellos prefirieran. Por lo cual, luego de arrasar los alrededores de la ciudad y golpeados más en su moral que en su estrategia, los piratas decidieron poner rumbo hacia otras costas más accesibles.

Pronto llegaron a Cádiz que era una conquista ideal al estar ubicada la ciudad en una especie de península desde donde se podía controlar los accesos por mar y establecer una base de operaciones para otras incursiones, lo que era una táctica frecuente de los vikingos. Mientras un grupo tomaba posesión del puerto de Cádiz, el resto remontaba el río Guadalquivir hasta Sevilla.

El 25 de septiembre, los sevillanos despertaron con la visión de unos extraños barcos que se acercaban remontando el Guadalquivir. No solo el avance de los vikingos provocó pánico en las gentes que los veían llegar sino el hecho de que sus autoridades, las que debían protegerlos, habían huido en algún momento de esa noche a la vecina Carmona que estaba mejor fortificada. Los desesperados sevillanos prepararon su escasa defensa que apenas sirvió para molestar a los normandos a los que no les costó mucho incendiar los pocos barcos con que la población intentó repeler el ataque pirata.

Allí libraron dos violentos combates contra los sevillanos el 28 y el 30 de septiembre y en ambos fueron derrotados los musulmanes. En el último combate persiguieron a los sevillanos hasta dentro de su ciudad, la tomaron y saquearon a placer. La población que pudo escapar huyó hacia Carmona.

Los normandos incendiaron y arrasaron todo lo que encontraron, mataron a los ancianos, capturaron a mujeres y niños para su tráfico de esclavos y consiguieron importantes riquezas. Luego anclaron en Yazirat Qabtil (Isla Menor), una de las islas del río para poner a resguardo el botín y esperar el dinero del recate de los rehenes. Desde allí, con cuatro naves a la mañana siguiente, subieron hasta Korah (Coria del Río), donde desembarcaron y masacraron a sus habitantes.

Cuando regresaron a Sevilla la ciudad había sido abandonada y solo encontraron a unos pocos ancianos reunidos en una mezquita. Estos fueron asesinados y desde entonces se la llamó Mezquita de los Mártires *(Masyid al-Šuhadâ)*.

Entre tanto, el califa de Córdoba, Abderramán II, recibió con estupor la noticia de la caída de Sevilla. Habían saqueado tres de sus ciudades unos extranjeros que hacía apenas diez días estaban todavía en Lisboa. Esa rapidez de desplazamiento y la contundencia de los ataques le habían desconcertado. Necesitaba reunir sus tropas lo más rápidamente posible y, por las noticias llegadas sobre su manera de combatir, debía ser un ejército potente. De acuerdo a la cantidad de naves utilizadas, la expedición vikinga debía estar compuesta de unos 1.800 guerreros, lo que suponía una fuerza considerable.

Envió emisarios a las diferentes guarniciones y en especial a sus, no siempre fiables, vasallos los Beni Qasir y en particular a la de su mejor general Musa ibn Musa ben Qasi. La fuerza solicitada debía ser montada para que pudieran desplazarse lo más rápidamente posible.

Entretanto los vikingos no se abandonaron al disfrute de sus bien ganadas riquezas. Con los caballos obtenidos en la Isla Menor organizaron grupos de ataque con los que avanzaron y saquearon Coria, a unos veinte kilómetros de Sevilla, Tablada, Moron, Niebla y un lugar llamado Lecant.

La mezquita-catedral de Córdoba, centro de poder del califato de Abderraman II.

El califa envió un cuerpo de caballería con sus mejores generales al frente y puso a uno de sus hombres de confianza, el eunuco Nasr, a reorganizar las tropas que iban llegando a Córdoba desde cada rincón del al-Ándalus. Las fuerzas cordobesas atacaron a principios de noviembre y derrotaron en un primer encuentro a un grupo de unos doscientos vikingos que estaban saqueando Morón.

El 11 de noviembre tuvo lugar la batalla decisiva en Tablada con un resultado desastroso para los invasores que fueron ampliamente derrotados. Los habitantes de Sevilla, que habían sobrevivido al saqueo y la matanza, viendo como cambiaban las cosas se levantaron contra los invasores y los atacaron.

Entre los vikingos hubo un millar de bajas y alrededor de cuatrocientos fueron hechos prisioneros y ejecutados inmediatamente. Se incendiaron treinta barcos normandos y las cabezas de los muertos fueron colgadas en las picas de las carnicerías y de las palmeras de Sevilla.

Los vikingos que quedaron en tierra intentaron escapar por Carmona y Morón. Mientras que los que pudieron reembarcarse en sus naves las dirigieron hasta un punto donde podían recoger a sus compañeros perseguidos por el ejército cordobés. Sorprendidos por la situación solicitaron una tregua para conversaciones. Cuando se organizó el rescate de prisioneros los nórdicos no aceptaron de los árabes «ni oro ni plata», solo les interesaba comida y ropas. También pidieron que el califa de Córdoba enviara un emisario como embajador suyo a su rey. Los generales árabes permitieron que los sevillanos rescataran a sus familiares, pero no aceptaron desprenderse de los quinientos prisioneros vikingos que habían capturado. Autorizaron además que un navío vikingo se quedara en Sevilla esperando la contestación de Abderramán II. El califa accedió y envió un embajador.

Terminadas las conversaciones, la flota abandonó Cádiz y en el camino volvieron a atacar Niebla, luego entraron por el Tajo y remontaron varios ríos hasta llegar a Bejar, a la que también saquearon, antes de desaparecer en el mar.

Los quinientos prisioneros vikingos fueron enviados a la saqueada Isla Menor, al sur de Sevilla. Se convirtieron al Islam y se dedicaron a criar ganado y a la industria lechera en el valle del Guadalquivir. Esta colonia de muladíes normandos habría de dar a Sevilla los quesos que son famosos hasta la actualidad.

Después de estos ataques, Abderramán II armó una gran flota y construyó gran cantidad de *ribât* (torres fortificadas) a lo largo de las costas, defendidas por milicias *ghazis* (guerreros santos) creyentes musulmanes movilizados en guerra contra el infiel, para impedir que se repitiera el desastre. Estas medidas fueron muy efectivas en la siguiente visita de los vikingos.

Hasting y Bjorn Jernside II

Después del frustrado ataque a Santiago de Compostela, pero habiendo cobrado el *danegeld*, la expedición de Hasting y Bjorn Jernside (Costado de Hierro) continuó por tierras del al-Andalus. Desembarcaron en los alrededores de Lisboa, pero esta vez no trataron de tomar la ciudad, sino que se limitaron a saquear los alrededores y hacer aguada para continuar la navegación a lo largo de la costa en dirección sur.

Habían tratado de seguir la misma ruta de la anterior expedición para alcanzar la ciudad de Sevilla, pero al ingresar a la desembocadura del Guadalquivir los esperaba Mohamed I, hijo y sucesor de Abderramán II, que ya había sido informado por los emisarios de Lisboa de la llegada de esta nueva partida de *al magus*. En el enfrentamiento, los vikingos llevaron la peor parte perdiendo dos naves. Ante esta dificultad decidieron suspender la idea de saquear Sevilla y retomaron su camino hacia el sur.

En su camino volvieron a encontrarse con Algeciras a la que ya habían atacado antes destruyendo la gran mezquita Alhadra y luego, tal vez por accidente según relata el geógrafo hispano-musulmán Ubayd al-Bakri, avanzaron sobre la costa atlántica del norte marroquí.

«Los al magus atacaron por segunda vez este lugar (Algeciras), después de que tras abandonar las costas de Al Andalus fuesen empujados por una tormenta hacía el puerto de Ashila» (UBAYD AL-BAKRI, *El libro de los caminos y los reinos*).

Tras el segundo ataque a Algeciras, atravesaron de hecho el estrecho de Gibraltar y atacaron las ciudades africanas de Ashila y Nekor a unos cincuenta kilómetros al oeste de Melilla. De estos saqueos habrían procedido posiblemente los primeros «hombres azules» o al menos es la primera mención de esclavos negros llegados a Irlanda.

La expedición siguió costeando el sur de la península hasta su siguiente saqueo que fue la ciudad de *Uriwala* (Orihuela) y todo su territorio cercano. Luego incursionaron por las islas de Menorca, Mallorca, Ibiza y Formentera. Llegaron al Rosellón en el sur de la actual Francia, saquearon un par de monasterios cercanos al río Ter y, ante la llegada del invierno, decidieron establecerse en una isla del río Ródano en una zona conocida como La Camarga.

A pesar de estar invernando, los vikingos no estuvieron ociosos: «...los daneses que estaban en el Ródano penetraron destruyendo hacia el interior hasta Valence; después de haber saqueado toda la región, volvieron a la isla donde habían levantado sus cuarteles» (*Anales* de SAN BERTÍN).

Entre las ciudades saqueadas estuvieron Nimes y Arles, aunque no todo fue tan fácil pues las tropas del conde Gerhard del Rosellón y de Provenza dificultaron sus avances. Pero como estaban descansando no insistieron en las zonas más protegidas permaneciendo el resto del invierno en su bien defendida isla. Con la llegada de la primavera dejaron un contingente en la isla y pusieron proa hacia la costa italiana en procura de su objetivo inicial que era la ciudad de Roma.

Hasting y Bjorn Jernside llegaron a Génova. Algunos relatos refieren sobre la estrategia que debieron utilizar para tomar la ciudad debido a las fuertes defensas que tenía este puerto, mientras que otros indican que estos sucesos corresponden a la ciudad de Luna.

Para evitar un asalto frontal que les hubiera sido muy costoso, una delegación vikinga se acercó a la ciudad y relató a los notables que eran una tropa que viajaba a Constantinopla para unirse al ejército del emperador de Bizancio. Su caudillo, que era cristiano, acababa de morir y en su última voluntad había pedido que le enterraran en lugar sagrado, por ello solicitaban a las autoridades de la ciudad permiso para poder enterrar con los todos honores debidos a su líder. Las autoridades aceptaron y los vikingos entraron escoltando el féretro donde yacía el propio Hasting con las armas ocultas bajo las ropas. Cuando el obispo, vestido para la ceremonia, se acercó a bendecir el cadáver y conducirlo al interior de la catedral, se dio la señal. Hasting se incorporó y con su espada dejó vacante la sede episcopal mientras el resto de la fúnebre comitiva atacó a los notables allí reunidos que apenas pudieron defenderse. Entretanto el resto del ejército tomaba el puerto y el resto de la ciudad. El botín fue enorme. *La saga de Ragnar Lodbrok y sus hijos* afirma que tanto Hasting como Bjorn Costado de Hierro estaban convencidos de que la ciudad era la propia Roma y que, dándose cuenta de su error, reaccionaron de la forma más lógica: la incendiaron.

Después de saquear las ciudades de la región toscana, regresaron a la isla en el Ródano, reunieron todo su botín y consideraron que ya era tiempo de volver a su tierra. Remontaron el río Ebro y en el camino saquearon Pamplona, tomaron prisionero a su rey y cobraron el rescate. Los barcos estaban cargados de riquezas y de esclavos por lo que pusieron rumbo sur.

En el año 862, aunque mermada por las bajas, con los barcos cargados de esclavos y riquezas la expedición de los piratas vikingos Hasting y Bjorn Jernside llegó a su destino final en Bretaña.

El adiós de los Vikingos

Las incursiones de los vikingos cesaron a finales del siglo X. Dinamarca, Suecia y Noruega se habían convertido en reinos, y sus reyes dedicaban la mayor parte de sus energías a gobernar sus dominios. Con la expansión del Cristianismo, los antiguos valores guerreros de los vikingos se debilitaron hasta desaparecer y las mismas culturas que habían conquistado los absorbieron. Así los ocupantes y conquistadores de Inglaterra se volvieron ingleses, los normandos franceses, y los varegos, rusos.

Aunque la decadencia se había iniciado mucho antes, se cree que la era de los vikingos se extinguió en la batalla de Stamford Bridge en el año 1066 con la derrota del último reducto hostil representado por el rey Harald III, el cual murió en ese último intento por tomar posesión del territorio inglés.

Refieren las sagas que relatan su historia que antes de la batalla, como augurio de su propio final y de la gran aventura vikinga, recitó a sus hombres este poema:

«No te protejas en la batalla al resguardo de los escudos, cuando las armas van a chocar: esto me ha ordenado la diosa fiel de la tierra del halcón. Y la que se adorna con collares me dijo, hace ya tiempo, que mantuviese alto en el fragor de la batalla lo que el yelmo contiene (la cabeza), cuando el hielo de la valkrira (la espada) va al encuentro de la cabeza de los hombres».

Este último caudillo vikingo, conocido como Harald Haardrade el Despiadado, había nacido en 1015 y a los 15 años luchó contra los daneses en la batalla de Stiklestad junto con el rey Olaf II de Noruega del cual era el menor de sus hermanastros. Harald resultó gravemente herido en esta batalla y tras recuperarse huyó hacia Oriente. Viajó por estos territorios durante catorce años y del conocimiento de esos pueblos fue alimentando su idea de un imperio organizado para los vikingos. Prestó servicios en los ejércitos del Oriente y de Bizancio como miembro de la guardia imperial de la emperatriz bizantina Zoé Porfirogeneta. Diversas sagas nórdicas cantan sus grandes hazañas por el Mediterráneo y mencionan que los reyes de Europa en esa época le pagaban para que custodiara sus territorios y no cometiera pillajes en contra de otros estados.

Harald retornó a Noruega en el año 1046 para reclamar el trono a su sobrino Magnus I el Bueno que por entonces ocupaba el trono noruego. Recibió la mitad del reino a cambio de la mitad del tesoro que Harald había acumulado durante su permanencia en Oriente. Un año más tarde murió Magnus y Harald quedó como único gobernante.

Luchó con ciertos éxitos y fracasos en las batallas por el trono danés de Sweyn II, amplió las posesiones de Noruega ocupando las islas Orcadas, Shetland y Hébridas, y fundó la ciudad de Oslo alrededor del año 1050.

Tratando de cumplir su sueño imperial volvió a declarar la guerra a los daneses y a poner sus ojos más allá del mar del Norte. En el 1066 se unió a Tostig, conde de Northumbria, para combatir contra el hermano de este, Harold Godwinson que se había autoproclamado rey de Inglaterra al día siguiente de la muerte de Eduardo el Confesor.

Cuando Godwinson se enteró del ataque noruego envió, junto a sus soldados, a su tropa de elite, los *housecarls,* y dijo de Harald: «*Le daré solo dos metros de suelo inglés, suficientes para su tumba*» (J.L. BORGES, *El pudor de la historia,* 1952).

Sobre el puente de Stamford se dio el encuentro de los ejércitos. Luego de los primeros combates Harold mandó retroceder desordenadamente a sus soldados, haciendo creer a los vikingos en su victoria que salieron a perseguirlos. En ese momento entró en acción la fuerza de elite que rodeó y derrotó a los noruegos que habían roto filas en la persecución.

Harald Haardrade cayó gravemente herido por una flecha y cuando uno de sus hombres le preguntó por su estado, este le respondió: «*Es solo una pequeña flecha, pero está cumpliendo su trabajo*».

Ese 25 de septiembre de 1066, sobre el puente de Stamford murió el último rey que soñó con una extensa nación vikinga. «Las riquezas mueren, los familiares mueren, uno también debe morir; sé de una cosa que jamás muere: la reputación del hombre muerto» (*Hávamál,* Gestaþáttr, estrofa 77).

PIRATAS EN EL
CAMINO DE AMÉRICA

«Cierto es que la historia del globo está
hecha de conquistas y de derrotas,
de colonizaciones y de descubrimientos de
los otros; pero, como trataré de demostrar,
el descubrimiento de América
es lo que anuncia y funda nuestra
identidad presente; aun si toda fecha que
permite separar dos épocas es arbitraria,
no hay ninguna duda que convenga más,
para marcar el comienzo
de la era moderna,
que el 1492, en la que Colón atraviesa el
océano Atlántico.
Todos somos descendientes de Colón…»

TZVETAN TODOROV
El problema del otro

La piratería del siglo XVI tendría tres protagonistas fundamentales y otros participantes menores. En el centro de la escena estará España y su Nuevo Mundo lleno de riquezas incalculables, frente a ella, desvastadas y pobres, pero con toda la ambición a flor de agua, las dos potencias siguientes Francia e Inglaterra, y muy cerca de allí, los holandeses y berberiscos dispuestos a tomar lo que quede.

«Otro campo de investigación necesario para el mercader (y esos sutiles límites con los conquistadores y los piratas): la geografía práctica, donde se codean los tratados científicos, los relatos de viajes y la cartografía. Se ha dicho que el famoso Libro de las maravillas de Marco Polo fue uno de los best-sellers de la Edad Media; y el gusto por los libros de aventuras, inclusive novelados, estuvo tan desarrollado en aquel tiempo que pudo asegurar el éxito del libro apócrifo de Sir John Manndeville, donde la imaginación entraba en mucho. Las escuelas cartográficas genovesas y catalanas produjeron los admirables portulanos, descripciones —acompañadas de mapas— de las rutas marítimas, los puertos y las condiciones de navegación. En este medio erudito que escribía para especialistas y profesionales provistos de compás, astrolabios e instrumentos astronómicos nació Cristobal Colón, quien no partió a la aventura como quiere la leyenda sino provisto de un fuerte bagaje de conocimientos y de técnicas que lo llevan hacia un objetivo determinado.

«Para uso del mercader que iba al extranjero había tratados que enseñaban, por ejemplo, "lo que debe saberse al ir a Inglaterra", como indicaba Giovanni Frescobaldi, mercader-banquero florentino, o "lo que debe saber un mercader que se dirige a Catay", es decir, a China como escribía en unas páginas famosas Francesco di Balduccio Pegolotti, factor de los Peruzzi» (*Mercaderes y Banqueros de la Edad Media*, Jacques Le Goff. Editorial Universitaria de Buenos Aires, Eudeba, 1986).

El cuerpo de América, herido de muerte, será saqueado pedazo a pedazo por el Gran Conquistador Pirata y, junto a los caminos marinos, los que han quedado fuera del reparto se lanzarán a robar al ladrón en diferentes niveles de rapiña. Poco después el oro se mezclará con el robo de carne humana y sobre esta enorme tragedia se construirán los estados modernos.

Aquella cuestión del oro y los saqueos, empezó con los portugueses que en el siglo XV fueron los primeros europeos en lanzarse más allá de los mares conocidos. El rey Enrique, no casualmente llamado el Navegante, comprendió que la costa africana podía ser el camino más apropiado para conseguir seda, marfil, piedras preciosas y otras joyas como el clavo, la canela y el jengibre que con tanto trabajo importaban las caravanas desde el cercano y el lejano oriente.

Enrique estableció en Sagrés un Observatorio e Instituto técnico de navegación y reunió las más preciosas cartas náuticas y a los más experimentados marinos. Sus exploradores descubrieron para los ojos europeos en 1435 el Cabo Bojador, en 1442 el Cabo Blanco, en 1445 el Cabo Verde, en 1447 Gambia, en 1462 Sierra Leona, en 1471 el Congo, y poco después Bartolomé Díaz, el Cabo de Buena Esperanza abriendo para su ambición y por África una nueva ruta hacia las Indias.

De acuerdo a su fe católica, el monarca portugués informó sobre estos «descubrimientos» a Roma y solicitó licencia para implantar la fe católica en las tierras conquistadas. Entonces el papa Eugenio IV, en su Bula *Romanus Pontifex* de 1454, concedió al rey de Portugal la propiedad de las tierras conquistadas, lo facultó a construir iglesias y monasterios y a enviar misioneros. En esa forma quedaba constituido el Patronato del reino portugués que fue aceptado y aún ampliado en sus concesiones por los Papas siguientes.

La necesidad del rey de Portugal de legitimar ante una autoridad superior, al menos en lo espiritual, las conquistas territoriales que había hecho y pensaba seguir haciendo se debía a que, siendo uno de los países débiles de Europa, temía que alguna de las potencias como Inglaterra, Francia o Alemania se las pudiera arrebatar.

Teniendo este precedente, en cuanto Colón se presentó en Barcelona ante los Reyes Católicos el 3 de abril de 1493 con las pruebas de las nuevas tierras que había encontrado, los monarcas españoles, temerosos de que el rey de Portugal se creyera con título jurídico a la posesión de estos territorios, de inmediato pidieron al papa Alejandro VI que impidiera todo litigio. Tener nuevamente como árbitro al Papa resultaba lógico teniendo en cuenta que los estados católicos aceptaban como árbitro al papado teniendo sus dictámenes valor en el derecho internacional, además los monarcas españoles eran impulsores de la fe católica y el papa Alejandro VI de la familia Borgia era español.

Un mes después, el 4 de mayo de 1493, Alejandro VI daba a conocer su Bula *Inter caetera* (entre otras cosas). El documento rectificaba las anteriores bulas y tratados en donde se había establecido la hegemonía portuguesa en el Atlántico y se limitaba la presencia española en el sur hasta las Islas Canarias, pero que ahora el descubrimiento de América venía a replantear:

«En virtud de la plenitud de la potestad apostólica, donamos todas las islas y tierras firmes descubiertas o por descubrir, halladas o por hallar hacia el occidente y el sur, trazando una línea del polo ártico al polo antártico […] la cual línea diste cien leguas (unos 500 kms.) hacia el occidente de cualquiera de las islas, vulgarmente llamadas Azores y Cabo Verde».

La idea de donación expresada en la bula se refiere al documento, que más tarde se descubriría como falso, llamado *Donación de Constantino*. Este documento apócrifo incluía, por parte del emperador Constantino I, la supuesta donación a la iglesia romana, *entre otras cosas* (de allí el nombre de la bula), de las islas de la parte occidental del Imperio romano. En 1493 se suponía que al oeste del Atlántico solo había islas que eran una extensión jurídica del antiguo Imperio romano.

Esta línea de demarcación fue desdeñada por los portugueses por considerarla demasiado parcial y española de parte del Papa. Finalmente, después de largas negociaciones fue superada mediante el Tratado de Tordesillas (1494) que modificaba el trazo de la línea de cien a trescientas setenta leguas al oeste de las islas Azores, para asegurar el retorno de las naves portuguesas desde África, a la vez que se garantizaba la libertad de paso de las naves castellanas. De esa manera, lo que quedara al occidente de esa línea sería español y lo que estuviera al oriente portugués. Por esa razón,

Brasil pudo ser colonizado por los portugueses y se evitó la guerra entre España y Portugal.

Mares y mercados libres y cerrados

A lo largo de la historia, desde los romanos hasta los estados modernos, el principio de libertad de los mares ha respondido a la necesidad de proteger los intereses económicos de las potencias del momento.

Cuando España y Portugal se dividieron el planeta y establecieron qué parte de los océanos les pertenecía a cada uno, instituyeron también el monopolio comercial, establecieron de hecho un mar cerrado que pretendía dejar afuera al resto de las naciones.

El Derecho romano planteaba el *res conmunis,* según el cual ciertos recursos del mar «son de todos» y el *res nullius* que reconoce que otros «no son de nadie» dando suficiente juego de interpretación para poder establecer, según su propio interés estratégico y coyuntural, las distinciones entre lo *común* y lo *de nadie.* De ahí que el propio Imperio romano cuando, para desarrollar su flota

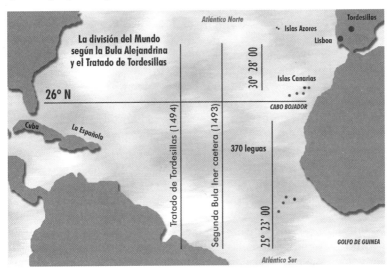

marina necesitó establecer una apropiación de los recursos del Mediterráneo y un espacio marítimo imperial, el *Mare Nostrum*, como medio para su expansión colonial, hiciese una singular interpretación de su propia normativa jurídica sobre el mar.

El principio de libertad del mar fue explicitado a principios del siglo XVII en el breve tratado *Mare Liberum*, publicado en 1609 de forma anónima donde se afirmaba que el mar no era propiedad de nadie, sino territorio internacional por lo cual todas las naciones eran libres de aprovecharlo.

Esta obra pertenecía, en realidad, al jurista, escritor y poeta holandés Hugo Grocio y su tesis pretendía defender el derecho que tenía la Compañía Holandesa de las Indias Orientales, primera multinacional del mundo, para navegar la ruta de las especies en el océano Índico al que los portugueses consideraban de su uso exclusivo amparándose en las Bulas papales de 1493.

Grocio sostenía que el mar debía ser necesariamente libre, pues era un camino indispensable para las relaciones y los intercambios entre los estados. Era Dios quien lo había creado y nadie podía atribuirse su propiedad, pues hacerlo equivaldría a romper la paz.

Pero este principio fue tempranamente cuestionado por otras potencias navales que rechazaron la doctrina que establecía que el «uso del mar y del aire es común a todos» por una variante donde los estados podían tener control de las rutas oceánicas. En 1635 John Selden publicó su obra *Mare Clausum,* en la que rebatía la doctrina de Grocio y sostenía que el uso del mar se podía limitar por mandato de las naciones al considerarse relativo al dominio privado como propiedad particular, al igual que la tierra. Eran susceptibles de una relación de apropiación y por ende se podían establecer relaciones de propiedad tanto en la tierra como en el mar y el aire.

El jurista inglés en ese momento pretendía sostener el derecho que tenía su Rey de adueñarse del mar por ser este un objeto susceptible de apropiación privada. Poco tiempo más tarde, debido a las necesidades económicas y a las políticas de colonización de las potencias, incluida la misma Inglaterra, se abandonó esta idea y se retomó el anterior principio de la libertad de los mares mucho más conveniente para los imperios comerciales del momento.

Pero el reparto que del mundo habían hecho los españoles y portugueses con la bendición papal no le hizo ninguna gracia a Francisco I de Francia que, a pesar de ser rey de un estado subdesarrollado industrial y tecnológicamente, no quería quedar fuera de la fiesta. Además tenía fuertes motivos personales para odiar a los ibéricos, pues había conocido la humillación de ser prisionero de los españoles después de la Batalla de Pavía (1525) cuando para conseguir su libertad debió entregar una cuantiosa suma como rescate y renunciar al Milanesado, Nápoles, Flandes, Artois y Borgoña.

Francisco I, rey de Francia, por Jean Clouet, 1525.

De regreso en París, Francisco comenzó a buscar dinero en donde lo hubiera, pero el tesoro francés estaba quebrado y lo último que quedaba había sido entregado para salvarlo. Francia era un país pobre y en bancarrota con un joven rey sediento de venganza. Por lo cual, como en tantos otros momentos de la historia de las naciones, al no poder presentar, contra un enemigo demasiado poderoso, una lucha que demandaba enormes flotas y millones en la preparación, el traslado y la manutención de miles de hombres, quedaba la alternativa de la pequeña guerra de los particulares sostenidos por el Estado. No teniendo dinero para una gran guerra, haría pequeñas guerras financiando a piratas y corsos.

«...y entonces dizque dijo el rey de Francia, o se lo envió a decir a nuestro emperador, que cómo habían partido entre él y el rey de Portugal el mundo sin darle parte a él; que mostrasen el testamento de nuestro padre Adán si le dejó solamente a ellos por herederos y señores de aquellas tierras, que habían tomado entre ellos dos sin darle a él ninguna de ellas, y que por esta causa era lícito robar y tomar todo lo que pudiese por la mar» (Bernal Díaz del Castillo, *Historia verdadera de la conquista de la Nueva España*, Capítulo LXXIX).

A Carlos I de España y V de Alemania, nacido en Holanda y que tuvo que aprender español al hacerse cargo de su Corona, la fortuna lo había favorecido enormemente. Nieto de los reyes católicos españoles y del emperador alemán Maximiliano, recibió a la muerte de sus abuelos el dominio de tan extensas posesiones europeas que abarcaban el gobierno de vastos territorios y de tantos millones de hombres que se expresaban por lo menos en doce lenguas diferentes. Emperador del Sacro Imperio romano germánico y rey de España unificando las Coronas de Castilla y Aragón, durante su reinado Hernán Cortés conquistó México, Pizarro devastó el Imperio incaico, Gonzalo Jiménez Quesada tomó el reino de los chibchas, Elcano dio la primera vuelta al mundo y ocupó las Filipinas y las Marianas, mientras Pedro de Mendoza fundaba Buenos Aires en el margen del Río de la Plata y Juan de Salazar y Gonzalo de Mendoza fundaban Asunción.

Las conquistas se sucedían de una punta a la otra del planeta constituyendo el «*Imperio donde nunca se ponía el sol*". Pero al mismo tiempo crecían los enemigos que pretendían apoderarse, al menos de una parte, de esa enorme riqueza.

«Al relatar y analizar la histora de la conquista de América, me he visto llevado a dos conclusiones aparentemente contradictorias. Para hablar de las formas y de las especies de comunicación, me coloqué primero en una perspectiva tipológica: los indios favorecen el intercambio con el mundo, los europeos, el intercambio con los seres humanos; ninguno de los dos es intrínsecamente superior al otro, y siempre necesitamos a los dos a la vez; si ganamos en un plano perdemos necesariamente en otro. […] ¿Habrá también una evolución entre la comunicación con el mundo y la comunicación entre los hombres? En términos generales, si es que hay evolución, ¿no vuelve a encontrar el concepto de barbarie un sentido no relativo?» (*La Conquista de América*, Tzvetan Todorov. Editorial Siglo XXI).

COMERCIO, TRANSPORTE Y MONOPOLIO

«De todos modos el deseo de hacerse rico
no lo explica todo;
y si es eterno, las formas que adopta la
destrucción de los indios,
y también sus dimensiones son inéditas,
incluso excepcionales.
La explicación económica resulta a todas
luces insuficiente».

TZVETAN TODOROV
La conquista de América,
El problema del otro

La Casa de Contratación, creada en 1503 por los Reyes Católicos como una agencia de la Corona castellana para controlar el tráfico con las tierras recién encontradas, pronto se convirtió en el órgano destinado a inspeccionar y fiscalizar todo lo relativo al tráfico indiano y a establecer el mecanismo de funcionamiento del monopolio comercial español. Mediante sucesivas ordenanzas, la Casa fue ampliando y rectificando su organización y atribuciones y la mecánica de todo el comercio hasta que en 1543 se crea el Consulado de Mercaderes de Sevilla, que asume una serie de actividades mercantiles en relación con el comercio indiano, con participación en el despacho de flotas, control de los seguros marítimos y salvamento de mercancías de los buques naufragados.

Al monopolio del comercio con las Indias que controlaban en forma exclusiva Sevilla, y luego Cádiz, se añadía el de unos pocos puertos americanos autorizados.

En un principio, los barcos iban y venían de acuerdo con sus intereses comerciales, pero la necesidad de defender las mercaderías españoles procedentes de América tuvo su implacable argumento cuando Juan Florín, el pirata italiano al servicio de Francia, se apoderó de los generosos obsequios robados que Cortés enviaba a España.

Al año siguiente de este hecho se dictó la Real Provisión del 13 de junio de 1522 que adoptaba medidas protectoras para el tráfico indiano. Un «asiento» suscrito con los comerciantes de Sevilla ordenaba «*hacer una armada contra corsarios repartiendo el gasto de la avería en lo que se truxese de las Indias y entre los moradores de los puertos interesados*».

En 1526 se prohibió la navegación en solitario hacia América y en sucesivos años se dictaron otras normas de protección, siendo la más importante la Real Cédula de 1543 que estableció que los buques mercantes que hacían la «Carrera de las Indias», como se denominaba al comercio y la navegación entre España y las colonias, deberían viajar juntos escoltados por un buque de guerra financiado a costa de la tasa de avería y con fechas fijas de salida y regreso.

Se denominaba «avería» a un impuesto que se prorrateaba sobre el valor de los productos transportados para pagar el costo de la custodia de los buques de guerra. De aquí que la tasa tuviera niveles variables según el valor de las mercancías y en tiempos de guerra o más riesgosos al tener que aumentar la protección naval también aumentaba la avería.

Saldrían desde España dos flotas en marzo y en septiembre llevando cada una al menos diez bajeles de cien o más toneladas. Una vez en el Caribe cada nave mercante marcharía a su puerto respectivo, mientras que el buque de guerra se dedicaría a perseguir a los piratas de la región, teniendo como base a La Habana. Al cabo de tres meses todos los mercantes se reunirían en esa ciudad con el buque de guerra y emprenderían el regreso a España. Lógicamente la orden sirvió de poco, dada la tendencia española a hacer poco caso, o exactamente lo contrario, a las directivas gubernamentales.

En 1552 hubo un intento de suprimir la custodia de los buques de guerra a cambio de que cada nave mercante fuese armada para repeler la posible agresión de los piratas. Al mismo tiempo, para defender el tráfico marítimo, se crearon dos agrupaciones navales. Una, con base en Sevilla, defendería la zona de recalada y la otra, en Santo Domingo, se encargaría de la defensa del Caribe.

Pero al año siguiente se retomó la idea de las flotas, asignándose cuatro buques de guerra a cada una. Al llegar al Caribe un buque acompañaba a los mercantes destinados a tierra firme, otro a los que iban a Santo Domingo, y los dos restantes custodiaban la flota que iba a México.

El sistema sufrió modificaciones, en especial en el número de naves armadas, sin llegar a establecer un sistema demasiado rígido pues los cargamentos en esos momentos no eran demasiado valiosos y los productos se encarecían demasiado.

Pero todo cambió cuando en 1545 se descubrió la mina de plata de Potosí y al año siguiente se halló en Zacatecas y dos años más tarde en Guanajuato y luego en Cuencamé, en San Luis de Potosí, en Sombrerete y en Pachuca...

De América volvían a navegar los buques sobrecargados de plata, pero con ellos aumentaron los riesgos ante la presencia de los piratas que rápidamente se lanzaron a las aguas del Caribe.

Se decidió entonces organizar bien el sistema. Aunque lo más importante era el regreso de los mercantes que traían la plata, no dejaba de ser un buen negocio el envío de artículos de lujo demandados por los indianos y de aquellos productos alimenticios usados en la dieta urbana (vino, aceite, frutos secos) de los que los americanos aún no se autoabastecían. La carga usual hacia América consistía en manufacturas en su mayoría extranjeras, ya que la industria española era inexistente.

La necesidad de encontrar rentabilidad fue derivando hacia un comercio de lujo y de artículos innecesarios que podían soportar los altos costos. Este comercio de lujo tuvo también mucha competencia en el contrabando con artículos a precios más bajos y abundantes. Pese a todo, las flotas del siglo XVII llegaron a transportar entre diez y doce millones de pesos.

Una mercancía usual de las flotas que iban a Indias y de la cual la Corona tenía el monopolio exclusivo era el azogue, necesario para la amalgama de la plata americana. Aunque el Perú se autoabastecía de este producto con su mina de Huancavélica, por el contrario, México dependió de los envíos peninsulares que procedían de las minas de Almadén o de Idria en Yugoslavia y que se transportaban en odres de piel y en buques especiales llamados azogueros.

El circuito comercial completo consistía en llevar a Indias manufacturas extranjeras, artículos suntuarios y traer de ellas la plata. Todo bajo el estricto control de la Corona que tomaba a su cuidado la protección de dichos envíos y el cobro de su parte.

El azogue procedente de España, se obtenía con el cinabrio de Almadén.

La Flota de Indias

Durante el reinado de Felipe II, se establecieron las Flotas de Indias para dar protección a los convoyes. Estas constituyeron la esencia de la «Carrera de las Indias» y fueron el sistema con que funcionó el monopolio durante más de dos siglos. Con diferentes modificaciones, aciertos y desastres, subsistieron hasta que en 1778 se suprimieron, tardíamente reemplazadas por el llamado Reglamento de Libre Comercio, que también nació viejo y fue incapaz de enfrentarse a la nueva realidad comercial americana y a los artículos procedentes de la revolución industrial.

Con la creación por Real Cédula del 10 de julio de 1561 de las Flotas de Indias se reafirmó la norma de que los buques mercantes debían viajar «en conserva» –en grupo–, para defenderse mejor de un posible ataque. Debido a que en América existían dos virreinatos, se determinó el envío de dos flotas anuales, a México y a Perú.

Ya en 1569 las dos flotas se habían diferenciado totalmente. La que iba al puerto de Veracruz en México zarpaba en el mes de abril y empezó a llamarse la Armada o Flota de la Nueva España y terminó siendo conocida simplemente con los nombres de Armada o Flota. La que tenía como destino Nombre de Dios en Panamá, sustituido luego por Portobelo, partía en el mes de agosto y se la llamó la Flota de los Galeones y, finalmente, solo los Galeones. Algunas veces navegaron juntas la Flota y los Galeones, pero cada una manteniendo su estructura y su mando.

Se estableció además que estas flotas se organizarían en la costa andaluza (Sevilla, Cádiz y Sanlúcar) y partirían del «río» de Sevilla, custodiadas por una Armada Real «haciéndoles escolta y guarda... y traiga el tesoro nuestro y de particulares».

Naturalmente estas normas tenían una forma estricta solo en el papel, ya que fueron ampliamente incumplidas. Rara vez se salía en las fechas estipuladas ni tampoco hubo dos flotas por año, pues aunque era el Consejo de Indias quien decidía después de consultar con la Casa de Contratación que, a su vez se asesoraba con el Consulado de Sevilla, era en definitiva el interés de los comerciantes el que decidía si había dos o ninguna flota. Esto dependía exclusivamente de su conveniencia que, por lo general, prefería mantener desabastecido el mercado americano para poder subir los precios.

España realizó un verdadero modelo de organización para sus flotas que para sus necesidades monopolísticas de 1565 resultó un sistema insuperable. Cuidadosamente se reglamentó la forma de preparar las flotas, su composición, su calendario de salidas y llegadas, el número de buques que las compondrían o las ferias en las que se venderían los productos. Pero el detallado diseño organizativo no supo adaptarse cuando de las necesidades suntuarias de los cien mil españoles en América se pasó a los cuatro millones de criollos, mestizos y mulatos que poblaban el Nuevo Mundo.

Los buques de guerra tenían prohibido llevar mercancías, a menos que se tratase de cargamentos rescatados de bajeles perdidos, pero la realidad es que iban repletos de contrabando y algunas veces no pudieron maniobrar con rapidez frente al enemigo por el peso que llevaban en las bodegas. Los pasajeros que viajaban en las flotas solían ir a bordo de estos buques, que ofrecían mejores condiciones de comodidad que los mercantes. Todos ellos, incluso sus criados, portaban armas y munición.

Los buques mercantes debían tener menos de dos años y más de 300 toneladas. En 1587 se reglamentó que no se admitiera ninguno de menos porte, pero la normativa fue ampliamente violada. No era fácil conseguir buques nuevos y era frecuente utilizar los viejos en un par de viajes para desguazarlos después en América. Según orden de 1605, cada barco mercante debía llevar dos piezas de artillería de bronce, las que debía devolver al regreso.

Los buques se construían por lo regular en el Cantábrico o en los astilleros de Cuba, Panamá o Veracruz. Durante la segunda mitad del siglo XVII la tercera parte de los que hacían la Carrera de las Indias eran americanos. No se admitían embarcaciones construidas en el extranjero, salvo excepciones, que siempre las hubo. Completaban la flota los «navíos de aviso» que eran embarcaciones muy ligeras, de menos de sesenta toneladas, encargadas de llevar la noticia de que la Flota estaba a punto de salir, para que se preparara toda la negociación. Estos navíos no podían llevar pasajeros ni mercancías, cosa que incumplían regularmente.

ABRIENDO CAMINO A LAS INDIAS

«Navidad de 1492:
Ellos aman a sus prójimos
como a sí mismos».

CRISTOBAL COLÓN

SILVIA MIGUENS

Cuando la carga estaba asegurada, embarcados los tripulantes y pasajeros y había orden de salida, los navíos bajaban por el Guadalquivir hacia Sanlúcar de Barrameda, donde se hacía la tercera y última inspección con el objetivo exclusivo de averiguar si se cumplían las condiciones de navegabilidad requeridas y no se habían embarcado más mercaderías de las autorizadas.

La flota abandonaba el litoral peninsular con rumbo a las Canarias, trayecto que cubría en unos diez o doce días, dependiendo de las condiciones del mar. Al frente de la flota iba la nave Capitana, con el estandarte izado en el palo mayor; la seguían los mercantes y, cerrando la formación, la Almiranta con la insignia izada en el mástil de popa. Los restantes buques de guerra iban a barlovento de los mercantes a fin de cubrir rápidamente cualquier ataque.

Desde las Canarias la flota ingresaba en el llamado Mar de las Damas, porque se decía que hasta las mujeres podían gobernar las naves por las condiciones ideales de navegación de la zona. Después de un largo y, por lo general, tedioso mes de navegación se arribaba a la isla Dominica donde se hacía una breve escala antes de seguir el último tramo del viaje.

Desde la Dominica, la flota de la Nueva España se dirigía hacia Veracruz y en el camino se iban desprendiendo los buques que iban a Honduras, Puerto Rico, Santo Domingo o Cuba.

Por su parte, la flota de los Galeones ponía rumbo a Cartagena, dejando los mercantes que se dirigían a Margarita, La Guaira, Maracaibo y Riohacha. En Cartagena hacía una escala de dos semanas para descargar la mercancía destinada al Nuevo Reino de Granada y luego proseguía a Nombre de Dios, su verdadera terminal hasta 1595 en que Francis Drake la destruyó y fue sustituida por Portobelo, un puerto con mejores condiciones para albergar la flota.

En los puntos terminales, el arribo de las flotas era una verdadera fiesta. Después de que las autoridades locales y los funcionarios encargados del cobro de impuestos revisaban todo y daban su aprobación, dos navíos de aviso regresaban a España con la correspondencia urgente y la noticia del arribo de la flota. Entonces, con la orden de descarga, daba comienzo la feria que podía durar entre dos semanas y un mes.

Los puertos terminales de las flotas eran las vías de conexión con una complejísima red americana que recorría el continente y se prolongaba por el Pacífico hasta el Oriente. A través de un largo camino que atravesaba México de costa a costa se unía la ruta entre Veracruz y Acapulco y la plata que venía del Norte mejicano hasta la costa. A su vez, por el pequeño camino De Cruces se unía Panamá y toda la plata peruana con la parte alta del río Chagras que conectaba con Portobelo.

El funcionamiento del intercambio comercial requería del funcionamiento de otras flotas auxiliares que redistribuyeran los productos traídos de la península y, a su vez, les suministraran los que llevarían a España. Todo este aceitado funcionamiento estaba detalladamente planificado con precisas indicaciones de la manera en que estas flotas de apoyo debían maniobrar para realizar los traspasos de mercancías. Pero en la realidad ésto no sucedió casi nunca.

Había tres flotas auxiliares, una en el Caribe y dos en el Pacífico meridional y septentrional, que transitaban los circuitos comerciales que se internaban hasta el Río de la Plata y las Filipinas.

Las flotas americanas subsidiarias eran de pequeño o mediano tonelaje y estaban formadas por buques construidos principalmente en el Nuevo Mundo. La del Caribe procedía en su mayor parte de astilleros cubanos y cartageneros. La del Pacífico, de los mexicanos y quiteños (Guayaquil).

La flota americana del Caribe era enorme y estaba compuesta de barcas, canoas, guairos y gran cantidad de pequeñas embarcaciones que enlazaban los puertos de Cuba, Puerto Rico, Santo Domingo, Venezuela, el Nuevo Reino de Granada y las demás poblaciones centroamericanas y mexicanas. El Caribe era, en realidad, una red autónoma de producción y consumo que servía de apoyo a las flotas metropolitanas que, a medida que fueron creciendo los centros de población, comenzó a producir y suministrar a Europa: cacao, azúcar, tabaco, añil, algodón y cueros. Estos productos, cada vez más cotizados, llegaban a través de la flota del

Caribe a los puntos terminales de las flotas y entraban así en los circuitos internacionales.

La existencia de dos flotas americanas en el Pacífico obedecía exclusivamente a los intereses metropolitanos, que las usaban para dificultar la comunicación entre los dos virreinatos y evitar la existencia de un circuito interno ajeno al control estatal y la fuga de plata hacia el Oriente.

La flota del Pacífico meridional tenía su base en El Callao, y se la denominaba la «Armada del Mar del Sur". Recogía la plata de Potosí y todo el negocio y tesoros de Suramérica, a excepción de los de Venezuela y Colombia, y los conducía a Panamá para su trasvase a Portobelo y regresaba luego con las mercancías europeas hacia el Perú.

Para evitar que la plata del Perú cayera en manos de los piratas, se buscaba sincronizar a la Armada de la Mar del Sur con la flota de los Galeones y, apenas se autorizaba la salida de una flota, partía un navío de aviso hacia Portobelo. La idea era que al tiempo que los galeones partían de Cádiz, también salieran los buques que llevaban los tesoros de Chile, Alto Perú, El Callao y Quito para confluir en Panamá al tiempo que la flota alcanzaba Portobelo. De esa forma se haría un simple cambio de plata por manufacturas a través del Camino de Cruces. Pero la teoría tenía siempre la mala costumbre de no adecuarse a la realidad y la plata tenía que permanecer durante meses en el istmo, con la amenaza permanente de un ataque pirata y, lo que era a veces peor, al saqueo sistemático de los comerciantes y autoridades españolas, que iban rapiñando la carga de manera considerable y usándola para adquirir mercancía de contrabando.

A tal punto llegaba la voracidad monopolista de los comerciantes sevillanos, piratería al fin, que las mercancías destinadas al Río de la Plata llegaban con la flota de los Galeones. Se transportaban de Portobelo a Panamá y allí se cargaban en la Armada de la Mar del Sur que las conducía a El Callao o Arica, desde donde eran llevadas a lomo de mulas hasta la sierra por uno de los dos caminos alternativos. Una vez en el Alto Perú, otras recuas las bajaban por Salta, La Rioja y Córdoba hasta el mismo Río de la Plata, condenando por este artilugio a los porteños a recibir los artículos más costosos de América.

Por su parte, la flota del Pacífico septentrional tenía su centro en Acapulco, a donde llegaban los productos de Guatemala, El Salvador y Nicaragua, pero su verdadero negocio era el Galeón de Manila que actuaba como la prolongación en el Pacífico de la Flota de la Nueva España.

El Galeón de Manila fue exactamente un galeón de unas quinientas a mil quinientas toneladas que hacía la ruta Manila-Acapulco transportando plata mejicana, que tenía un valor muy alto en Asia, ya que era más escasa que el oro. Esto permitía comprar con ella casi todos los artículos suntuosos fabricados en Asia, a un precio muy barato y venderlos luego en América y en Europa con un inmenso margen de ganancia.

El barco, con unas 250 personas a bordo, llevaba una importante dotación de soldados y numerosos pasajeros que podían ayudar en la defensa. La ruta era larga y compleja; saliendo desde

Galeón español. Museo Naval de Venecia.

Acapulco cubría unas dos mil doscientas leguas a lo largo de cincuenta o sesenta días. En un comienzo el regreso se hacía rumbo al Japón para tomar la corriente del Kuro Shivo, pero en el año 1596 los piratas japoneses capturaron el galeón y se cambió el itinerario.

Lo aconsejable era salir de Manila en julio, aunque podía demorarse hasta agosto, pero después de este mes ya no era posible realizar la travesía y había que esperar durante un año. El regreso demoraba cinco o seis meses y el arribo a Acapulco se efectuaba en diciembre o enero. Aunque se intentó sostener una periodicidad anual, fue imposible de lograr.

Las ferias de Acapulco duraban un mes y fueron las más pintorescas. De Manila llegaban marfiles y piedras preciosas hindúes, sedas y porcelanas chinas, sándalo de Timor, clavo de las Molucas, canela de Ceilán, alcanfor de Borneo, jengibre de Malabar, damascos, lacas, tapices y perfumes. Desde Acapulco el galeón partía cargado de cacao, vainilla, tintes, zarzaparrilla, cueros y, sobre todo, la plata mexicana que hacía posible todo aquel milagro comercial.

La mercancía introducida en América por el Galeón de Manila terminó con la producción mexicana de seda y estuvo a punto de dislocar el circuito comercial del Pacífico cuando la refinadísima sociedad peruana demandó las sedas, perfumes y porcelanas chinas, ofreciendo comprarlas con plata potosina y los comerciantes limeños enviaron directamente buques hacia Filipinas. Los alarmados comerciantes sevillanos, temiendo una fuga de plata peruana al Oriente, lograron que la Corona prohibiera esta relación comercial directa con Asia. La prohibición del comercio entre ambos virreinatos cerró luego la posibilidad de hacerlo a través de Acapulco. Entonces quedó solo el recurso del contrabando con el Oriente y entre los dos virreinatos.

Una vez realizada la negociación, los mercantes de ambas flotas debían dirigirse hacia La Habana, donde les esperaban los buques de guerra de escolta para emprender el viaje de regreso a España.

La partida debía ser realizada antes del 10 de agosto, ya que después de esa fecha era segura la posibilidad de un desastre en el

Canal de la Bahama donde habían encontrado su fin no pocas naves y numerosos galeones yacían en su fondo. Si para esa fecha no habían logrado iniciar el viaje, habría que descargar la plata para almacenarla en los fuertes y esperar hasta el año siguiente.

El regreso era mucho más peligroso que la venida, pues además del riesgo de huracanes y temporales estaba el peligro de la piratería, que aumentaba en consonancia con el valor de la carga que se transportaba.

Cuando todo estaba listo, cargados el agua y los víveres para la travesía, se daba la orden de partida y los buques volvían a colocarse en posición de travesía. En este caso no se enviaba ningún navío de aviso a la península para no alertar a los piratas. Desde La Habana se dirigían al Canal de la Bahama donde las tormentas asechaban amenazantes, pero una vez atravesado se enrumbaba hacia Europa.

Aunque el peligro pirata estaba en toda la ruta, aumentaba considerablemente al acercarse a las Azores. En algunas ocasiones se enviaban buques de guerra de refuerzo a este grupo de islas en medio del Atlántico para esperar la llegada de las flotas.

Desde las Azores la flota se dirigía a Portugal y no era rara una recalada en el Algarve para descargar el contrabando. Finalmente se alcanzaba el suroeste español y por último Sanlúcar, desde donde los galeones remontaban con dificultad el Guadalquivir para llegar al puerto fluvial de Sevilla.

En Sevilla se descargaba la mercancía, se contaba la plata, se cobraban los impuestos, se pagaba a la marinería y se devolvía el armamento al arsenal. El mineral emprendía desde allí una larga ruta hacia los centros industriales europeos, que fabricaban las manufacturas que se comprarían para la flota siguiente y serían, en definitiva, los depositarios de tanta riqueza.

El sistema se fue haciendo cada vez más lento. La mercancía procedente del Pacífico tardaba un año en llegar a España y dos la que venía de Filipinas. Desde la tercera década del siglo XVII empieza a dar señales de ineficacia y a fines de dicha centuria era evidente su falta de operatividad. En la medida en que, a partir de 1620, el transporte de plata americana disminuye absolutamente y

Antigua foto del puerto de La Habana, un lugar estratégico para defender los buques que venían de América.

los artículos suntuosos para los criollos son reemplazados por el contrabando ofrecido por ingleses y franceses, comienza la agonía final del sistema de flotas de Indias.

A comienzos del siglo XVIII se hicieron varios intentos por resucitar las flotas, pero todo fue inútil. Desde 1740 no hubo ya más flotas a tierra firme y solo algunas a Nueva España. El certificado de defunción de las flotas se firmó en 1778, cuando se estableció el Reglamento de Libre Comercio.

El contrabando, un pecado venial

Tanto en las Antillas Mayores como en la misma península española, el contrabando fue una profesión que aunque ilegal no implicaba deshonor y daba sustento a miles de familias y gran fortuna a otras. Su práctica no distinguía clases sociales y un código no escrito hacía que se protegieran mutuamente sin delatarse. Las enormes ventajas del comercio ilegal permitían incluso suspender las prevenciones para entenderse directamente con los piratas más temidos cuando llegaban cargados de mercaderías.

En las tierras americanas el contrabando se practicaba en todos los niveles sociales, desde el gobernador hasta el último campesino y, en algunos momentos, llegó a constituir las dos terceras partes del comercio con las colonias.

La actitud de las autoridades no solo fue pasiva y tolerante hacia el contrabando, sino que su participación directa fue una constante durante el periodo colonial.

El virrey Pedrosa tuvo que suspender al gobernador y a algunos oficiales de Cartagena que no registraban la carga de algunos bajeles y se repartían los derechos reales. Algunos virreyes del Perú fueron acusados por el delito económico de contrabando, al igual que el príncipe de Esquilache que comerciaba con artículos vedados. Se cuentan por centenares los juicios contra gobernadores por esta causa.

También los religiosos participaron de esta actividad ilícita y en Santo Domingo rivalizaban con los seglares. Algunos clérigos llegaron a amparar en 1708 a los contrabandistas de Santa Marta y Riohacha con los que realizaban buenos negocios. El virrey Amat se opuso a la venta de los paños que producían los jesuitas en sus obrajes de San Ildefonso y Chillos y que solo se podían vender en Lima, por haber traído en ellos remesas de contrabando.

En Cartagena, el virrey Pimienta mandó hundir a cañonazos una canoa de contrabandistas que resultó pertenecer al obispo local. Eran comunes las requisas en casas de clérigos sospechosos y, según una cédula de 1730, curas y monjas contrabandeaban por igual. El contrabando era un pecado menor impuesto por el riguroso y arbitrario monopolio que tanto enriquecía a los comerciantes de Sevilla y Cádiz.

Aunque en la mayoría de los casos había acuerdos previos con las autoridades, una de las estrategias frecuentes para acercarse a los puertos españoles era el pretexto de daños en las embarcaciones, urgencia de aprovisionarse de agua y de suministros frescos, mal tiempo en la ruta que obligaba a modificar el destino final, persecuciones de piratas, petición de auxilio médico o cualquier otra excusa que la imaginación proveyera. En los registros de ingreso de las embarcaciones las arribadas de «urgencia» superaban ampliamente a las normales. Una vez que la nave tocaba puerto, el tránsito de mercaderías era incesante. Claro que a cada una de las mercancías que lograban vender por este medio se les aplicaban los impuestos de rigor.

Pese a su espectacularidad, la piratería no alcanzó nunca en los dominios españoles la importancia económica que tuvo el contrabando.

Un aspecto secundario, pero no menos importante, del contrabando era la posibilidad de introducir libros e ideas más avanzadas que las que prevalecían en los dominios españoles y que fueron luego los cimientos de los movimientos revolucionarios que construyeron la independencia americana.

La señal de partida

«Señor capitán dejadme partir
a extender las velas, a extender
las velas de mi bergantín.
El cielo nublado
Que no quiere abrir, la mar está brava,
la mar está brava
y no hay que partir...».

PABLO NERUDA

Aunque seguramente algunos franceses ya habían incursionado en el Caribe desde comienzos del siglo XVI y capturado algún barco español procedente de esas tierras, aún no se atrevían a atravesar tan libremente el Atlántico, por eso su primer gran acto de piratería no se llevaría a cabo en aguas americanas.

Cuando los piratas descubrieron que el viaje de retorno de América dependía de la Corriente del Golfo comenzaron a agazaparse cerca de Sanlúcar en la desembocadura del Guadalquivir o, más adelante, entre las islas Azores, allí donde la bula papal trazaba el meridiano divisor entre las zonas de las dos potencias descubridoras. Allí se daría en 1521 la señal de largada de la piratería relacionada con las riquezas de América cuando el conquistador Hernán Cortés, después de saquear México, envió a España una parte de los tesoros robados.

Cortés, otro de los grandes piratas disimulado con el nombre de conquistador, doblegado el Imperio azteca, daba rienda suelta a su sistemático saqueo y destrucción y, habiendo logrado ya un enorme botín, decidió enviar un presente al emperador Carlos V.

Era una muestra representativa de los tesoros robados, que consistía, según la descripción del mismo Cortés: «...muchas piedras finas y una esmeralda como la palma de la mano; una vaxilla de oro y plata en tazas, jarros, escudillas y otras piezas, vaciadas unas como aves, otras como peces, otras como animales, otras como frutas y flores, y muy al vivo: muchas manillas, zarzillos, sortijas, bezotes o anillos que los indios traían pendientes del labio inferior, derivado de él el término bezo, y joyas de hombres y mujeres, algunos ídolos y cervatanas de oro y plata, todo lo cual valía más de ciento y cincuenta mil ducados, además de esto, llevaban muchas máscaras, mosaycos de piedras finas pequeñas con las orejas de oro, los colmillos de hueso, muchas ropas de sacerdotes gentiles, frontales, palios y otros ornamentos de templo texido de plumas, algodón y pelos de conejo, huesos de gigantes que se hallaron en Culhuacán...» (Santiago Cruz, Francisco: *Las artes y los gremios en la Nueva España*, IUS, México, 1960).

Junto a estas riquezas iba también algo mucho más valioso por su significado simbólico: el penacho de Moctezuma o *copilli Quetzalli,* símbolo del poder espiritual y político usado en las ceremonias sagradas.

Cortés dividió las partes correspondientes y preparó dos naves para trasladar los envíos para el Rey y los parientes en España. Los encargados de llevar tan valioso obsequio fueron Alonso de Ávila y Antonio Quiñónes quienes navegaron sin contratiempos hasta llegar a las islas Azores.

«...fueron su viaje hasta la isla de la Tercera; y como Antonio de Quiñones era capitán y se preciaba de muy valiente y enamorado, parece ser revolvióse en aquella isla con una mujer, y hubo sobre ella cierta cuestión, y diéronle una cuchillada de que murió, y quedó solo Alonso de Avila por capitán. Y ya que iba con los dos navíos camino de España, no muy lejos de aquella isla topa con ellos Juan Florín, francés corsario, y toma el oro y navíos, y prende a Alonso de Avila y llevóle preso a Francia; y también en aquella sazón robó Juan Florín otro navío que venía de la isla de Santo Domingo y le tomó sobre veinte mil pesos de oro y gran cantidad de perlas, y azúcar, y cueros de vacas, y con todo se volvió a Francia muy rico e hizo grandes presentes a su rey y al almirante de Francia de las cosas y piezas de oro que llevaba de la Nueva España, que toda Francia estaba maravillada de las riquezas que enviábamos a nuestro gran emperador; y aun el mismo rey de Francia le tomaba codicia, más que otras veces, de tener parte en las islas y en esta Nueva España» (BERNAL DÍAZ DEL CASTILLO: *Historia verdadera de la conquista de la Nueva España*).

Dicen que la reacción de Cortés al enterarse del desastre fue de indiferencia por los tesoros perdidos diciendo que se alegraba de tales acontecimientos, porque así los enemigos de España se darían cuenta del poder y la riqueza de su emperador, por la valía de «esas pequeñeces», de las que él podría mandarle ciento.

Carlos V, por su parte, ordenó que Juan Florín fuera capturado y ejecutado en donde se le encontrara, no por ladrón, sino por falta de respeto a su alta investidura. Cosa que ocurrió algunos años después cuando fue atrapado en 1527. Este pirata, autor de más de ciento cincuenta asaltos a naves españolas, terminó ahorcado junto a sus capitanes más cercanos.

Pero en este caso Jean Fleury o Juan Florín, como le decían los españoles, entregó a su rey Francisco I buena parte del regalo enviado por Cortés y de esta manera en la corte de París comprendieron en forma práctica y a la vista de qué se trataba cuando se hablaba de las enormes riquezas del Nuevo Mundo.

Los fantásticos relatos de Cristóbal Colón sobre una tierra en donde se podía tropezar con piedras de oro que nadie quería y solo bastaba estirar la mano para tomar perlas, piedras preciosas, maderas finas y telas invalorables, cobraba una incuestionable realidad frente a estos tesoros que recorrían las cortes.

Francisco I de Francia hace saber a todos sus marinos que quienes se aventuren en el Caribe recibirán protección en cualquier territorio francés siempre que paguen el diez por ciento al monarca.

La ambición se despierta en toda Europa y el entusiasmo por los magníficos tesoros reúne a grupos de quince a cincuenta hombres que abordan barcos mercantes, buques de pesca y embarcaciones de cualquier tamaño. Muchos no han navegado nunca, pero sienten que esta es su oportunidad de enriquecerse. Atravesar seis mil quinientos kilómetros de mar, sin posibilidades de escalas para abastecimientos, atacar barcos o desembarcar en lugares hostiles donde es casi seguro que serán colgados después de la tortura no los desmoraliza. El oro americano es una atracción irresistible, aunque muchos no regresen y la mayoría muera en el viaje. El movimiento empieza y pronto será incontenible. Esa fue la gran señal de largada para que la piratería y en especial los corsarios pusieran proa hacia el Caribe.

CORSARIOS

«Aunque nuestro número es pequeño,
nuestros corazones son grandes,
y cuantos menos sobrevivamos,
más fácil será repartir el botín
y a más tocaremos cada uno».

HENRY MORGAN, Panamá, 1668

Era considerado corsario aquel particular que mediante un contrato, carta de marca o la famosa Patente de Corso, otorgada por el Estado bajo cuyo pabellón navega, persigue, captura y saquea embarcaciones de países enemigos, pudiendo entonces quedarse con el botín, las personas y los buques capturados. Previsto de antemano todo esto en las reglas previstas por el *Libro del Consulado del Mar*, el *Código de las Partidas* en el caso de los dos grandes estados hispánicos medievales o cualquier otra legislación perteneciente al Estado que aceptaba representar dicho corso a cambio de su patente. Esas patentes les permitían atacar a los piratas o embarcaciones «enemigas» en tiempos de guerra. Solo a partir del siglo XVIII dejaron de concederse sin considerar la nacionalidad de sus beneficiarios, para quedar reservadas únicamente a los súbditos de la nación beligerante. Entre los grandes y famosos corsos que cambiaron la historia del mundo podemos mencionar sin ninguna duda tanto a Cristobal Colón, como a Napoleón Bonaparte.

No es sencillo determinar donde acaba la actividad pirata y donde comienza el ejercicio de 'corso', pues ambos límites se tocan y confunden, solo que en un caso recibe la total anuencia del 'gobierno mecenas' y en caso de la piratería se mueven aparentemente con mayor libertad. Hasta tal punto los límites son difusos que, como ya dijimos, en ciertos personajes, como en el caso del pirata Drake, el mismo personaje era considerado un corsario valiente por sus compatriotas británicos y, por los españoles, en este caso era considerado un pirata sangriento.

Concepto moderno de presa de guerra

La *presa marítima* o *presa de guerra* es el botín, mercancía o persona, que se alcanza cuando los barcos de guerra de un estado beligerante y los barcos mercantes, considerados como navíos de guerra por ese mismo o cualquier otro estado, están autorizados a apoderarse de los buques de propiedad del enemigo y ésto alcanza no solo a los buques sino a las mercancías que esos buques transportan. Por lo tanto, se establece como buque enemigo o mercante a todo aquel que navega con pabellón de un estado enemigo, circunstancia que los británicos extienden al buque que navega con bandera neutral si el propietario tiene domicilio comercial en el territorio enemigo. Y también son enemigos, en cuanto al derecho de presa o guerra, los buques que, después de navegar con el pabellón enemigo, oportunamente deciden cambiarlo al empezar las hostilidades. Si ese buque no portara ninguna bandera, de todos modos será enemigo según la nacionalidad del propietario.

Ya en época de las colonias griegas del Mediterráneo, se sufrieron frecuentes asaltos de los corsos etruscos; con el nombre de corsario se mencionaba a los marinos que los jefes de los estados musulmanes del norte de Africa ordenaban atacar a los barcos en el Mediterráneo y sus poblaciones costeras. Entre los corsarios turcos más populares destacaba Barbarroja y cada uno de sus hermanos y sucesores, provocando grandes pérdidas y el terror a los cristianos en los comienzos del siglo XVI. Los Barbarroja tenían patente de su gobierno y en nombre de él actuaban en atentados especiales. También, entre muchos otros, destacó Roger de Lauria (Calabria 1245-Valencia 1302), que obtuvo la primera victoria con la flota aragonesa que él mismo impulsó. Posteriormente al dominio de la flota angevina, tuvo un periodo de veinte años sin una sola derrota. Actuó bajo el servicio de Pedro III, excomulgado por Martín IV, después de las Vísperas Sicilianas. De ese modo en el 1213, con Jaime I, Aragón adquirió una fachada mediterránea. Entre campaña y campaña, Roger de Lauria no escatimó la piratería. Saqueó Djerba y Kerkenah y sin escatimar violencia e impunidad ejerció su derecho a la piratería en las costas de su Calabria natal y también las costas de Campania. Fue el primer corso en incluir en la boga a los presos, profundamente salvaje e inhumano con sus prisioneros, rapaz y ambicioso, causó un verdadero terror en aquellos mares que atravesaba. Murió apenas terminada la guerra de las Vísperas (1282-1302) y sin haber recibido un solo ataque en su persona.

Los corsarios, con su tráfico de esclavos en el Mediterráneo, se dedicaron no solo a practicarlo sino también a combatirlo. Y en los estados hispanicos tuvo gran actividad cuando el estancamiento de la reconquista, que resultó gran proveedora de mano de obra esclava abundante, económica o gratuita, especialmente necesaria cuando se produjo la peste negra que causó un gran cataclismo demográfico. Estas operaciones de corso o *furto* permitieron la formación de una poderosa burguesía sevillana poco antes del descubrimiento de América.

Vicente Yañez Pinzón, antes de formar parte del Descubrimiento, ejercía la piratería en las costas catalanas. De este modo, una febril y ambiciosa piratería esclavista y legal se apoderó de catalanes, mallorquines y valencianos. Comercio que en poco tiempo produjo importantes beneficios y por otro lado contribuyó a la decadencia económica catalana como consecuencia de la ruptura no solo de relaciones, sino por las represalias que provocaron, entre ellos los desórdenes y crimenes de Vilaregut que causaron las venganzas de los flamencos. Cientos de corsarios catalanes se enfrentaron a los corsarios provenzales y genoveses, los corsarios cristianos se enfrentaron a los corsarios musulmanes; empleando todos métodos crueles y con objetivos similares, no se contentaban con capturar a los infieles con los que les era lícito traficar, sino que ambos revendían a sus propios correligionarios aun si éstos habían formado parte del botín de guerra de las naves enemigas que capturaban.

La esclavitud, aunque en apariencia estaba limitada a los infieles, fue una institución que no admitía dudas durante la España de los Habsburgo. En el siglo XVI, la lucha contra berberiscos y turcos brindó un gran número de esclavos que eran vendidos a los nobles y burgueses que en realidad los compraban más por ostentar de ellos que por la rentabiliad económica que les proporcinarían. A la mayoría se les imponían las labores domésticas y recibían trato semejante al del resto de los criados libres. Durante el siglo XVII empezaron a desaparecer y al llegar el siglo XVIII prácticamente se habían extinguido.

Durante el siglo XVI los moriscos de la Península eran maltratados y acabaron por colaborar en las incursiones berberiscas y turcas. A la población morisca, que habitaba el reino de Granada, se le exigía el pago de las «fardas granadinas», que era un impuesto para la defensa costera. Cuando en 1568 los moriscos granadinos empezaron a rebelarse, su situación empeoró y eran perseguidos más allá de sus costas y, si se los descubría queriendo pasar al reino valenciano, se les capturaba y encarcelaba o eran vendidos como esclavos. Esta expulsión de los moriscos de la Península, por decreto de 1609, se llevó a cabo con una gran movilización de fuerzas y terminaron saqueados y asesinados por su propia tripulación y sus mujeres e hijos eran vendidos como esclavos.

«Esos hombres, mujeres y mozos sanos será tanta, que después de proveídas las galeras y minas se podrán vender en Italia los demás. Los niños y niñas de siete años abajo se venderán en España a buenos precios y se comprarán con gusto y serán también en gran cantidad» (Arzobispo de Valencia y virrey JUAN DE RIBERA).

Otra de las consecuencias de la expulsión de los moriscos fue que quedaron despoblados los campos de labor de gran parte de España de una mano de obra experta que no pudo ser sustituida fácilmente.

Durante el siglo XVIII, el almirante Barceló proveyó a la Corona de más de diez mil esclavos que eran confinados en las minas de Almadén y en obras públicas.

Ruta del oro americano

Allá por el 1496, Fernando el Católico prohibió a sus súbditos practicar el corso en el Atlántico y esa prohibición se mantuvo hasta el reinado de Felipe IV. Después del descubrimiento de América, a partir de esa piratería apátrida Francia, Inglaterra y las Provincias Unidas volvieron a fomentar la proliferación corsaria que se produjo en la carrera de Indias que mantuvo una guerra marítima irregular por el monopolio español en Indias; fue la época de los grandes galeones, grandes tesoros e incursiones en puertos coloniales.

Neerlandeses

En 1566-68, los refugiados de las revueltas se establecieron como fuerza naval llamándose a sí mismos «Mendigos del mar / *Gueux de la mer*». Francia e Inglaterra les concedieron cierta oficialidad permitiéndoles utilizar los puertos de Dover y La Rochelle para atacar a los buques mercantes españoles, y también o especialmente a los que navegaban el golfo de Vizcaya.

Entre los holandeses, Guillermo de Orange, según le aconsejara Coligny, se decidió a organizar a aquellos indisciplinados pero bravíos aventureros del mar y de ese modo aumentar sus fuerzas ante enemigos como el Duque de Alba, a quien no queda más que mantenerse atento a esos piratas que tanto despreciaba, no pudo impedir que tomaran Brille en 1572. Pero aquel año son expulsados de Dover como consecuencia de los excesos y la indiscriminación de los pabellones que atacaban. Los dos millones y medio de habitantes que conformaban por entonces el pueblo holandés ejercieron el monopolio en los transportes marítimos de los mares del Norte, el Atlántico y las Indias orientales. Ya en 1624 atacan las costas e invaden Brasil. En 1628, Piet Heyn capturó la flota española, con todo su cargamento, cerca del cabo Matanzas en Cuba. Con ese grandioso botín conforman una nueva expedición, sin embargo la dispersión de la autoridad política holandesa y su confianza fue aprovechada sagazmente por Inglaterra que le arrebató su poder.

Mare clausum

Esta fue una doctrina impuesta por España al resto de naciones, que se creyeron legitimadas para contravenirla por la fuerza de las armas. Hugo Grocio (1583-1645), que postuló la libertad de los mares en el libro *De mare liberum* (1609), defendió los derechos de la Compañía Holandesa de las Indias Orientales para navegar y ejercer el comercio a través del océano Índico, dominio en apariencia de los portugueses que todavía se amparaban en las Bulas papales de 1493. Grocio defendía el mar libre, camino indispensable para las relaciones y los intercambios entre Estados.

«Es Dios quien lo ha creado, y nadie puede atribuirse su propiedad: hacerlo equivaldría a romper la paz» (HUGO GROCIO).

En 1580, Inglaterra no reconocía la Bula papal que había logrado dividir el mundo entre dos potencias católicas: España y Portugal; la reina Isabel I dudaba de su legalidad argumentando: «Es tan legal para mis súbditos navegar alrededor del Cabo como lo es para los españoles, puesto que el mar y el aire son propiedad común de todos los hombres» (GILES MILTON).

La concesión pontificia del Nuevo Mundo a España y Portugal con su sistema comercial de monopolio y régimen de flotas fue una de las causas que determinó el incremento de la piratería. Otra de las causas, el gran número de extranjeros que participaban en la vida económica española y portuguesa. Y durante el tiempo en que ambas casas estuvieron unidas, los portugueses navegaron por las colonias españolas tomando nota de las rutas y la conformación de sus costas, sus puertos… La boda de Catalina de Braganza con Car-

Guillermo de Orange, uno de los más encarnizados enemigos de Felipe II. Óleo de Adriaen Thomasz Key, hacia 1575.

los II, en 1662, estableció el apoyo de Inglaterra a la independencia de Portugal. Luego de esa independencia, en 1640, los marinos portugueses que servían en las flotas francesas y flamencas dieron todo tipo de información hasta entonces secreta a los ingleses.

Por otro lado, a consecuencia del fin de las guerras de religión quedaron inactivos muchos de los soldados profesionales y decidieron dedicarse a una nueva ocupación de considerable riesgo, que exigía un conocimiento de los mares y unas agallas que poseían y con creces.

El mar de las Antillas

Por otro lado España no alcanzó a poblar y mucho menos a mantener o ejercer control sobre todas las islas del Caribe. Muchas de ellas, y gran extensión del litoral costero del Nuevo Mundo, quedaron sin autoridad ni protección militar, convirtiéndose en base de piratas y nuevos corsarios, que vivían en comunidad y repartían el botín según categoría jerárquica, esfuerzo y valor. Por ejemplo, el pirata que perdía un ojo recibía unos cien escudos, el que perdía un pie unos 200 escudos. Por esos tiempos, entre 1585 y 1625, durante predominio inglés, la principal actividad la llevaban a cabo Hawkins y Drake que fueron abriendo paso a todas las potencias europeas que querían acabar con el poder español. A lo que Drake acabó sumando su propio odio y venganza personal, con la anuencia directa y exclusiva de la reina Isabel I, como para saquear todas las posesiones españolas y cada barco sin tregua:

«Así me vengaría gustosamente del rey de España por los diversos agravios que he recibido de él» (ISABEL I).

William Dampier (1652-1715), escritor, no se conformó con serlo sino que tomó parte en innumerables travesías de carácter privado a las posesiones españolas en Centroamérica, Australia y las Indias Orientales. Hacia 1673 entró en la Royal Navy y embarcado en el *Royal Prince* le tocó combatir contra los holandeses. En 1674 se radicó en Jamaica, pero no se quedó quieto; en 1679 y hasta 1681, decidió formar parte de la tripulación del bucanero Bartholomew Sharp, con quien atacó barcos españoles saqueando a la vez innumerables poblaciones. La captura del *San Pedro* dio la oportunidad de hacerse con un botín de 37.000 reales de a ocho; cuando logró obtener el perdón de su rey Carlos II, entregó a Inglaterra unas cartas de navegación con mucha información que había robado. De inmediato le fue otorgado el poder de encabezar algunas expediciones en los barcos *HMS Roebuck, St.George* y *Cinque Ports*.

Jamaica, base del corso inglés

En la segunda mitad del siglo XVII España ya no podía afrontar la realidad; corrían los años posteriores a la Paz de Westfalia, y esa gran debilidad de poder se reflejó en cada una de sus colonias en el Nuevo Continente. Oportunidad que tomaron los ingleses para volver a la vida corsaria. Jamaica, que había sido descubierta por Colón en su segundo viaje en 1494 y bautizada con el nombre de Santiago, igual que la isla de Tortuga, pasó a ser reducto de corsarios y piratas. Su colonización empezó recién en 1509 con el gobernador Juan de Esquivel; poco después, la escasa población originaria por causa de las luchas y de las enfermedades prácticamente desapareció, motivo por el que fueron llevados pueblos originarios de Africa que fueron esclavizados. Hacia 1537, la isla fue otorgada a la familia de Colón. Penn, almirante inglés, junto a Robert Venables la conquistó en 1655 y fue entonces cuando fue tomada como base pirata. Por entonces, la vida para los españoles, ya bastante enraizados en las islas del Caribe, pasó de ataque en ataque. En 1665 y 1666, unas 400 haciendas de la isla de Cuba en la costa fueron saqueadas. Desde Portobelo, el conde de Lemos, en ese momento virrey de Perú, en 1666 escribió a la Corte española que era imprescindible recuperar Jamaica y armar una flota con la cual exterminar a piratas, corsos, bucaneros y filibusteros.

Sir Henry Morgan (Llanrhymni, Gales 1635-Port Royal 1688) fue uno de los más poderosos piratas de la historia. Destacó como capitán de un barco en el que navegaba con la patente de corso que le fuera otorgada a Sir Christopher Mings, dueño del barco. Pero hacia el 1666 ya comandaba su propio barco y organizaba las operaciones de muchos de los barcos que actuaban en las cercanías de Portobelo y Puerto Príncipe. Tarea que llevaba a cabo en conjunto con la de gobernador de Jamaica a la que siempre le tocaba una parte de todo botín, una parte igual a la que le tocaba al rey Carlos II. En 1669 se introdujo con 400 hombres en el lago Maracaibo a bordo de pequeños barcos y luego lo abandonó por 150.000 pesos. Dos años después ataca y destruye Panamá. En reconocimento por sus servicios a la Corona, Inglaterra le reconoció con nombramientos oficiales en Jamaica. Sin embargo, al final de su vida, o por los menos hasta los últimos años, combatió la piratería.

Con el alejamiento de Sir Henry Morgan empieza otra etapa en la piratería, la del siglo XVIII que se caracterizó por un tono oficial todavía mucho más declarado que en las anteriores. Luis XIV había elaborado un plan similar al «*western design*» cromwelliano y para llevarlo a cabo envió al barón de Pointis con 10.000 hombres y 22 navíos, cuya principal tarea fue tomar la fortaleza de Boca Chica, en Cartagena de Indias. Empresa financiada por un grupo de armadores; sin embargo la paz firmada entre Francia y España provocó la interrupción de la propuesta. Una vez ingresados los Borbones en el trono español, Inglaterra tomó la decisión de atacar a ambas potencias aliadas en sus dos frentes: el norteamericano, donde se habían instalado los franceses y el antillano o la América española, que era la puerta grande al Sur de América. El avance inglés fue cumpliendo con sus planes que ya no eran los individuales avances de siglos anteriores, la idea era acabar con el Imperio hispánico utilizando Panamá como entrada y tomando la vía del istmo por el río San Juan; de ese modo podrían fracturar en dos aquel gran cuerpo del nuevo Imperio. Para empezar, con el financiamiento de un tal Patterson, banquero escocés, decidieron abrir un canal de océano a océano.

De otra parte, Inglaterra tenía que resolver en Norteamérica algunos problemas impostergables con los franceses lo que les impedía seguir adelante con aquel primer plan. Tampoco pudo sostener los ataques a otras posesiones españolas. Pocos años después, en 1763, los ingleses lograron arrinconar a los franceses en Canadá pudiendo así controlar las tierras extensas del continente norteamericano. Unida por pactos de familia con los Borbones, España ayuda a Francia, sin embargo fue imposible evitar que el Imperio francés en América se acabase definitivamente. Durante la Guerra de 1812, EEUU empleó un buen número de barcos corsarios que apresaron 1344 embarcaciones británicas.

Periodo de decadencia del corso

Esa modalidad del corso euroamericano y mediterráneo fue abolida un 16 de abril de 1856 en gran parte de los estados en el Congreso de París. España tardó 32 años en alcanzar mayoritariamente esta postura (1908). Aunque entonces la Declaración de París tam-

Howard Pyle dibujó así a un típico bucanero. Todos debieron tener un aspecto muy parecido.

poco fue acatada y firmada por todos los países, fue considerada como una ley internacional. Hacía mucho tiempo ya que el corsario había empezado a remitir. Conforme las ideas mercantilistas caían en decadencia, también remitía aquel antiguo concepto legal de que las «presas de guerra» pertenecen al combatiente individual. Las características de la moderna guerra naval volvieron poco práctica la figura y actuación del corso. Aquellos estados excluidos de la repartición papal del Nuevo Mundo empezaron a dar curso y construir sus imperios coloniales.

De este modo el gran corsario cambió su actividad, se convirtió en «negrero», marino o mercader. Y el de menor poder volvió a la piratería o al contrabando. Las bases de los bucaneros y filibusteros de las Pequeñas Antillas se fueron transformando y creciendo como colonias —inglesas, francesas y neerlandesas— de explotación normal, aunque sin dejar de verse como asiento del tráfico ilegal de los puertos del Caribe. Finalmente, la Declaración de Derecho Marítimo de París logró abolir el derecho de presa. En 1907, el VIII Convenio de La Haya admitió la transformación de los buques mercantes en navíos de guerra siempre que pudiesen cumplir ciertos requisitos: entre otros portar distintivos exteriores, propios a los buques de guerra y a las órdenes de un comandante que figurase en la lista de oficiales de la Marina de guerra.

Actos de piratería en tiempos de guerra

Como hemos visto, la actividad de pirata es tan vieja como la historia del hombre y del mundo y se ha mantenido hasta mucho más allá del 1800. Durante siglos fue la única manera de llevar a cabo una guerra marítima. Así se llevó a cabo la conquista de los normandos en Inglaterra, gracias a grandes batallas marítimas. En general los piratas resultaron auxiliares en caso de guerra. Cuando aparició la patente de corso se institucionalizó la actividad convirtiendo en lícita la actividad durante tiempos de guerra. En el caso de los caballeros de Malta o los argelinos, la guerra se considera no solo como institucionalizada sino como permanente. La condición jurídica del saqueo se mantuvo y durante el siglo XVIII hubo piratería en todas las grandes batallas navales de la Armada inglesa.

El almirante *Nelson,* a quien hubiera indignado toda comparación con un pirata, mantuvo no obstante un largo pleito con su antiguo jefe Lord Jervis, conde de Saint-Vincent, por el derecho de presa de unos navíos en cuya captura ninguno de los dos tuvo participación directa. Habiendo zozobrado casi todos los barcos apresados por los ingleses en la batalla de Trafalgar, los marineros debían perder su derecho de presa; sin embargo, el Parlamento inglés, con el entusiasmo de la victoria, votó en nombre de una compensación de 320 000 libras esterlinas para 4 barcos conservados y 16 perdidos.

LA AVANZADA FRANCESA EN AMÉRICA

«E creo que por entre
estas impías y celerosas
e ignominosas obras tan injusta, tiránica
y barbáricamente
echos en ellas y contra ellas,
Dios ha de derramar
sobre España su furor e ira,
porque toda ella ha
conmuncado y participado
poco o mucho
en las sangrientas riquezas robadas,
usurpadas y malhabidas,
y con tantos estragos e acabamientos
de aquellas gentes».

FRAY BARTOLOMÉ DE LAS CASAS

Según Tzvetan Todorov, y siempre citando su libro *La Conquista de América: el problema del otro*: «Se puede introducir una ligera corrección a la extensión de su profecía —la de Fray Bartolomé de las Casas—, y sustituir España por Europa occidental; incluso si España tiene el papel principal en el movimiento de colonización y destrucción de los otros, no está sola: portugueses, franceses, ingleses y holandeses la siguen muy de cerca, y serán más tarde alcanzados por los belgas, italianos y alemanes...Y si bien los españoles hacen más que otras naciones europeas en materia de destrucción, no es porque estas no hayan tratado de igualarlos y superarlos. Leamos pues —insiste Todorov volviendo a citar la profecía de Fray Bartolomé de las Casas— "Dios ha de derramar sobre Europa su furor e ira"...».

España había llegado antes que nadie y durante los primeros cien años después de haber encontrado América sería de uso exclusivo de su ambición. En ese tiempo ninguna potencia se atrevía a retar a sus flotas en aguas americanas. La abundante mano de obra indígena y el mineral extraído consolidaron su afianzamiento territorial, pero en la vastedad del mar Caribe o en la inmensidad del Mar del Sur, la pretensión monopólica española se estrelló contra las realidades de las rutas extensas y los puertos lejanos.

El estado de guerra permanente durante el segundo cuarto del siglo XVI entre España y Francia abrió el camino a la primera gran onda de piratería en América, pues para los franceses era imperiosa la necesidad de debilitar el acceso de esos enormes recursos que financiaban los ejércitos españoles y las aventuras europeas de Carlos V.

España era la potencia hegemónica del Atlántico y Francia, sin una armada para hacerle frente, optó por el recurso del corso concediendo a particulares de cualquier nacionalidad la condición de beligerante que los incorporaba irregularmente a la fuerza naval nacional mediante una patente para perseguir y atrapar embarcaciones de comercio de la potencia enemiga, a la vez que se les obligaba a compartir el botín con la Corona que los empleaba.

Francisco I de Francia, por un lado, hizo alianzas con el pirata Jeireddín Barbarroja y el sultán otomano Suleiman el Kanuni que hostigaban continuamente las costas españolas y, por otro, estimuló a los armadores locales y a quien se interesase en quebrantar el monopolio español de las Indias y lanzarse a atrapar los barcos que se llevaban a jirones la milenaria historia de América.

Y comenzaron a cruzar el Atlántico. A pesar de la inmensidad de los océanos y del continente, poco a poco las rutas fueron siendo conocidas no solo por los expertos pilotos de la Casa de la Contratación en Sevilla, centro y monopolio del tráfico indiano, sino también por los súbditos de Francia y de las otras naciones. Se supo entonces que navegando hacia el oeste desde las islas Canarias se entraba al Caribe por el arco de Ulises de las Antillas Menores y que la puerta franca de regreso a España, por lo menos desde la tercera década del siglo XVI, atravesaba el canal de las Bahamas.

El avance de los piratas pronto necesitó tener refugios y puertos donde buscar abastecimiento, reparar las naves o esperar el buen tiempo. De esta manera, los acosos en alta mar añadieron el ataque a las costas americanas y la ocupación de ensenadas donde resguardarse. Los vientos determinaron las rutas y las rutas impusieron los puertos, según los proveía la naturaleza en el Caribe, el Atlántico Sur o el Pacífico.

Para mediados del siglo XVI el Mar de las Antillas ya estaba lleno de piratas, en su mayoría franceses, y comenzaron a reportarse ataques no solo a los barcos mercantes, sino a las poblaciones costeras donde los vecinos con sus pertenencias debían internarse en los montes donde los piratas no se atrevían, pero tenían que negociar un rescate para que su población no fuera incendiada. Pronto se atrevieron a más y asaltaron San Germán de Puerto Rico y en los años siguientes atacaron plazas de mayor envergadura como La Habana y Santiago de Cuba.

Enrique II asumió la Corona de Francia a la muerte de su padre y continuó con la política de utilizar a los piratas para su guerra contra España. Su primer corsario fue François Le Clerc, el primer *jambe de bois* o «pata de palo» en la historia de la piratería caribeña.

Le Clerc a bordo del *Claude* zarpó con diez barcos del puerto de Le Havre, en la Normandía, secundado por otros dos importantes jefes piratas: Jacques de Sores, un conocido luterano que comandaba el *Esperance* y Robert Blondel al mando del *Aventu-rier*. En las Islas Canarias realizaron sus primeras incursiones en 1553. Durante diez días asolaron y destruyeron todo lo que encontraron a su paso en las islas. Luego se dirigieron al Caribe donde, durante varios años, atacaron todo lo que flotaba y saquearon cuanta población española se puso a su alcance. Amenazaron Santo Domingo y, mientras Le Clerc incendiaba las ciudades de Puerto Rico, Jacques de Sores se dirigió a la isla de Cuba.

La gran isla era uno de los lugares estratégicos en la entrada al Caribe y paso casi obligado para las naves procedentes de España. En el año 1553 la Audiencia de Santo Domingo había dispuesto que el gobernador de Cuba residiera oficialmente en La Habana:

«...porque la dha. villa de la habana estava en el paraje donde se haze escala de todas las Yndias é teniendo como tenemos guerra con el rey de Francia al presente é teniendose como se tiene nueva de los muchos navíos de corsarios que son partidos de francia para estas ptes. avia muy grande necesidad que vos el dho. gobernador residiesedes en la dha. Villa é que se tobiese muy gran recabdo en la guarda della por ser como era la llave de toda la contratacion de las Yndias y si alli se apoderasen franceses serian señores de todos los navios q. vinieses de nueva españa y nombre de dios y de las otras partes que alli hazen escala» (Archivo General de Indias, t. I, 1512-1578, 199-202).

A pesar de que ello, La Habana solo sería designada de manera oficial como capital de Cuba en 1607 y aunque la llegada de las flotas y el pavor a los franceses conmocionaba a la Cuba de aquellos años, sus fortificaciones no eran adecuadas para defenderla de los ataques piratas.

Por medio de un piloto portugués y de otros espías que llevaba a bordo, Jacques de Sores se había enterado de que La Habana se hallaba mal defendida. Autorizado por su jefe, se dirigió a la isla con cuatro naves y desembarcó en las playas de San Lázaro con unos doscientos hombres. En la noche del 1° de julio de 1555 se apoderó con la mayor facilidad de la villa de Santiago de

Grabado que representa cómo el pirata francés Jacques de Sores, llamado también el Ángel Exterminador, asalta Santiago de Cuba en 1555.

Cuba que dormía plácidamente mientras tenía de vigilia unos pocos hombres.

Los piratas permanecieron en el lugar aguardando a que los aldeanos reunieran el dinero del rescate por su población. A pesar de que lo pagaron, los franceses quemaron algunas viviendas a su partida, destruyeron el fortín y no asolaron la iglesia debido a que el obispo Uranga les entregó el valioso ajuar de plata que había traído de España.

Entusiasmado con el golpe dado, Jacques de Sores se dirigió hacia el otro extremo de la isla con intención de saquear La Habana y el miércoles 10 de julio atacó la villa. El regidor Juan de Lobera intentó la resistencia del lugar con algunos vecinos, pero, al no recibir apoyo del gobernador Pérez de Angulo que, con el resto de los moradores, había huido hacia el pueblo de indios de Guanabacoa, se rindió a los piratas.

Después de saquear La Habana, los piratas pidieron rescate a la población y, mientras esperaban el pago, decidieron disfrutar de su victoria. El gobernador Angulo pretendió sorprender a los saqueadores y con unos doscientos ochenta hombres, en su mayoría indios y negros mal armados y sin experiencia, entró por la noche en la villa y pasó a cuchillo a varios de los franceses que dormían despreocupados en casas de algunos particulares.

El jefe pirata quedó cercado en una de estas casas junto a setenta de sus hombres hasta que pudo cerciorarse de quiénes lo atacaban. Una vez reconocida la poca fuerza enemiga salió con veinte arcabuceros y derrotó fácilmente al imprudente Gobernador, que lógicamente ante el cambio de situación huyó rápidamente hacia una población vecina.

La ira del pirata se descargó con los prisioneros y ordenó dar muerte a treinta y tres que estaban con él. El valiente Juan de Lobera se salvó de milagro. Luego aplicó igual fin a otros cuarenta y siete infelices tomados en las calles.

Durante casi un mes se sucedieron las negociaciones del rescate. En ese tiempo además él mismo había sondeado la bahía y confeccionado un plano detallado del puerto y su fortaleza; de modo que para entonces los franceses tenían un mapa más preciso de la villa y su rada que los propios españoles.

Finalmente, conforme con lo que los habaneros le habían entregado por su ciudad, inició su partida, no sin antes prender fuego a la ciudad hasta que no quedó un solo edificio en pie. Mientras las edificaciones ardían, el 4 de agosto se hizo a la vela sin el menor percance y con un tiempo maravilloso.

Después de este asalto, la capital quedó tan desolada que durante varios meses continuó siendo víctima de los ataques piratas. Un mes después otros franceses entraron en ella con intención de robarla y, al no encontrar nada, se llevaron una carabela cargada de cueros que estaba en el puerto. Unos días después, tres pataches la volvieron a atacar y de nuevo la incendiaron, no sin antes llevarse lo poco que de valor pudieron encontrar.

Esta destrucción de La Habana trajo como secuela positiva que el gobierno español cambió su actitud y, ante el temor de su pérdida irremisible a manos de los franceses, la administración de toda la isla se puso en manos militares y se decidió la construcción de otra fortaleza.

Al mismo tiempo otros piratas franceses avanzaban sobre Santa Marta y Cartagena de Indias, dos de los puertos del continente por los cuales circulaba una buena parte del comercio de la época.

A pesar de los avisos recibidos desde la península y del merodear de los piratas, ninguna de estas ciudades tenía aún fortificaciones importantes ni se había esforzado por construirlas, probablemente porque desestimaban las habilidades como navegantes de los franceses ni que se animaran a tal empresa.

En el caso de Santa Marta, una bahía con un canal natural navegable y propicio para embarcaciones de gran calado y protegida de los vientos por las formaciones rocosas, era una de las ciudades más antiguas de Sudamérica, pero no contaba con una fortificación adecuada. Además, en ese tiempo el gobernador Pedro Fernández de Lugo había viajado hacia la península con una buena parte de su ejército, con intenciones, tal vez, de impresionar a las autoridades reales, mermando las posibilidades defensivas.

En ese estado se encontraba la ciudad cuando el 17 de julio de 1543 se acercaron cuatro naves de guerra y un patache al mando del francés Roberto Waal que, al grito de «España, España», entraron en el puerto. Este era un recurrente método para engañar o desconcertar a los vigías y lograr desembarcar o acercarse lo más posible sin ser atacados y sin que den una temprana voz de alarma. Pero cuando aquellos cuatrocientos hombres armados comenzaron a saltar en los bateles, ya no quedó ninguna duda de quien se trataba. Al momento se inició la huida de las mujeres y los niños hacia las montañas vecinas con todo lo de valor que pudiesen cargar. Sin resistencia, los piratas avanzaron sobre la ciudad dispuestos a llevarse un buen botín.

«La primera diligencia que hicieron al entrar en el puerto fue apresar y echar á fondo todas las canoas y barcos que había en él para que no diesen aviso de su llegada en las demás partes de la costa; y asegurados así después del saco, pusieron bandera de paz para tentar si por comercio ó contrato podían asegurar aquellas riquezas que se habían escapado en la montaña. Con este seguro salió Manjarrés á rescatar algunas pipas de harina para su gente y con esta ocasión le propusieron rescatase también la ciudad para que no quedase asolada; erecto que se seguiría no componiéndose luego en la cantidad que se le señalase. Mas como el Manjarrés no diese oídos á esta propuesta, ó porque no había el dinero que le pedían ó porque le pareció acción indigna de españoles, fué tanto el enojo de los franceses que le pusieron fuego y arrasaron toda, hasta los cimientos, sin que de ello recibiesen mucho pesar los vecinos, porque siendo las más casas de madera, de que abunda grandemente la tierra, no tuvieron por considerable la pérdida, solamente la reconocieron grande cuando vieron que se llevaban cuatro piezas de bronce, y que para desfogar más la cólera francesa, talaban y destruían cuantas huertas, árboles y casas tenían para recreo» (*Historia de la conquista del Nuevo Reino de Granada en las Indias Occidentales*, Libro X, Capítulo I, Obispo Lúcas Fernández de Piedrahita (1608-1688).

Después de ocho días de saqueo, los piratas de Roberto Waal avanzaron sobre la cercana Cartagena que tampoco contaba para esa época con una fortificación importante. Algún relato refiere que los piratas llegaron en la víspera del matrimonio de una sobrina del gobernador Heredia; muy temprano en la mañana entraron sorpresivamente en la ciudad y comenzaron a tocar sus instrumentos de guerra. Los cartageneros, creyendo que era la música de fiesta de la boda, acudieron desarmados y tarde se dieron cuenta de su equivocación, cuando la ciudad ya estaba completamente ocupada. Otro relato detallado nos ofrece el obispo Lúcas Fernández de Piedrahita, la autoridad religiosa más pobre, sino la única, de las Indias, en su *Historia de la conquista del Nuevo Reino de Granada en las Indias Occidentales*:

«Mientras se combatía así en Santa Marta, habían corrido la Costa las naos francesas hasta ponerse á vista de Cartagena, donde pensaban mejorarse de presa, y sucedioles tan bien, que llegando de noche al puerto de Boca grande, que estaba á dos tiros de ballesta de la ciudad, y al presente se ha cerrado de arena, surgieron en él, sin que fuesen sentidas y esperando á que rompiese el alba de los veinte y siete de Julio, arrojaron á tierra la gente, que guiada de un corso que había estado otra vez en la ciudad, la entró por armas, sin que hallase más defensa que la flaca de algunos vecinos que luego fueron presos, porque los demás, con la noticia confusa de que habían surgido algunos vasos la noche antes, se retiraron al monte. Con este buen suceso de los franceses se repartieron en dos tropas, y encaminada la una á la casas del Obispo D. Fr. Francisco de Santa María y Benavídez, religioso jerónimo, que poco antes había llegado, le prendió y robó los bienes; y pasando la otra á las del Gobernador D. Pedro de Heredia, la acometió con daño de algunos negros que acudieron á defenderla, viendo que el Heredia, con una pica en la mano, y D. Antonio, su hijo con la espada, los animaban á combatir con los enemigos; pero sintiéndose herido el hijo en un brazo, por el tiro de un arcabuz, y reconociendo el padre la temeridad de oponerse á tantos, saltaron por una ventana, y retirados al monte con los demás, y atentos al peligro que podía correr Portobelo, embarcaron en una barqueta á Juan de Reinaltes para que diese aviso de todo.

Luego que el Gobernador desamparó su casa, la ocuparon los franceses deseosos de encontrar en ella tesoros muy considerables, y no se engañaron mucho,

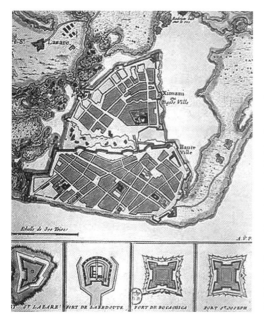

Antiguo dibujo que muestra los sistemas defensivos de Cartagena de Indias, de autor desconocido.

porque cayó en sus manos gran parte de lo mucho que malamente había adquirido el Heredia en el curso de sus conquistas. De allí pasaron á saquear toda la ciudad, donde hallaron bastante riqueza que se les aumentó más con haber encontrado en las arcas reales cuarenta y cinco mil pesos de oro, que pudieran pasar por descuento del rescate del Rey Francisco, á no haber pasado primero por la manos de tan corsarios ministros. Con este buen suceso les pareció no detenerse más que los ocho ó nueve días que se gastaron en tales robos y en el de muchas preseas de estimación que había en la ciudad; y determinados á seguir su derrota hasta la Habana, donde pensaban terminar sus empresas, pusieron en libertad al Obispo y á los pocos vecinos que habían aprisionado, y sin pasar á los estragos que habían ejecutado en Santa Marta, se hicieron á la vela poniendo las proas á la Habana, donde apenas llegados arrojaron á tierra la gente, por la parte que hoy llaman la Punta, cuando heridos de la artillería y acometidos de los nuestros, fueron rechazados con tal ardimiento, que muertos treinta de los más señalados, y puestos en desorden los demás con el espanto y miedo que concibieron, trataron de embarrarse con tal confusión, que á seguirlos nuestra gente con la misma osadía que los había rebatido, no quedara francés á vida. Pero malograda esta ocasión, la tuvieron para desembocar y volver con próspero viaje á Francia, donde creciendo más la fama de las riquezas de Indias y el rumor de esta presa, dispuso nuevamente los ánimos de aquella nación para continuar el viaje, si bien los sucesos siguientes no correspondieron al primero» (Libro X, Capítulo I).

No deja de ser llamativa la ironía del clérigo que tilda también de piratas a los funcionarios burocráticos al referirse a las depredaciones que habría sufrido el dinero saqueado de haber ido como resarcimiento del conocido rescate que pagara el rey Francisco I, prisionero de los españoles, si no hubiera «pasado primero por la manos de tan "corsarios" ministros».

Al año siguiente, en 1544, quien se ocupará de saquear la zona será el francés Pedro Braques y recibirá una escasa defensa de parte de Luis Manjares quien estaba a cargo de la gobernación.

«...el corsario francés Pedro Braques con cinco buques logró introducirse en el puerto i aunque Manjares escitó a los vecinos a la defensa, solo seis permanecieron a su lado huyendo los restantes al monte. Los mismos que le abandonaron hicieron después grave alarde de la falta del gobernador i los mismos que huyeron cobardemente luego declararon en juicio acriminando al gobernador por no haber sostenido la plaza. Manjares fue encausado i llevado preso a la corte, en donde después de bien examinados los hechos se le absolvió completamente» (*Memorias de la historia de Granada*, 188, José Antonio de Plaza,1850).

En 1547 habrá dos intentos de saqueo y uno más al año siguiente, por parte de otros piratas desconocidos y de menor fuerza, tanto que todos serán rechazados a pesar de la escasa defensa que aún tenían estas ciudades.

Jacques de Sores los visita con mejor fortuna en 1555, saqueando y quemando las viviendas y edificios que se habían podido reconstruir. Unos años después también tuvieron éxito otros piratas cuyos nombres tampoco quedaron registrados.

Luego le tocó el turno al pirata Martín Cote que, siguiendo el recorrido acostumbrado, empezó el saqueo por Santa Marta y siguió por Cartagena en 1559. Gobernaba por entonces don Juan de Bustos Villegas quien, aunque la ciudad seguía sin tener una protección adecuada y acorde con el comercio que desarrollaba en la región, había preparado trincheras y púas envenenadas colocadas en los sitios donde desembarcarían las naves enemigas. Mientras la población hacía su huida hacia las poblaciones del interior, el Gobernador reúne a treinta hombres para la defensa. Lo apoya el cacique Maridalo de la isla de Carex (Tierrabomba) quien participó con quinientos indios flecheros. Los arcabuceros españoles, que dispararon hasta que se les acabó la munición, y las flechas indias causaron muchas bajas entre los piratas. Pero frente a ellos había siete naves artilladas y más de mil hombres. Cuando ya la resistencia no tenía más posibilidades y sus familiares habían tenido tiempo de refugiarse en los montes, los defensores abandonaron la ciudad. Martín Cote se instaló con sus hombres en la

Isabel I de Inglaterra, llamada la Reina Virgen, en un retrato llamado del
Arco Iris, atribuido a Isaac Oliver. Hacia 1601.

ciudad hasta lograr cobrar el rescate por los prisioneros obtenidos
y el agregado para no incendiar las viviendas. Estos serían los últimos franceses que llegarían a asolar estas ciudades, pero no los
últimos piratas pues ya estaban en acción sus reemplazantes desde
la «pérfida Albión» de la Reina Virgen.

BUCANEROS Y FILIBUSTEROS

«Lejos del mar y de la hermosa guerra,
que así el amor lo que ha perdido alaba,
el bucanero ciego fatigaba
los terrosos caminos de Inglaterra
ladrado por los perros de las granjas,
pifia de los muchachos del poblado,
dormía un achacoso y agrietado
sueño en el negro polvo de las zanjas.
Sabía que en remotas playas de oro
era suyo un recóndito tesoro
y esto aliviaba su contraria suerte.
A ti también, en otras playas de oro,
Te aguarda incorruptible tu tesoro:
la vasta y vaga y necesaria muerte».

Blind Pew – JORGE LUIS BORGES

La inmensidad de los nuevos territorios conquistados era muy difícil de controlar. Los españoles no pudieron tener presencia en todas las islas del Caribe y solo ocuparon parte de las mayores o aquellas que resultaban estratégicas para el paso de las naves y el control de la zona.

Los estados que habían quedado fuera del primer reparto se dispusieron a conquistar cualquier pedazo de territorio que los españoles y portugueses descuidaran y establecer allí sus colonias. A su vez, los piratas que llegaron cuando las flotas españolas comenzaron el transporte del saqueo de América, ante la inmensa distancia de los océanos, pronto comprendieron que era necesario establecer bases en la región desde donde abastecerse y fueron armando puertos, algunos momentáneos y otros más perdurables.

Pero no solo la piratería atrajo a nuevos habitantes al Caribe. Las duras condiciones que el monopolio y los mercaderes de Sevilla habían impuesto originaron una carestía de productos que rápidamente fue resuelta por el contrabando.

Los piratas podían amar la violencia y la aventura, pero esencialmente eran comerciantes. Además, la piratería por sí misma era un negocio limitado que no solo implicaba un gran riesgo, sino también requería de mucha fortuna para hacerse de un cargamento importante que cada vez era más difícil de lograr dado el armamento y la custodia que llevaban. No obstante en muchos de los casos, aquellos hombres seguramente consideraban como años más tarde inspirado en ellos escribiera Melville:

«¿Qué importa que algún capitan, viejo lobo de mar, me ordene coger la escoba y barrer la cubierta? ¿Qué supone semejante humillación comparada o pesada en las balanzas del antiguo Testamento? ¿Quién no es un esclavo? […] que a todo el mundo le pasa más o menos lo mismo —y esto desde un punto de vista físico o metafísico—, de manera que a todos nos va tocando hacerlo, de modo que no hay sino darse una palmadita en la espalda y conformarse. Además, también me embarco como marinero porque insisten en pagarme por mi trabajo […] ¡Oh! ¡Qué alegremente nos entregamos nosotros mismos a nuestra perdición!» (*Moby Dick*, HERMAN MELVILLE).

Mientras se esperaba el paso fortuito de un galeón, el negocio debía seguir para poder financiar toda la operación por lo tanto el contrabando era una actividad obligada que se hacía tanto con mercadería traída desde las manufactureras inglesas u holandesas, como con lo mismo que se había saqueado en otra población, ya fueran esclavos, herramientas o telas siempre más baratas que el precio oficial.

Por distintas razones, en aquellos lugares no ocupados por los españoles o alejados de su vigilancia comenzaron a asentarse grupos de contrabandistas, restos de colonias abandonadas y aventureros o fugitivos que llegaban de Europa buscando fortuna en las aguas caribeñas.

A pesar de que La Española, la primera en que funcionó una Audiencia, era una de las islas más habitadas en aquel tiempo, solo estaba ocupada en su mitad sur por los españoles. En la parte occidental, diferentes grupos de colonos holandeses, ingleses, portugueses y franceses vivían de sus granjas, la cacería y la venta de cueros a los contrabandistas.

Cuando un barco cargado de manufacturas se acercaba a las costas, rápidamente acudían cargados con sus mercancías a realizar los trueques con los del barco. Este comercio ilegal llegó a tal extremo que existían almacenes cerca de la costa para acumular los productos de intercambio. A comienzos del siglo XVI, mientras que en Europa los católicos españoles estaban en guerra total contra los protestantes, en tierras americanas el buen comercio no hacía distinción de raza o religión. A tal punto, que en una requisa efectuada en el año 1600 se encontraron más de trescientas Biblias luteranas entre los habitantes del oeste de la isla. Este episodio, que era un atentado contra la fe católica, provocó la reacción del gobierno de la metrópoli que, con la firme determinación de desalojar a estos herejes y, de paso, terminar con el contrabando que tantas pérdidas ocasionaba, intimó a todos los extranjeros a abandonar aquella parte de la isla. Los holandeses resistieron cierto tiempo ante la promesa de respaldo por parte de su país debido al importante comercio que tenían con los habitantes de esa parte de la isla, pero, al no recibir ninguna ayuda, también tuvieron que

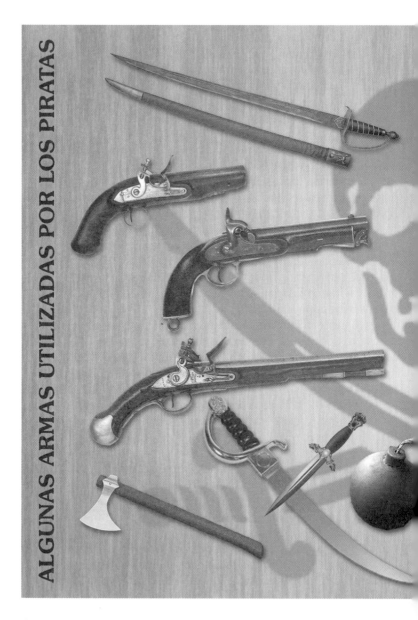

ALGUNAS ARMAS UTILIZADAS POR LOS PIRATAS

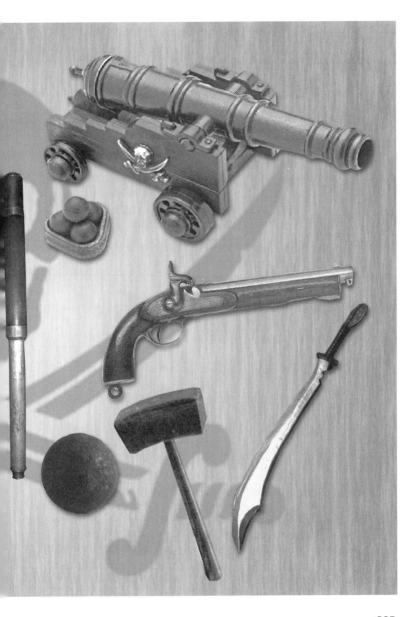

abandonarla. Para 1606 un tercio de La Española estaba desierto con mucho ganado vagando por los campos y reproduciéndose en forma salvaje.

Uno de los lugares de asentamiento fue la isla de San Cristóbal (*Saint Kitts*) donde diversos grupos de colonos, en su mayoría ingleses y franceses, habían logrado una convivencia más o menos pacífica y el negocio del contrabando y el trueque con las producciones locales, especialmente el cuero, funcionó durante varios años. Hasta que la Armada española al mando del almirante Fabrique de Toledo atacó la isla dispersando a sus habitantes. Los franceses lograron huir en varios barcos y, después de deambular por varias islas vecinas, llegaron a la parte despoblada de La Española, en donde encontraron, además de unas buenas tierras de labranza, un gran número de animales sin dueño y en estado salvaje.

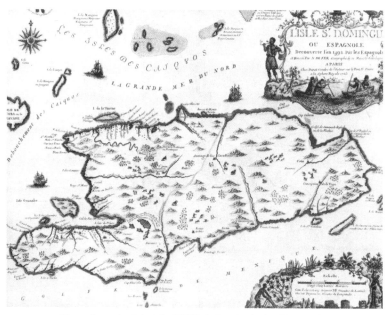

Mapa francés del siglo XVIII de la isla de La Española,
hoy Santo Domingo,

Esto mismo había ocurrido en otras islas donde algún intento fallido de colonización había dejado granjas abandonadas y los animales domésticos que habían huido, sin depredadores que limitasen su número, proliferaron en forma creciente y salvaje en las zonas despobladas.

Esta abundante comida, a disposición de quien pudiese cazarla, posibilitó la nueva concentración en La Española y en otras islas de diversos grupos de marginales que podían utilizar como principal medio de subsistencia la agricultura o la caza de animales.

De los dóciles, y exterminados hasta la extinción, indios arahuacos aprendieron a ahumar la carne que cazaban en una parrilla de troncos verdes a la que los nativos americanos llamaban el *bucan*. De allí recibieron el nombre de *bucaneros* con que entrarían en la historia. Pero el término bucanero no identificaba a una comunidad integrada, sino que era una generalización utilizada para denominar a diferentes y muy diversos grupos de individuos que, sin una morada fija, vivían en el campo, se reunían para cazar y, en ocasiones, con naves que ellos mismos construían, se dedicaban al contrabando o a la piratería si se ofrecía la ocasión. Equipados con un mosquete, un par de cuchillos largos y una espada de doble filo asegurada a un cinturón que corría en diagonal a lo largo del pecho, se dedicaban a su actividad principal que era la caza de vacas y cerdos salvajes. Su vestimenta era una camisa de lino y un pantalón de lona o de tela gruesa para andar en el monte y que, de tanta sangre y grasas acumuladas, era tan impermeable como el hule. Aunque en su mayoría eran franceses normandos, los había de diversas nacionalidades. Podían hablar inglés, francés, holandés o español y en esa mezcla de voces asomaban además palabras de los nativos arahuacos y vocablos de algunas lenguas africanas que habían sembrado los esclavos. Tal vez, los bucaneros sin saberlo estaban creando una nueva lengua criolla que después se conocería como *papiamento*. Los bucaneros eran empresarios independientes sin vínculos ni compromisos con los monarcas europeos. A diferencia de los corsarios, socios de reyes y nobles, a ellos no les amparaba ningún pabellón ni gobierno. Ostentaban un alto grado de rebeldía y su vida en estado natural y salvaje no obedecía a ningún tipo de código ni ley escrita. Funcionaban en pequeños grupos sin demasiada organización, compuestos por originarios de varias naciones europeas, pero también había indios en estado de rebeldía, esclavos fugitivos, proscritos y desertores diversos. Su actividad principal era la caza y el ahumado de la carne para su conservación, la especialidad más apreciada por todos los barcos del Caribe. Las lentas y humeantes barbacoas con fuego de madera verde, retazos de pieles y huesos de los animales muertos atraían a piratas y contrabandistas que llegaban con herramientas, telas, armas y pólvora para hacer trueque por esa carne ahumada tan estimada entre los marineros, especialmente cuando el viaje era a través del Atlántico, y los cueros que cotizaban a excelente valor en cualquier puerto europeo.

También podían establecer contratos a lo largo de un cierto tiempo con los dueños de las plantaciones para proveerles de carne para sus esclavos recibiendo el pago en libras de tabaco en hoja. Además el plantador se obligaba a darles municiones, pólvora y un criado como ayudante.

COMPROMETIDOS, SIERVOS Y ESCLAVOS

«Ya no creemos en los
hombres-bestias del bosque,
pero hemos descubierto a la
bestia en el hombre,
ese misterioso elemento del alma
que no parece reconocer ninguna
jurisdicción humana
pero que, a pesar de la inocencia del
individuo al que habita,
sueña sueños horribles
y murmura los penamientos más
prohibidos».

(HERMAN MELVILLE,
citado por TZVETAN TODOROV)

Los bucaneros y piratas en general tenían diferentes formas de servidumbre y de esclavitud. Por un lado estaba la figura del *engagé*, vocablo francés utilizado para denominar a un sistema de servidumbre voluntaria que establecía un compromiso realizado por un hombre libre que lo obligaba a trabajar como siervo durante tres años. Este servicio, si bien se planteaba como un aprendizaje y un inicio para un joven sin posesiones, disimulaba un sistema de semiesclavitud y muy duras condiciones de trabajo similares a las padecidas por los aborígenes en las encomiendas españolas. Dentro de los piratas más famosos que comenzaron como *engagés* estuvieron Henry Morgan, el Olonés y el mismo Exquemelin.

Pero estos *compromisos* no siempre eran tomados de forma voluntaria; la mayor parte de las veces los lograban mediante en-

Dos ilustraciones correspondientes a la obra *Bucaneros de América* del francés Alexandre Olivier Exquemelin, quien relató las hazañas de los piratas caribeños desde dentro, puesto que él mismo lo fue. Su obra es la fuente principal de los relatos de piratas que conocemos, y ha forjado su imagen más común.

gaños y falsas promesas o producto del simple secuestro. También podían conseguirse sirvientes dentro de los prisioneros logrados en una expedición:

«Cuando los piratas han hecho presa de navíos, la primera cosa que ejecutan es poner en tierra (la más cómoda que hallan) a los prisioneros, reservándose algunos para su servicio y ayuda. A éstos, pasados dos o tres años, les dan libertad» (ALEXANDER OLIVER EXQUEMELIN, *Bucaneros de América*, Ed. Valdemar, Madrid, 1999).

Otra forma de servidumbre era la que se conseguía mediante la compra o la venta por un tiempo determinado, por lo general, a causa de deudas de dinero. Un ejemplo es lo que refiere Exquemelin:

«Son muy liberales los piratas entre sí mismos; si alguno queda totalmente despojado de bienes, le hacen participar con franqueza de lo que tienen. Entre los taberneros tienen gran crédito, pero de los de Jamaica no se deben fiar mucho, sabiendo que los vecinos de esta isla se venden con facilidad los unos a los otros, como yo vi hacer con mi patrón, el cual habiéndose hallado con tres mil pesos de dinero contante, en término de tres meses se halló tan pobre que le vendieron por una deuda de taberna, taberna que era en la que había gastado la mayor parte de su caudal» (ALEXANDER OLIVER EXQUEMELIN, *Bucaneros de América*, Ed. Valdemar, Madrid, 1999).

Por último, estaba la situación de esclavitud definitiva que utilizaba a los aborígenes y a las personas secuestradas en África. Pero este sistema, que era la base de la producción de los plantadores, fue muy raro dentro de los piratas y menos aún de los bucaneros que preferían un servicio de plazos acotados.

PREPARANDO EL VIAJE

«No siento el barco, no siento el barco
que se perdió
siento al piloto, siento al piloto
y a su tripulación.
Pobres muchachos, pobres marinos
de corazón,
que la mar brava
que la mar brava se los llevó.
Salió de Jamaica cargado de ron
a extender las velas, a extender las velas
rumbo a Nueva York...»

PABLO NERUDA

Por lo general una expedición pirata se preparaba a partir de una embarcación y de una cantidad de hombres dispuestos a jugarse al todo o nada en la empresa. Una vez conformado el grupo, cada bucanero debía proveerse personalmente de la cantidad de pólvora y balas que considerara necesarias. Reunidos en consejo, determinaban la manera en que habrían de realizar la expedición. En primer lugar dónde conseguirían las vituallas, qué podría aportar cada uno y qué deberían robar. Especial atención merecía la provisión de carne de cerdo ahumada que era su principal alimento. Además podían agregar carne de otros ganados o de tortugas previamente saladas.

Logrado el aprovisionamiento volvían a reunirse en consejo para determinar cuál sería la ruta que tomarían, establecer el inventario de lo que cada uno aportaba a un fondo común, la manera en que esto se distribuiría y acordar el contrato para la futura distribución de las ganancias:

«Tienen por costumbre hacer ante ellos una escritura de contrato, en la cual especifican cuanto debe tener el capitán por su navío. Ponen y fundan en dicho escrito todo lo que llevan consigo para el viaje; de este montón sacan por provisión doscientos pesos, el salario del carpintero que hizo o repara el navío, el cual, de ordinario, importa cien o ciento cincuenta pesos, según el acuerdo, poco más o menos y el dinero para el cirujano y medicamentos, que se suele tasar en doscientos o doscientos cincuenta pesos» (Alexander O. Exquemelin, *Bucaneros de América*, Ed. Valdemar, Madrid, 1999).

Además de la precaución de llevar medicamentos y a un entendido en cuestiones médicas, dado que iban a la batalla, tenían previsto un sistema de compensaciones que funcionaba como seguro de salud de acuerdo a una escala de valores preestablecidas en base a la utilidad de la pérdida:

«Después estipulan las recompensas y premios de los que serán heridos o mutilados de algún miembro, ordenando, por la pérdida de un brazo derecho seiscientos pesos o seis esclavos, por la izquierda cuatrocientos pesos o cuatro esclavos, por un ojo cien pesos o un esclavo, y por un dedo tanto como por un ojo; todo lo cual se debe sacar del capital o montón de lo que se ganare».

De la misma manera en que los bienes eran puestos en común, las ganancias se repartían de forma rigurosamente equitativa donde cada uno tenía su parte establecida. También se realizaba un juramento solemne por el que se comprometían a no guardarse ni la menor alhaja y quien resultaba descubierto en una infidelidad, era castigado y separado inmediatamente del grupo.

«Embarcó para la Nueva España para Maracaibo, cargado con diversas mercaderías y número considerable de reales de a ocho, que llevaba para comprar cacao, todo lo cual llevaron a Jamaica, adonde llegaron con su gente, y disiparon en bien poco tiempo su dinero (según sus costumbres ordinarias) en las tabernas, y en lugares de prostitución, con rameras. Algunos de ellos gastan en una noche dos o tres mil pesos, y por la mañana se hallan sin camisa que sea buena, como uno de ellos al que yo vi dar a una meretriz quinientos reales de a ocho solo por verla una sola vez desnuda. Mi propio patrón compraba en muchas ocasiones una pipa de vino, y, poniéndola en algún paso muy frecuentado, a la vista de todo el mundo, le quitaba las tablas de un extremo, forzando a todos los que pasaban a beber con él, amenazándolos, con que, si no bebían, les daría un pistoletazo; otras veces compraba un tonel de cerveza y hacía lo mismo, otras, mojaba con las dos manos de tales licores a los paseantes, echase o no a perder los vestidos de los que se acercaban, fuesen hombres o mujeres».

Isla de la Tortuga

Cuando los bucaneros fueron expulsados de La Española, encontraron refugio en un pequeño islote al norte: la isla de la Tortuga. Con el tiempo este sería uno de los refugios y abastecido centro comercial favorito de todos los piratas del Caribe, donde se podía vender todo botín logrado, conseguir un barco nuevo, tri-

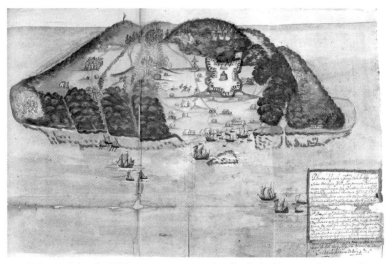

Dibujo del siglo XVII, que representa la isla de la Tortuga durante el
periodo de «La Hermandad de la Costa». Anónimo.

pulación dispuesta, provisiones y, especialmente, buen licor y mujeres amables.

La Tortuga era un islote de escasa vegetación y tierra fértil, con una cordillera central, una serie de terrazas orientadas al Norte, suelo arenoso y con limo en la zona costera y arcilloso en las zonas más altas. Esta geografía rocosa la convertía en una magnífica fortificación, a tal punto que los españoles solo en una oportunidad pudieron tomarla, para abandonarla casi enseguida. Muy fácil de defender y con una costa difícil de conquistar, la Tortuga fue la plaza fuerte de aquellos que se dedicaron a la piratería ya que desde allí podían ir fácilmente a cualquier punto del Caribe o esperar el paso de los barcos españoles que tenían camino obligado cerca de la isla. Durante casi un siglo fue la capital de la piratería, hasta que fue sustituida como base pirata por Port Royal en Jamaica, de la que un día fue gobernador un famoso bucanero, Sir Henry Morgan, con más comodidades, mejor puerto y protegido por la Corona. Francia designó al capitán Le Vasseur como gobernador de la Tortuga quien, desde su cargo, se convirtió en gerente de los piratas realizando con ellos excelentes negocios y brindándoles protección y resguardo en su isla. En 1653 el gobernador Le Vasseur fue asesinado por uno de sus hijos adoptivos y se nombró gobernador a De Fontenay. Poco después, en enero de 1654, la isla fue recuperada por los españoles que después de dejar una guarnición en la misma la retiraron dejándola libre de nuevo. Enseguida fue conquistada por los franceses que, después de varios episodios de ataques y permisos con Inglaterra, consiguieron poner a Du Rausset como gobernador de la isla.

Du Rausset coqueteó con los ingleses para ganarse su confianza y ese coqueteo llevó al gobierno de Francia a detenerle y encarcelarle. Du Rausset vendió los derechos sobre la Tortuga a la compañía estatal francesa «Compañía Francesa de las Indias Occidentales», el 15 de noviembre de 1665. El gobierno de la isla fue encargado a Bertrand de Ogerón que marcaría el fin de la sociedad de los bucaneros.

En esta isla nacieron los filibusteros como una transición de los bucaneros, cazadores independientes que se hicieron piratas asociados. En la Tortuga, donde se congregaban todos, en su mayoría franceses, no había posibilidades de caza, por lo tanto, los bucaneros para poder subsistir debían salir a buscar su comida en otra isla, navegaban entonces en canoas hasta La Española, que ellos llamaban «Tierra Grande», o por las islas menores. Si no lograban cazar debían echarse de nuevo al mar, pero entonces como piratas.

Los filibusteros de la Tortuga se juramentaron y constituyeron la confederación de «La Hermandad de la Costa». Una asociación que comenzó con un pequeño grupo de piratas y que creció rápidamente hasta desafiar al vasto Imperio español. Esta hermandad fijó el reparto de botines, las indemnizaciones por heridas de combate y hasta se hizo cargo de viejos piratas que no podían mantenerse por sí mismos. De los botines apresados por los navíos piratas en aguas caribeñas, la Cofradía se quedaba para el fondo común con la parte que correspondía a los marineros que habían causado baja. Muchos fueron los bucaneros y filibusteros que tuvieron a la Tortuga como su centro comercial, de aprovisionamiento o refugio. Algunos de ellos han dejado su nombre y sus hechos en la historia de la piratería.

Pierre Legrand o Pedro el Grande

Dieppe era un próspero centro comercial situado al norte de Francia frente al canal de La Mancha, en la desembocadura del río Arques, con un puerto bien protegido a los pies de las inclinadas laderas de una cordillera formada por rocas calizas que era frecuentado por mercaderes y piratas. Esta ciudad también fue el núcleo de la Reforma en Francia y, tras revocarse en 1685 el Edicto de Nantes que aseguraba sus derechos a los protestantes, recibió las represalias de los católicos y en 1694, durante la guerra contra la Gran Alianza, fue prácticamente destruida por los ingleses y los holandeses. De allí venía Pierre Legrand huyendo, tal vez, de las guerras de religión, enganchado como sirviente o uno más que había llegado a las Antillas en busca de oro y solo había hallado un oficio de cazador bucanero o de pirata cuando la ocasión lo requería. Con una barca y veintiocho compañeros había salido desde Tortuga buscando fortuna y después de muchos días sin haber conseguido nada y con los víveres agotados, cuando solo quedaba un regreso frustrado y la posibilidad cierta de terminar como sirvientes para pagar sus deudas o morir de hambre, se toparon con su última posibilidad. Era un galeón de la flota española que se había separado de los otros y navegaba cerca de la costa.

Legrand y sus bucaneros se acercaron con prudencia tratando de estudiarlo, con la total certeza de que se trataba de una presa que excedía en mucho sus fuerzas. Al parecer el capitán del galeón había sido notificado de la presencia de la pinanza, un lanchón de un solo mástil y fondo plano, pero al verla se había burlado de ella sin darle importancia. Los piratas se fueron acercando ocultos entre la vegetación y las irregularidades de la costa y al llegar la noche se lanzaron hacia el galeón. Previamente habían resuelto en consejo que no les quedaba otra opción que este desesperado intento en el que seguramente les iría la vida. Tenían a su favor que el bajel estaría desprevenido y contaban con la sorpresa para dominar a los guardias. Planificaron cada movimiento y se juramentaron en actuar cada uno con todo su coraje y valor hasta el final. Para no dejar dudas acerca de esta determinación, el capitán ordenó al cirujano del grupo que hiciese un agujero en la barca para mandarla a pique junto a la posibilidad de huida, al momento de trepar al galeón.

Teniendo cada uno solo una pistola y la espada en la mano, treparon al desprevenido bajel y mientras unos acallaban a los pocos guardias y tomaban posición en lugares estratégicos, otros se dirigían a la *Santa Bárbara* donde se adueñaron de las armas y municiones matando a los que se atrevieron a enfrentarlos. Al mismo tiempo, Pierre Legrand y otros acometieron la cámara de popa donde el capitán jugaba cartas. Con una pistola en el pecho y varias espadas en las gargantas de sus oficiales, el capitán fue intimado a rendir la nave.

«¡*Jesús ¿qué demonios son éstos?!*» dicen que se oyó decir cuando estas figuras fantasmales surgidas de la noche irrumpieron en la habitación.

Los desarrapados demonios se apoderaron del imponente galeón y de su valiosa carga. Pero Pierre Legrand no era un pirata común y no marchó con su valiosa carga a venderla a Tortuga, a emborracharse y gastar su ganancia con las prostitutas de la isla, sino que quiso embriagarse con el sueño con que fantasea todo desterrado: el regreso triunfal a su lugar de origen. Por eso, retuvo a los prisioneros que consideró necesarios para la navegación, dejó en tierra al resto y, a toda vela, puso proa hacia Francia donde se estableció como un rico y honorable propietario.

Ilustración del *Libro de los Piratas,* de Howard Pyle, mostrando a Pierre LeGrand, en un abordaje a un buque español.

Pedro Francisco

Pedro Francisco era capitán de una barca con veintiséis bucaneros lanzados a la caza de algún buque español. Habían estado largo tiempo apostados esperando a los navíos que debían retornar de Maracaibo hacia Campeche, pero al no obtener nada se dirigieron hacia Riohacha en la península de la Guajira donde había un banco de perlas. Los españoles acostumbraban enviar allí a una flota de hasta doce barcas custodiada por un navío de guerra. Cada barca llevaba esclavos negros que se zambullían a recoger las perlas.

Cuando Pedro Francisco y sus hombres llegaron al lugar, encontraron una flota de barcas ancladas en diferentes puntos de la costa. Para su alegría vieron que el navío de guerra estaba bastante alejado y con disimulado desinterés se fueron acercando como quien pasa de casualidad. Al ponerse a distancia de la barca principal que estaba protegida por piezas de artillería y hombres armados, los intimaron a entregar la nave. La batalla fue breve y terminó con la rendición de los españoles. Rápidamente cambiaron de nave, echaron a pique la suya, enarbolaron el estandarte español y, manteniendo los prisioneros, izaron las velas con intención de ir a atacar a la nave de guerra.

Pero cuando desde la nave de guerra vieron que una de sus barcas tenía las velas izadas pensaron que quería escaparse con las perlas y resolvieron darle caza. Pedro Francisco, al ver que la sorpresa había fallado, buscó salir del río a toda vela y escapar con la riqueza que ya había conseguido. El viento era escaso y las naves se movían muy lentamente. De pronto el palo mayor dañado en la refriega terminó de romperse con lo que los piratas quedaron parados en mitad de las aguas. Los españoles siguieron avanzando metro a metro hasta que estuvieron a tiro de su artillería.

Los piratas con veintidós hombres en condiciones, el resto estaban heridos o muertos, y la nave inmovilizada, no podían presentar demasiada batalla y armaron su defensa solo para poder negociar una mejor rendición. Cosa que lograron consiguiendo del capitán de guerra la promesa de no ser tratados como esclavos y dejarlos en tierra franca luego de haber rendido las armas y entregado lo robado. En este caso la fortuna jugó en contra de los piratas que, de no haber roto el palo mayor, habrían logrado un importante botín de perlas, víveres y alhajas entre otras cosas.

Bartolomé «Portugués»

Bartolomé, como buen portugués, hijo de una nación de navegantes, desde muy joven había salido al mar y en las Antillas se hizo pirata. Aunque conocido en muchos lugares, en especial por comerciantes y pueblos costeros, su historia comienza sobre una barca con treinta hombres y cuatro piezas de artillería navegando desde Jamaica hacia la isla de Cuba. Frente al cabo Corrientes se encontraron con un navío que transportaba mercancías desde Maracaibo y Cartagena para La Habana. Era un buque grande armado de veinte cañones y unos setenta hombres, entre marineros y pasajeros. Pero ésto no desanimó al «Portugués» que comenzó el ataque tratando de esquivar la artillería española y acercarse lo suficiente para lanzarse al abordaje. El navío se defendió evitando los primeros intentos, pero la buena puntería y el coraje de quienes han acordado jugarse todo en su acción, después de una larga batalla, lograron abordar y rendir el galeón español.

Dueños de un gran navío con una importante carga de cacao y oro, solo diez hombres perdidos en la lucha y no demasiados heridos, los piratas festejaron su éxito. Pero la buena fortuna tiende a ser cambiante y pasajera. El viento soplaba en contra de la ruta a Jamaica y ya no quedaba agua en la nave, por lo que resolvieron seguir viaje por la parte occidental de la isla hasta el Cabo de San Antonio que conocían como un sitio seguro para hacer aguada. Estaban ya cerca del cabo cuando se encontraron, imprevistamente y sin posibilidad de huida, con tres navíos grandes de Nueva España (México) que iban hacia La Habana. No tuvieron ni siquiera posibilidad de presentar pelea y pronto se vieron prisioneros y despojados de su enorme botín. Días después, una fuerte tempestad cayó sobre la pequeña flota; los navíos se separaron y el que transportaba a los piratas fue a dar a Campeche. Estando el barco en puerto llegaron diversos comerciantes a saludar y hacer negocios con el capitán. Allí reconocieron al prisionero como a un antiguo conocido, autor de buena cantidad de muertes, robos e incendios de los que ellos guardaban buena contabilidad.

De inmediato, las autoridades de la ciudad comenzaron los preparativos para ajusticiarlo al día siguiente sin más trámite que el traslado hasta el patíbulo, a fin de evitar que se fugara como otras veces. Bartolomé, que conocía bien el español, supo lo que se le preparaba y esa misma noche, luego de encargarse del guardia que lo custodiaba, como no era buen nadador, tomó dos vasijas vacías de vino, las taponó bien y se deslizó con ellas hasta el agua. Nadó en silencio hasta la orilla y se internó en un bosque cercano. En el hueco de un árbol permaneció cerca de tres días hasta que vio finalizada la desesperada búsqueda de los soldados españoles por todo el bosque. Cuando ya se creyó seguro comenzó a caminar por la costa alejándose de la ciudad. Alimentándose con mejillones y moluscos de la costa, teniendo que atravesar algunas rías con la dificultad de no saber nadar bien, anduvo alrededor de quince días hasta que llegó al cabo Triste donde encontró un navío de piratas a los que conocía pues venían de Jamaica.

Después de narrar sus desventuras, los convenció de ir a tomar el navío que aún debía estar anclado en Campeche. Partió con una barca de regreso a la ciudad que lo quería ejecutar y, en medio de la noche con veinte hombres bien armados, trepó al desprevenido buque. Bartolomé conocía muy bien la disposición del buque y donde se apostaban los guardias. Distribuyó a sus hombres y en poco tiempo se adueñaron de la nave que descansaba en la seguridad de sus propias fuerzas y la cercanía del puerto.

Sin demoras cortaron las anclas y extendieron todas las velas para huir de aquel puerto. Apenas estuvieron lejos de la costa constataron que, aunque el dinero había sido trasladado a la ciudad, aún quedaban muchas mercaderías en el barco que pronto serían vendidas a buen precio en Jamaica. Bartolomé Portugués brindó por su buena fortuna que le había permitido vengarse de quienes preparaban su ejecución. Había pasado, en breve tiempo, de capitán de un barco a prisionero despojado de todos sus bienes, criminal condenado a la horca y nuevamente a dueño de una enorme embarcación. Pero la fortuna es una amante engañosa que cuando parece que nada puede ser mejor se aleja con implacable indiferencia. Los felices piratas siguieron camino a Jamaica contando sus bienes y la diversión que allí les esperaba, cuando al llegar cerca de la isla de Pinos a unos cincuenta kilómetros de Cuba, la fortuna le volvió la espalda. Una furiosa tempestad arrojó el navío contra los peñascos de los cayos. Bartolomé Portugués, con sus marineros, logró salvarse en una canoa con la que llegó a la isla de Jamaica tan pobre como había salido. Pero allí se quedó solo el tiempo necesario para organizar una nueva expedición con la que salir a atrapar la fortuna que siempre le fue esquiva.

Rock «el brasilero»

Había nacido en Groningen, al norte de los Países Bajos y llegó a América con la Compañía Holandesa de las Indias Occidentales. Permaneció en Brasil hasta que la Compañía tuvo que abandonar sus posesiones cuando los portugueses ocuparon la región. Desempleado llegó a Jamaica y en esa universidad pirata hizo sus primeros estudios. Fue marinero raso durante un tiempo ganándose el respeto de sus

pares por su fuerza y su rudeza. A tal punto que, cuando un grupo de marineros tuvo un altercado con el capitán y decidió abandonar el barco, se sumó a los rebeldes que lo eligieron como su capitán.

No pasó mucho tiempo hasta que el azar lo puso frente a un buen navío que venía de Nueva España (México). Logró capturarlo y se encontró con una importante carga de plata con la que regresó triunfante a Jamaica y elevó considerablemente la cotización de su fama. El dinero y la celebridad adquirida acentuaron su rudeza y su brutalidad y, en ocasiones, cuando se emborrachaba salía por las calles hiriendo con su espada a cuantos encontraba en el camino. También descargaba toda su crueldad con los españoles que llegaban a caer en sus manos. Se dice que llegó a poner en la parrilla y asar a algunos que, supuestamente, no querían mostrarle dónde tenían guardados los bienes o los víveres.

En una ocasión Rock se encontraba cruzando las aguas entre Campeche y Triste, con un considerable botín en su bodega, cuando sobrevino un gran huracán que arrojó al navío contra la costa. A duras penas logró escapar con sus marineros perdiendo su barco y todas sus pertenencias, sin poder salvar más que sus mosquetes con unas pocas balas y algo de pólvora. Marcharon hacia el golfo Triste donde los piratas solían anclar para reparar o refrescar sus navíos. Pero en el camino fueron descubiertos por una tropa de jinetes españoles que comenzaron a perseguirlos. A pesar de la diferencia de número, Rock decidió combatir y se puso al frente de sus hombres dándoles ánimo ante el hecho de que serían indudablemente ejecutados si se entregaban. La puntería de los piratas se hizo sentir derribando con sus mosquetes a un buen número de jinetes. Después de un par de horas de lucha los españoles, ante la dificultad de rendirlos, se retiraron en busca de refuerzos.

Los hombres de Rock ultimaron a los heridos y despojaron de sus pertenencias a los muertos. Con los caballos que lograron tomar, siguieron su marcha tratando de alejarse cuanto antes del lugar. En el camino divisaron una barca armada que estaba custodiando a algunas canoas que cargaban leña de un bosque cercano. Las estudiaron durante la noche y a la mañana siguiente tomaron una y, con ella, atacaron la barca de guerra sin tener demasiada resistencia. De esta manera se adueñaron del resto de las naves. Como hallaron pocas vituallas y abundante sal, mataron algunos de los caballos y salaron su carne para alimentarse hasta encontrar mejores provisiones.

Poco tiempo después, con esta pequeña flota, tomaron un navío que venía de México para Maracaibo con mercaderías y dinero para comprar cacao. Con este buque lograron regresar a Jamaica. Pero allí la fortuna adquirida no les duró mucho tiempo y pronto se vieron en la necesidad de retornar al trabajo del mar. Rock el Brasilero marchó hacia el cabo de Campeche, que era uno de sus lugares más frecuentados. Allí permaneció aguardando el paso de un posible botín. En una ocasión en que se había acercado con su canoa muy cerca del puerto para ver si había algún navío español, cayó prisionero con todos sus hombres. Mientras aguardaba en un calabozo a ser ahorcados a la brevedad, Rock escribió una carta que supuestamente estaba dirigida al Gobernador por otros piratas con amenazas a su persona y a la ciudad si trataban mal a estos prisioneros y jurando que no tendrían piedad de ningún español que cayese en sus manos.

El ardid hizo su efecto y el Gobernador, ante la duda, prefirió deshacerse de ellos embarcándolos como marineros a España con el previo juramento de abandonar para siempre la piratería. Estas vanas promesas no duraron demasiado tiempo y pronto estuvieron de vuelta en las aguas del Caribe.

El Olonés

Había nacido como Jean David Nau en Les Sables d'Olonne sobre la costa atlántica francesa, un puerto comercial y punto de partida de buen número de piratas que se lanzaban hacia el Caribe americano. Hacia allí partió como *engagé* en un barco francés y, cuando hubo cumplido sus dos años de servidumbre, entre las escarpadas montañas y los valles costeros de La Española, aprendió el oficio de cazador bucanero.

Jean David Nau, el Olonés, a quien llamaban François l'Olonnais, uno de los más crueles filibusteros del siglo XVII.

No pasó mucho tiempo hasta que comenzó a hacer sus viajes furtivos como marinero de un barco pirata. Exitosos saqueos y una frecuente demostración de coraje y decisión en los ataques le ganaron el respeto de sus colegas y la confianza del Gobernador de Tortuga, Monsieur de la Place, que lo hizo capitán de una nave. En poco tiempo retribuyó la confianza recibida con un buen número de barcos capturados.

Su implacable crueldad le dio rápida fama en todo el Caribe y su nuevo nombre, *Francisco el Olonés,* fue una razón de temor entre los españoles que cuando lo enfrentaban sabían que no habría clemencia.

Fama y riqueza lo acompañaron durante bastante tiempo, pero la fortuna de los piratas siempre es cambiante y en una ocasión en que navegaba cerca de las costas de Campeche una repentina tormenta arrojó su nave contra las rocas. Había logrado abandonar la nave con sus marineros, cuando una partida de españoles los descubrió y atacó en la playa. Rodeado y casi sin armas, la batalla estaba decidida antes de empezar. Al verse herido y sin posibilidades, intentó un último recurso. Con arena y sangre se cubrió la cara y se ocultó entre los cuerpos de los muertos. Cuando los españoles se retiraron, se ocultó en el bosque hasta recuperarse de sus heridas. Luego marchó hacia la ciudad de Campeche donde se puso en contacto con un grupo de esclavos a los que convenció de huir. Mientras en la ciudad se festejaba la muerte de tan temido pirata, el Olonés robaba una canoa y con un grupo de esclavos huía rumbo a Tortuga.

De nuevo en la capital de la piratería caribeña, aunque sin dinero, haciendo uso de su nombre y de su astucia, logró armar una pequeña expedición. Con dos canoas y unos veinte marineros armados y provistos marchó hacia la isla de Cuba a un pequeño puerto en la villa de Los Cayos donde se comerciaba tabaco, azúcar y pieles. Como la zona era muy poco profunda para barcos grandes, todo el tráfico se realizaba con barcas. El Olonés pensó primero conseguir alguna de ellas antes de ir por más.

Unos pescadores que pudieron escapar a su ataque llevaron por tierra la noticia de su presencia a la ciudad de La Habana. El Gobernador, que había tenido noticias de su supuesta muerte, envió una nave armada con la expresa orden de ejecutar a los piratas en el mismo lugar en que los atrapasen, salvo al Olonés, que debía ser llevado con vida a La Habana.

Los piratas, advertidos de la presencia de la nave española, no intentaron huir sino que ocultos en las rías esperaron a que anclara frente a la villa. Obligaron a unos pescadores a mostrarles el ingreso al puerto y durante la madrugada avanzaron hacia la nave. El centinela los detuvo preguntando de dónde venían y si habían visto piratas. Hicieron responder a uno de los prisioneros que no habían visto a nadie, lo que tranquilizó a los guardias y pudieron avanzar sin problemas.

Antes del amanecer la nave se vio asaltada por la terrible furia del Olonés y sus piratas. Vencidos los españoles, los que lograron sobrevivir se refugiaron en el interior de la nave. Uno a uno fue haciéndolos salir para decapitarlos luego de interrogarlos. Solo un español quedó con vida para llevar un mensaje al Gobernador sobre lo que le esperaba a él y a todo español que se pusiera a su alcance.

Nuevamente sobre un buen navío retomó su camino de saqueo y cerca del puerto de Maracaibo capturó a un navío cargado de plata y mercaderías. Algunos prisioneros de este barco le dieron información detallada de caminos y lugares de acceso a la ciudad de Maracaibo y, ya de regreso en Tortuga, se puso como objetivo tomar esta ciudad.

Necesitaba armar una gran flota y para ello hizo proclamar en toda Tortuga sus intenciones. En poco tiempo tuvo más de cuatrocientos hombres listos para acompañarlo. Un pirata de nombre Miguel de Basco, que se había retirado con una importante fortuna, se entusiasmó con los preparativos del Olonés y se ofreció como socio y capitán de tierra, pues conocía bien la región y tenía gran experiencia como soldado.

Los bucaneros de la isla La Española los proveyeron de la carne que necesitaban y, a finales de julio, partieron con más de mil hombres. Pronto acrecentaron la flota con un buque que iba de Puerto Rico a Nueva España cargado de cacao. Cuando lo llevaban a Tortuga para descargarlo se encontraron con otro que se dirigía a Santo Domingo con municiones y dinero para la paga de los soldados, que también quedó en manos de los piratas.

El Gobernador de Tortuga hizo descargar ambos barcos y despacharlo inmediatamente cargado de víveres. El Olonés se quedó con la última nave atrapada, entregando la suya a Antonio Du Puis y, entusiasmados por los primeros éxitos, comenzaron su marcha hacia Maracaibo.

Al llegar al golfo de Venezuela anclaron alejados del vigía de la isla que estaba a su ingreso y en la madrugada ingresaron al lago con todos los navíos sorteando cuidadosamente los bancos de arena de la entrada. Descendieron a tierra y avanzaron hacia la primera fortaleza de la Barra. En el camino se enfrentaron con algunos grupos de soldados que intentaron emboscarlos hasta que, después de varias horas de combate, lograron tomar el fuerte y poner en fuga a los españoles. Después de destruir el lugar y recoger a los heridos, regresaron a los barcos.

A la mañana siguiente pusieron proa hacia la villa de Maracaibo. A pesar de que la distancia era de apenas unas seis leguas, la falta de viento los demoró hasta el día siguiente. Mientras los botes avanzaban hacia la orilla, la artillería hacía fuego sobre el bosque de la ribera pensando que podría haber allí alguna retaguardia. Pero nadie respondió a los disparos. Una avanzada de hombres se acercó hacia la villa con prudencia, pero tampoco hubo respuesta. Finalmente comprobaron que sus moradores habían huido de Maracaibo.

Dueños de la ciudad, se apropiaron de las mejores casas y de una abundante provisión de víveres, ganado y licores con lo que los piratas comenzaron sus banquetes, no sin antes distribuir centinelas por toda la ciudad. Al día siguiente una partida de ciento cincuenta piratas salió en busca de alguno de los fugitivos habitantes. A la segunda noche regresaron con un grupo de veinte prisioneros con mulos cargados de muebles y mercaderías. Comenzaron a torturar a algunos para que revelaran dónde se ocultaban los prófugos y en especial sus riquezas, pero no lograron ninguna confesión. El Olonés, entonces, eligió a uno de los prisioneros y comenzó a cortarlo en pedazos con su alfanje frente a los demás mientras les gritaba que si no confesaban dónde habían escondido sus posesiones los cortaría uno por uno.

Finalmente uno de los españoles accedió a llevarlo hasta el lugar donde se ocultaban los demás con sus pertenencias. Pero fue tarde, los fugitivos sospechando que los harían confesar habían cambiado de lugar, con lo que el enfurecido pirata no pudo echarles mano. Luego de permanecer quince días en Maracaibo, embarcaron los prisioneros y el botín conseguido con intención de ir a tomar San Antonio de Gibraltar y Mérida. Pero, al llegar, descubrieron que los esperaba una importante artillería y más de ochocientos hombres armados. Reunidos en consejo, los piratas deliberaron qué hacer frente a esta resistencia que sería muy difícil de vencer. A su turno de la palabra, el Olonés les recordó las ocasiones en que habían vencido con menos gente de la que hoy tenían y que seguramente allí estarían refugiados los pobladores de Maracaibo que no habían podido hallar por lo que el botín sería enorme. Cuando los ánimos estuvieron entusiasmados y todos acordaron realizar el ataque, el capitán pirata les advirtió que al primero que mostrase temor o duda él personalmente le daría un pistoletazo. Advertencia que cada uno sabía que no era en vano. Antes del amanecer habían desembarcado trescientos ochenta hombres armados con un alfanje y pistolas con pólvora y balas como para unos treinta tiros. Al frente iba el Olonés iniciando la marcha.

Los españoles habían bloqueado el camino principal y tuvieron que tomar otro con trechos pantanosos donde los piratas debieron cortar y echar ramas para no hundirse en el lodo, mientras la artillería no cesaba de dispararles. Con gran dificultad lograron salir del bosque y avanzar por tierra firme cuando se toparon con un puesto de seis piezas de artillería que los recibió con un fuego cerrado provocando más bajas dentro de los piratas. Un asalto de los españoles los hizo retroceder alejándolos de esta primera fortaleza. Inútilmente trataron de buscar otro camino, pero los españoles habían bloqueado todas las otras posibilidades. La artillería seguía disparándoles y los soldados se mantenían refugiados sin intención de hacer otro ataque.

El Olonés, ante la imposibilidad de atacar de frente a este fuerte, ordenó una falsa retirada huyendo en desorden hacia el bosque. Cuando los españoles, creyendo en su victoria, salieron a perseguirlos los piratas espada en mano se volvieron contra ellos, quedando inútil la artillería que no podía disparar sobre su propia gente. La matanza fue enorme y los hombres del Olonés se apoderaron de la fortaleza mientras los soldados y pobladores armados que habían escapado a sus espadas huían hacia los bosques. Sin embargo, quedó en sus manos un gran número de prisioneros que fueron encerrados en la iglesia. Dueños de la fortaleza, reordenaron la artillería por si recibían otro ataque de los españoles, pero al día siguiente, como nada ocurrió, decidieron recoger los heridos y enterrar a los muertos por temor a las pestes. Usando a los prisioneros, cargaron los cuerpos en dos barcas que llevaron al centro del lago y echaron a pique. Ya realizadas estas imprescindibles acciones, se dedicaron a los negocios. Comenzaron saqueando minuciosamente cada una de las viviendas y trasladando lo hallado hacia los barcos, luego siguieron por las zonas cercanas donde moraban pescadores y plantadores.

Durante dieciocho días cada prisionero fue tasado en su valor de rescate y se prolongaron las torturas y muertes a aquellos que no confesaban sobre escondidos tesoros que no sabían o no tenían. Enviaron un grupo de españoles a exigir a los que se habían ocultado en el bosque el pago de los rescates y la exacción de quema, es decir, un rescate por no quemar toda la ciudad. Pasados los dos días de plazo y, al no tener respuesta, comenzaron a incendiar distintas partes de la aldea. Ante la certeza de que los piratas estaban decididos a devastar el poblado, entregaron el dinero exigido. Finalmente, embarcaron todo lo robado con los prisioneros que no habían pagado su porción o su rescate y marcharon hacia Maracaibo. Con enorme aflicción, sus habitantes vieron aparecer nuevamente a los piratas y su reclamo de pago por el rescate de su villa amenazada de ser arrasada totalmente.

Logrado un acuerdo, los piratas recibieron dinero y ganado con la promesa de partir de allí. Pero tres días después de la partida de esta temible amenaza, y cuando ya comenzaban a retomar su calma habitual, vieron aparecer nuevamente uno de los barcos piratas. Pasada la primera desesperación, con gran alivio se enteraron de que el Olonés pedía que le enviasen un piloto conocedor de la zona para guiarlos fuera de los peligrosos bancos de arena de la entrada al lago.

Ocho días después los piratas recalaban en La Española, luego de dos meses de expedición y una enorme fortuna en sus bodegas. Allí comenzó la minuciosa cuenta de todo lo obtenido y su no menos escrupulosa repartición. Cada pirata recibió su parte de acuerdo a su aporte inicial, su cargo y su desempeño en las batallas. Dinero de contado, piezas de seda y lienzo, joyas y demás mercancías fueron democráticamente repartidas. Antes que nada, los heridos recibieron sus recompensas de acuerdo a sus pérdidas y mutilaciones. También se hizo el reparto de los bienes que correspondían a los muertos y que fue guardado por sus amigos para que éstos lo entregasen a sus parientes o herederos. Luego partieron hacia Tortuga donde fueron recibidos con grandes muestras de alegría, en especial de los taberneros y comerciantes. El mismo gobernador compró buena parte de las mercancías, obviamente, a mitad de precio y, luego de una frenética fiesta de aguardiente y prostitutas, la fortuna de los piratas fue cambiando de mano. Pronto tendrían que regresar al mar.

El pirata abstemio

Bartholomew Roberts era galés. Había nacido un 17 de mayo de 1682 en la pequeña aldea de Casnewydd-Bach, a unas cinco millas de Fishguard, en Pembrokeshire. Criado en sus extensas playas fue naturalmente marinero desde niño y aunque no se sabe de qué manera, demostró cabalmente que había recibido una fina instrucción. Se hizo un experto marinero y llegó a segundo oficial del buque esclavista *Princesa de Londres* que comandaba el capitán Plumb.

En 1719 mientras transportaba mercancía humana hacia las Indias, el buque negrero fue apresado en Annamaboa, en la Costa Dorada del África occidental por el pirata galés Howel Davis, quien como una forma de salvar la vida ofreció a sus prisioneros la oportunidad de sumarse a su tripulación. Roberts no lo pensó dos veces y a los 37 años se hizo pirata.

Las notorias habilidades como navegante de Bartholomew Roberts pronto le hicieron ganar el respeto del capitán pirata que lo puso bajo su protección. Tan solo seis meses después el Destino le preparaba un nuevo cambio en su vida. En el ataque a un establecimiento esclavista portugués en la Isla de los Príncipes, Howel

Davis cayó herido de muerte. Los hombres del barco pirata Rover en asamblea eligieron al sorprendido Roberts como su nuevo capitán. Su primera acción fue organizar un nuevo ataque a la isla para vengar la muerte de su capitán. Desembarcaron durante la noche y, después de matar a la mayoría de los hombres de la población, saquearon totalmente el lugar.

De allí avanzaron hacia Brasil donde lograron apoderarse de un buque mercante holandés con un importante botín de azúcar, cueros, tabaco y unas 50 000 libras esterlinas. De entre las numerosas joyas encontradas, Roberts se quedó, como parte de su botín, con una gran cruz de diamantes que se enviaba al rey de Portugal y que guardó para lucirla en las grandes ocasiones.

En las islas Diablo los piratas celebraron su primera gran victoria que sería el inicio de una interminable serie de hazañas que convertirían a Bartholomew Roberts en el más exitoso de la historia de la piratería. Este extraño capitán, que odiaba el simple hecho de estar en la cubierta, fue el arquetipo de la distinción dentro de la piratería. Era alto, bien parecido, vestía elegantemente, usaba joyas y sus modales eran finos y exquisitos. Puritano al extremo, trataba a los que conocía con respeto y amabilidad, en especial a las damas, prohibía el exceso de juego entre su tripulación y celebraba misa a bordo todos los domingos.

Limpio y rasurado, siempre estaba sobrio pues nunca bebía alcohol, ya que era abstemio y prefería el té al ron. A su vez, gustaba de la música y solía contratar músicos a bordo. Amaba las telas costosas, la pedrería, las flores, las plumas, las armas ricamente recamadas y todo aquello que fuera signo de opulencia o de arte. Pero sus finos modales, su instrucción y su impecable y bella letra no debían confundir a sus enemigos que solían sufrir muertes despiadadas. A lo largo de cuatro años, el ostentoso capitán Roberts dirigió victoriosamente a su tripulación en batallas que, por lo general, le superaban en hombres y armas. Su hábil manejo del timón, el uso de la sorpresa y la velocidad en sus ataques, incrementaron su reputación con cada conquista.

Las hazañas de Roberts a partir de aquí fueron interminables. Se convirtió en el pirata más exitoso de la historia, contabilizando cuatrocientos cincuenta y seis embarcaciones capturadas en los cuatro años que duró su carrera. Se dice que en una ocasión apresó veintidós naves al mismo tiempo. Varios gobernadores del Caribe intentaron apresarlo en diversas ocasiones. En el mástil de su nave ondeaba una bandera pirata que Roberts había mandado hacer especialmente. En ella estaba representada su propia figura, armado con una espada y con dos calaveras bajo sus pies en las que se veían las letras A.B.H. y A.M.H. Eran las siglas de «A Barbadian's Head» y «A Martinican's Head», es decir, las calaveras de los gobernadores de Martinica y Barbada, que habían pretendido capturarlo.

La carrera de Bartholomew Roberts terminó abruptamente el 10 de febrero de 1722 cerca de Cabo López en Gabón, cuando, a bordo de su barco principal, el *Royal Fortune*, fue alcanzado en el cuello por un disparo de balines de cañón mientras se enfrentaba al *Swallow*, un buque de guerra de la Marina británica comandado por el capitán Chaloner Ogle. Sus marineros le oficiaron el funeral que él mismo había indicado. Antes de que fuera capturado por el enemigo, envuelto en sus mejores ropas, cubierto de púrpura y encajes, su cuerpo fue arrojado al mar. Sus ciento sesenta y dos hombres fueron juzgados y cincuenta y dos condenados a morir en la horca, en el mayor proceso que tuvo la historia de la piratería. Se ha descubierto que al momento del combate final, perdido su capitán, la mayoría de la tripulación estaba ebria a la hora del combate. La muerte de Roberts y la destrucción de su flota pirata en 1722 fue uno de los golpes más importantes que inició el fin de la piratería en América.

El Codigo Pirata, de Roberts (INFO)

Dentro de los diferentes códigos piratas que existieron y que todo tripulante debía firmar con su letra o con su marca como requisito indispensable para tener derecho a voto en las asambleas y a su parte del botín, escrito probablemente en 1721, el *Código Pirata* de Roberts tenía once artículos que formaban un verdadero código de conducta:

I.   Todo hombre tiene voto en los asuntos del momento, tiene igual derecho a provisiones frescas o licores fuertes en cualquier instante tras su confiscación y pueden hacer uso de ellos a placer, excepto que la escasez haga necesario, por el bien de todos, su racionamiento.

II.   Todo hombre será llamado equitativamente por turnos, según la lista, al reparto del botín (sobre y por encima su propia participación); se le permitirá cambiarse de ropa para la ocasión pero, si alguno defrauda a la compañía por valor de un dólar de plata, joyas o dinero, será abandonado a su suerte en el mar como castigo. Si el robo fuese entre miembros de la tripulación, esta se contentará con cortar las orejas y la nariz al culpable y lo desembarcará en tierra, no en lugar deshabitado, pero si en algún sitio donde se de por sentado que encontrará adversidades.

III.   Nadie jugará a las cartas o dados por dinero.

IV.   Las luces y velas se apagarán a las ocho de la noche; si después de esa hora algún miembro de la tripulación se inclina a seguir bebiendo, puede hacerlo sobre cubierta.

V.   Mantener sus armas, pistolas y sables limpios y listos para el servicio.

VI.   No se permiten niños ni mujeres. Si cualquier hombre fuera encontrado seduciendo a cualquiera del sexo opuesto, y la llevase al mar, disfrazada, sufrirá la muerte.

VII.   En batalla la deserción del barco o sus camarotes será castigada con la muerte o al abandono a su suerte en el mar.

VIII.   No se permiten las peleas a bordo, pero las disputas de cualquier hombre se resolverán en tierra, a espada y pistolas.

IX.   Ningún hombre hablará de dejar su modo de vida hasta que haya aportado 1 000 libras. Si para conseguirlo perdiera una extremidad o quedara impedido para el servicio, se le darán 800 dólares extraídos del inventario común y por heridas menores, en proporción a su gravedad.

X.   El capitán y su segundo recibirán dos partes del botín; el maestre, contramaestre y cañonero una parte y media, y el resto de los oficiales una parte y un cuarto.

XI.   Los músicos tendrán descanso el sábado pero los otros seis días y noches ninguno, a no ser por concesión extraordinaria.

Barbanegra

Siendo Bristol la tercera ciudad en importancia de Inglaterra desde el siglo XIV, por detrás de Londres y York, había sido mermada duramente por la peste negra, la ciudad tuvo su revancha cuando su burguesía portuaria logró enormes beneficios financiando las expediciones piratas y negreras. Junto con Liverpool, se convirtió en centro del comercio de esclavos. Entre los años 1700 y 1807 más de dos mil barcos partieron de su puerto rumbo al África occidental cargados de mercancías que cambiaban por esclavos. De allí partían con esa carga humana hacia las Indias Occidentales donde la vendían para las plantaciones del Caribe. Regresaban con las bodegas repletas de minerales, azúcar o cacao. Este comercio fue la principal fuente de prosperidad durante más de un siglo, con ganancias de hasta el 500% que dieron origen a grandes fortunas.

De alguna de esas familias burguesas de buena posición dicen que en 1680 había nacido Edward Drummond. Poco más de veinte años tenía cuando se enroló en un barco corsario durante la Guerra de Sucesión española, al servicio de la reina Ana I de Gran Bretaña e Irlanda, entre 1702 y 1713 y, aunque dio reiteradas muestras de coraje en las batallas y era uno de los primeros en el abordaje, no pudo ascender de su grado de marinero. Tal vez por esta razón decidió cambiarse a un oficio más lucrativo y en 1715 se convirtió en Edward Teach y estuvo bajo las órdenes del capitán pirata Benjamín Hornigold quien al poco tiempo le confió el mando de una *sloop* o corbeta, una embarcación de un solo mástil con vela y foque. Durante dos años, Teach acompañó a Hornigold con su corbeta, hasta el día en que logró abordar un gran navío mercantil francés. Después de esta demostración de valor recibió, en noviembre de 1717, el mando del buque *Le Concorde,* un navío francés armado de cuarenta cañones y que el nuevo capitán rebautizó con el nombre de *Queen's Anne Revenge* (La Revancha de la Reina Ana).

Al año siguiente, con una pequeña flota de cuatro navíos y cerca de trescientos hombres bajo sus órdenes, Teach decidió que era hora de navegar por su cuenta. Se separó de Hornigold y se dedicó a recorrer las costas de Carolina del Norte, multiplicando sus abordajes y captura de barcos. En tan solo un año más de cuarenta naves cayeron víctimas de su piratería. Como buen pirata, asumió un semblante y modo de vestir aterradores. Los que lo conocieron refieren que medía cerca de dos metros o, al menos, era más alto que la mayoría de los hombres de su época. Alto y muy fornido tenía un aire imponente y cultivaba con dedicación su aspecto terrible. Llevaba una larga barba negra trenzada y llena de grasa que le cubría el pecho y que le dio el nombre de «Blackbeard» o Barbanegra con que perduraría en la historia. Vestía capa y sombrero negros y ataba varias pistolas cebadas a su pecho listas para usar.

Dicen que hacía gala de una repulsiva falta de aseo, apestando a sudor mezclado con ron y pólvora. A diferencia de otros capitanes que daban una imagen de atildados caballeros, Barbanegra prefería cultivar una imagen de furia y de monstruo sanguinario. Sus ropajes, siempre en mal estado y ajados, eran testigo visible de sus numerosos combates. Se decía que eran de color oscuro por la sangre de sus víctimas. Después de capturar un barco, asesinaba a toda su tripulación y, para robar el anillo de algún pasajero, podía llegar a cortarle el dedo. También se refiere que, para distraerse del aburrimiento, solía disparar a ciegas sobre sus marinos para observar el impacto de sus balas y sus consecuencias. Se justificaba diciendo: «!*Si no matase a uno de cuando en cuando, acabarían por olvidarse de quien soy yo*!».

Antes de una batalla se encendía mechas de quema lenta entre el cabello y el sombrero que colgaban a lo largo de su rostro y dejaban una estela de humo negro para atemorizar a sus enemigos. Se dice que, tras una buena captura, gustaba enterrar sus botines y tesoros en alguna costa desierta, ayudado por uno o dos de sus hombres que nunca volvían al barco. A Barbanegra no le gustaban los testigos que pudiesen revelar el lugar de sus tesoros enterrados. Siempre rehusaba dar indicaciones sobre cómo encontrar sus cofres: «*!Solo el diablo y yo sabemos dónde se encuentran mis tesoros, y el diablo se quedará con todo!*».

Pero estos relatos parecieran ser solo exageraciones y leyendas que seguramente el mismo pirata habrá contribuido a difundir. Pues, a pesar de estas referencias, ha sido uno de los más galantes. Llegó a casarse catorce veces, aunque nunca se divorció. Durante dos años, llevó sus actividades piratas asolando las costas de Carolina del Norte, de Virginia y de las islas del mar Caribe.

En 1718 el gobernador Spotswood de Virginia ofreció una recompensa y puso precio a su cabeza vivo o muerto. Dos buques ingleses al mando del teniente Robert Maynard de la Marina real se dispusieron a dar caza al pirata. Después de varios días de búsqueda, Maynard consiguió dar con Barbanegra en la bahía de Ocracoke (Estado de Washington). El pirata, advertido de la presencia de los ingleses, pareció no preocuparse ni rehuir el combate.

En la mañana del 22 de noviembre de 1718 se inició el combate y Maynard, al frente de su navío de guerra llamado *Peral*, se lanzó al abordaje del buque de Barbanegra. A la mejor manera de Hollywood, los dos capitanes se enfrentaron finalmente en la cubierta del barco. La lucha comenzó con un duelo a pistola. Agotados los disparos que lograron herir a Teach, los dos hombres se enfrentaron empuñando los sables. La espada de Maynard se rompió en la pelea y, cuando Barbanegra se lanzó sobre él para darle el golpe final, un marinero logró asestarle una terrible puñalada en la nuca. Con la sangre cubriéndole el rostro, el pirata continuó el combate recibiendo nuevas heridas. Finalmente, Maynard consiguió abatirle con un certero disparo y Teach se desplomó.

En el cadáver ya inerte del terrible pirata se contabilizaron al menos veinticinco heridas, cinco hechas por las balas. Maynard hizo decapitarle y poner su cabeza en un mástil. Pero, a pesar de esta exposición, muchos marinos y colonos rechazaron creer que verdaderamente Barbanegra había muerto. Tal vez por eso o porque el mito había hecho de él un personaje, durante largo tiempo muchos sangrientos actos de piratería le fueron atribuidos póstumamente.

LA ISLA DE LOS TESOROS PERDIDOS

«Solo el diablo y yo sabemos dónde se
encuentran mis tesoros,
y el diablo se quedará con todo...»

BARBANEGRA

Para los piratas muchas veces era más fácil conseguir un abundante botín que lograr llevárselo consigo. La falta de espacio en sus barcos, el temor a caer en manos de los navíos de guerra y la lógica desconfianza en piratas de otra hermandad hacían muy complicado el trámite de guardar los tesoros.

Por lo general estas riquezas terminaban en manos de los taberneros o de las prostitutas o en el fondo del mar, después de algún naufragio. Han sido pocos los piratas que lograron retirarse a tiempo para gozar de los capitales adquiridos con sus numerosas andanzas..

Todo esto llevó a que numerosas islas del Pacífico y del Caribe tengan la reputación de contener formidables tesoros enterrados en sus playas o en recónditas cavernas. El archipiélago de las Galápagos, el archipiélago de Recilla-Gigedo, las islas de Malpedo, Clipperton, Bancs, o la isla de Cocos han sido escenario de numerosas búsquedas, de excavaciones y de dinamitaciones en procura de esos legendarios tesoros enterrados.

De esos supuestos tesoros enterrados siempre aparece un antiguo mapa que muestra el lugar exacto del entierro, el cual está marcado con una «X», pero la localización nunca es precisa y contiene direcciones ocultas y vagas o indistintas de longitud y latitud que es necesario descifrar.

Muchos buscadores de tesoros han sido engañados con falsos mapas que aseguran tener la localización correcta para comenzar a excavar. De todos modos, la lista de supuestos tesoros enterrados en las zonas en las que operaban estos ladrones del mar es larga y las leyendas al respecto empezaron a aparecer mucho antes de que se hicieran investigaciones científicas al respecto. Hasta hoy los buscadores exploran concienzudamente las costas guiados por rumores, diarios de a bordo o declaraciones sumariales de marinos de los siglos XVII y XVIII. Pocos tesoros han sido desenterrados y, casi siempre, los gastos implicados se revelan demasiado elevados para proseguir con esas excavaciones.

En las costas de Carolina del Norte y Virginia se siguen buscando los tesoros escondidos de Barbanegra, aunque solo se han recuperado algunos cañones de su mítico barco.

Uno de los tesoros más ambicionados por los que aún hoy se ocupan de buscarlos es el de Francis Drake, que en muchas ocasiones cruzó el Estrecho de Magallanes para dirigirse a Chile y así, de saqueo en saqueo, fue asolando la costa del Pacífico hasta México, el Caribe y los mares del sur del continente americano. Se dice que el mayor de sus botines fue enterrado por él en Coquimbo, Chile.

Se dice que Morgan, celoso de sus tesoros, no permitía que ninguno de sus hombres les pusiese la vista encima. Y cuentan crónicas lejanas que, habiendo reunido el fruto de sus años de rapiña en un inmenso cofre, lo había enterrado en una isla desierta que no figuraba en ningún mapa.

Tiempo después, fue capturado y conducido hasta Inglaterra para ser juzgado por haber saqueado Panamá después de que Inglaterra hubiese firmado un tratado con España. Pero el rey Carlos II, convencido de su lealtad, concedió a Morgan el título de sir y le nombró vicegobernador de Jamaica.

Muchos dicen que, tras este nombramiento, Morgan regresó a su isla en busca de su tesoro. Hay leyendas que cuentan que lo trasladó a Jamaica donde sigue enterrado, otros que lo dilapidó

Edición de 1886 de la *Isla del Tesoro*, de Robert Louis Stevenson. En él aparece un mapa para encontrar el tesoro escondido.

hasta la última pieza de oro. Otra versión de los hechos relata que no halló ni rastro del baúl del tesoro, ni tampoco a su segundo de abordo que repentinamente había desaparecido.

Otro pirata de quien se dice, con la certeza de estos relatos, que enterró su tesoro es William Kidd, quien al parecer escondió una parte de lo que había robado en algún punto de Long Island antes de dirigirse a Nueva York. El Capitán Kidd empezó sus andanzas de pirata como corsario de la Corona británica, pero su carácter lo acabó llevando por el camino de la piratería abandonando la política y el patriotismo. Se dice que escondió su tesoro con la intención de usarlo como seguro de vida. A pesar de sus prevenciones, parece que su precaución no le funcionó y cuando lo capturaron fue condenado a la horca.

La literatura propició enormemente el desarrollo de este imaginario colectivo sobre mapas y tesoros enterrados. Entre estas producciones las más conocidas fueron *La Isla del tesoro* de R. L. Stevenson y *El escarabajo de oro* de Edgar Allan Poe.

Pero tal vez quien más ha contribuido a la idea del tesoro pirata y de su infaltable mapa incompleto haya sido la publicación de *El Libro de los Piratas* que tuvo una extensa lectura popular entre 1837 y 1859.

«El nombre de pirata está asociado con ideas de riqueza, cofres de joyas enterrados, lingotes de oro, bolsas de relucientes monedas, ocultos en secretos y solitarios parajes, fuera de los caminos conocidos, enterrados en salvajes playas, o a orillas de ríos y de inexploradas costas de mar, cerca de rocas y árboles con misteriosas marcas […] A menudo asesinado o capturado, el pirata nunca podía regresar donde dejaba su tesoro, inmensas sumas permanecen enterradas en esos lugares, y están irremediablemente perdidas. La búsqueda es hecha por personas quienes con palas y picos se precipitan para obtener barras de oro, diamantes, cruces relucientes entre el polvo, bolsas de doblones de oro, ducados y perlas. Estos cofres están cerrados con grandes candados y cadenas, pero todos estos grandes tesoros están escondidos en tal forma que aún no han sido descubiertos. ¡Esperan por ti!» (*Libro de los Piratas*, 1837-1859).

Y MÁS AL SUR TODAVÍA

«Arranque sus costillas
y esternón,
construya las cuadernas,
ponga su alma
de mascarón de proa,
extienda sus ganas
como velas,
gane el viento
que le deben
y llore, luche, ame,
mate, llore, luche,
hasta hacer el mar».

Cómo hacer un barco,
(J. LEITE, *Ushuaia*)

Cuando aún no existía ni podía imaginarse la construcción del Canal de Panamá, en los inicios aún del reconocimiento de la co-existencia de unas tierras al fin del mundo, a los conquistadores se les hizo necesario buscar otras rutas, en este caso una al Pacífico; necesitaban algo que uniera ambos océanos, Atlántico y Pacífico. Así levaron anclas con rumbo a los mares del Sur, hacia una isla que, aunque helada, bullía en su imaginación según habían visto en un antiguo dibujo donde la mostraban como una isla tropical, con palmeras y mujeres con poca ropa...

Con ese sueño y ánimo plagado de bucólicas mujeres y pai-sajes dorados se echaron a la mar rumbo al Atlántico Sur, para al-canzar no solo aquellas remotas tierras donde el mundo pegaba la vuelta sino un paso, otro paso que les abriera una nueva puerta al Pacífico para remontarlo desde el Sur con destino quién sabe a qué otras tierras y oropeles.

Los primeros en arribar a la llamada isla del Cabo de Hornos, en el Atlántico Sur, fueron los holandeses Jacobo Lemaire y Wi-llem Cornelis Schouten, en 1616, logrando mostrar un camino y empezar a trazar la ruta del Cabo de Hornos. El comercio de opio, de té y especias despertaba ambiciones a los europeos, especial-mente en Inglaterra, y también la costa este del Norte de América donde se decía ya que también había oro para extraer de las cos-tas. Los ingleses habían iniciado el transporte del opio con ligeras goletas por el Mar de la China y se valían de su velocidad para em-plear el menor tiempo posible y eludir la acción de aquellos a quie-nes consideraban piratas, claro que ellos no se consideraban a sí mismos piratas, para ello alardeaban de sus patentes de corsos.

Tráfico mercantil a California

Ya corriendo el 1849, estalla la gran fiebre del oro en esa costa oeste de Estados Unidos, y más o menos simultáneamente en Aus-tralia. Circunstancia que se dio para empezar en la Villa de Yerba Buena, en California, todavía bajo el dominio de México, aunque luego y hasta la fecha haya pasado a manos de Estados Unidos,

La temida isla del Cabo de Hornos, la pesadilla de los marineros de todos los tiempos.

con el nombre de San Francisco (1846), mediante otros medios y a consecuencia de los más cercanos y vigentes modos de conquista o piratería. Para empezar surge una gran corriente migratoria, por llamar de algun modo feliz a aquellos hambrientos de oro y fortuna fácil. Es cuando empieza otra era de viajes. Empiezan a circular buques rápidos desde Europa por la ruta del Cabo de Hornos que además permitieran el transporte de pasajeros. En un tipo de velero rápido, aunque con limitada capacidad de carga, los famosos *clippers* (rápidos), en inglés y que justamente significa «moverse o deslizarse con rapidez». Eran variados, de distintos portes y con velamen diferente, coincidentes todos en las finas y esbeltas líneas con líneas de agua apropiadas para lograr velocidad. Sin duda, que para ese entonces los norteamericanos ya habían superado a los ingleses y les impulsaban a venderles los veleros para que siguieran saqueando el oro de las costas de la América toda y cubrir, con estos veleros, su propio tráfico a Oriente. Sin embargo, los ingleses no podían quedarse atrás.

Más adelante se empeñarían en fabricar buques semejantes como el legendario *Cutty Sark*, empleado en el tráfico del té. Para el 1850-1857 poseían ya 2 000 con hasta 130 hombres de enorme resistencia que alentaban con la promesa de las importantes ganacias y el costo de los pasajes, ávidos de llegar a San Francisco o Australia, según el caso y también de nuevo, hacia el Atlántico Sur. Pero en general el trafico de té y opio, a esas alturas, fue pretexto o abandonado por la búsqueda del oro.

El oro, en general en forma de pepitas de oro, se embarcaba bajo extrema seguridad. Los oficiales de abordo, esos que no se consideraban piratas, iban armados hasta los dientes mientras la tripulación era confinada en proa prohibiéndoseles arrimarse a observar la maniobra. Esta abundante actividad de los *clippers* perdió vigencia. Se volvió a los navíos lentos aunque de mayor envergadura. Y justamente el punto más complicado de la navegación era el pasaje del Cabo de Hornos, donde eran frecuentes los huracanes, el frío intenso, la presencia de témpanos y las incomprensibles corrientes marinas. Los que atravesaban el Cabo de Hornos venían de «bajada» por el Atlántico y a esa altura apuntaban hacia las islas Malvinas.

Navegaban al Oriente o al Occidente de las islas, y desde esa ubicación el capitán decidía cómo y cuándo poner rumbo hacia cabo San Juan de Salvamento, la isla de los Estados, desde donde lanzarse a cruzar el pasaje del Cabo de Hornos. No era aconsejable atravesar el Estrecho de Lemaire a causa de los vientos del Sudoeste y las limitaciones del estrecho para «bordejear» con cierta seguridad. Solo en 1884 se adquiere algo de seguridad cuando el gobierno argentino decide levantar el faro de San Juan de Salvamento, en el extremo oriental de la isla de los Estados, el «Faro del Fin del Mundo».

No solo el cruce del Cabo de Hornos o *Hoorn Caap*, el pasaje Drake o el estrecho de Magallanes era peligroso y de gran fama por eso, sino que eran igual de conocidos los misterios de la zona donde sucedían gran cantidad de naufragios y pérdida de naves. Aquello era uno de los mayores desafíos para cualquier navegante a velas, escenario especial aquel del «Nuevo Mundo» donde poner a prueba el coraje y el espíritu de aventura.

Maqueta de un típico buque, semejante al *Cuty Sark*.

Los mismos Schouten y Le Maire dieron nombre al cabo porque de ahí, de Hoorn Caap, puerto de Holanda, habían partido rumbo al Atlántico Sur, buscando una nuevo paso para las Indias Orientales, para no tener que atravesar el Estrecho de Magallanes y tener que pagar el cruce a la Compañía Holandesa de las Indias Orientales que ejercía el monopolio comercial en la zona. Aquellos crearon la Compañía Buscadora de Oro y emprendieron con ese fin la búsqueda del nuevo paso. Se trasladaban en dos naves, la *Hoorn* se incendió en Puerto Deseado mientras la estaban 'carenando' o sea aplicándole brea en el casco, proceso que se llevaba a cabo derritiendo brea en el fuego. Por eso en un descuido se desató el incendio. La otra nave, *Eendracht,* alcanzó Indonesia donde fueron apresados, pues no se les creyó a la tripulación ni al capitán haber descubierto el paso en el Cabo de Hornos y se les acusó de haber atravesado el estrecho de Magallanes sin estar autorizados.

Cada uno de los que cruzaba cualquiera de esos pasos sabía sin embargo que era probable no solo encontrar un nuevo paso, sino que por el que creían descubrir tal vez ya hubiese pasado alguien anteriormente. Y no se equivocaban. Desde Magallanes hasta Sir Francis Drake, corsarios, conquistadores o piratas, antes o después que ellos muchos marinos atravesaron los numerosos pasajes.

NAUFRAGIOS

«Una nave de piedra
quería aún embarcarnos
hacia donde sin alas
no se puede volar sin haber muerto».

PABLO NERUDA

Dos naufragios en la pintura: *La balsa de la Medusa* (1819), de Théodore Géricault, y *Tormenta con naufragio*, de Claude-Joseph Vernet (1754).

La isla de Hornos es la que está más al sur de las Hermite y fue descubierta en enero de 1616; su suelo es de turba, menos el gran cabo o peñón de granito. Está rodeada de islotes y rocas, motivo de no pocos naufragios, de los que nunca se llevaron registros muy exactos. Fueron registrados, solo a partir de la época de los *clíppers* y aquella aventurada tripulación en busca del oro californiano. Entre los naufragios se recuerda: el del *John Gilpin* en enero del 1858, cuya tripulación logró ser rescatada por el barco inglés *Herefordshire*; el *Olesen*, perdido en 1863; el *Heather Bell,* naufragio de 1865; la *Grassandale*, desaparecida en 1869; el *Japón* en 1870 que se incendió, yéndose luego a pique; *James W. Elwell*, que también se incendió doblando el Cabo de Hornos, del que pudo rescatarse a su capitán, un marino y una mujer que lograron alcanzar Punta Arenas; la barca estadounidense *Patmos,* incendiada en 1876; la *United Status,* incendiada y hundida en 1876; en mayo del 1882, el *Roseneath*; el *Oracle* en 1883; el *Parsifal*, hundido frente al Cabo en 1886; *Artist*, incendiada en 1887; la inglesa *Marlborough*, que en 1890 desaparece con un inmenso cargamento de oro, carne y lana; la dinamarquesa *Amy*, naufragio del 1894; la *Drummuir*, barca inglesa de tres palos, apresada y hundida en 1914 durante la primera guerra mundial: el almirante Von Spee virando por el Cabo de Hornos en su rumbo hacia Malvinas, tropieza con la *Drummuir*, le quita la carga de carbón y lo hunde en una de las bahías de la Picton; en su tardanza de llegar a las Malvinas, el almirante dio tiempo a la flota Invencible de hacerse lugar allí, resultando rodeado por la flota inglesa.

El descubrimiento del territorio magallánico fue resultado de la búsqueda de un paso interoceánico que debía poner en contacto a Europa con las naciones del Levante, China, Japón, la India y especialmente con las Molucas, tierra famosa por sus especies. La España imperial quiso ganar al reino de Portugal, su rival, esa iniciática carrera a las Indias y el monopolio del comercio de las especias fue por parte del marino portugués Fernao de Magalhaes y el rey Carlos, futuro emperador, que capituló en 1519, recorriendo el nuevo continente que había sido descubierto 30 años antes por Colón. La flota magallánica compuesta por cinco naves había zarpado del puerto de Sanlúcar de Barrameda en septiembre de 1519. En octubre del 1520, después de una complicada travesía, la nave capitana *Trinidad* desembocó en el Estrecho, que en ese momento bautizaron como «de Todos los Santos». En realidad también habían descubierto Chile, además claro está de la «Tierra de los Patagones» y la «Tierra de los Fuegos» que también procuró oro y fantasías a los ambiciosos de la fortuna fácil y la conquista y saqueos de tierras remotas y poblaciones originarias hasta avanzado el siglo XX y, qué duda cabe que si analizamos la historia que se va conformando en nuestros días aún encontramos la piratería en su apogeo favorecida hoy por las nuevas tecnologías y medios de transporte.

ALGUNAS
BIOGRAFÍAS LIGERAS

«Todos los piratas son...»

JOAN MANUEL SERRAT

Dentro de la historia general de los piratas, algunos no solo han conquistado tierras remotas y riquezas que solo el diablo sabe… sino que conquistaron con sus peripecias el corazón de cientos de cronistas y lectores. Entre otros podemos citar a:

Sir Francis Drake, nació en 1543, en Tavistock, Devon, hijo de los granjeros protestantes Edmund Drake y Mary o Elizabeth Mylwaye. Cuando cumplió cinco años, su familia abandonaba Kent a causa del levantamiento católico contra los protestantes. A los 13 años, zarpó en un carguero y a los 20 se convirtió en capitán. Tres años más tarde realizó con su primo John Hawkins el primer viaje al Nuevo Mundo llevando a cabo, al promediar el siglo XVI, la primera expedición inglesa y comercio de esclavos en medio de los graves conflictos entre España e Inglaterra. En el 1568, una flotilla inglesa que navegaba a su mando fue atacada en Nueva España por los españoles. En ese encontronazo Drake, que estuvo a punto de morir, se puso definitivamente en pie de guerra con España y juró no dar tregua a su venganza.

Al mismo tiempo desde aquellos acontecimientos, toda operación de los ingleses, piratas o no, todo aquel que navegara las aguas chilenas y las del Océano Pacífico, sería tratado pirata por la Corona española. Y no era del todo errado el concepto, ni Drake lo negaba; solo se dedicó a atacar muy especialmente las posesiones españolas y sus navíos. Con su tripulación, conformada por franceses y esclavos africanos, Drake consiguió una gran fortuna en oro, aunque él mismo solía decir que le fue necesario abandonar un importante botín en plata por ser demasiado pesado para regresar a Inglaterra con él. De ese modo dio origen a la leyenda de El Tesoro de Guayacán, oculto en Guayacán (Coquimbo, Chile). En esa ocasión antes de asolar Valparaiso se reabasteció en las bahías de Algarrobo y El Quisco, claro que todo ese trayecto lo hizo desde el Atlántico.

En el año 1572, regresó a Inglaterra con sus 30 marineros que ya eran ricos de por vida. No obstante a los cinco años echaban anclas en Bahía San Julián. Habían recorrido las costas patagónicas hasta el Estrecho, pero la niebla les obligó a regresar a Puerto Deseado, donde permanecieron durante dos semanas trabando amistad con los patagones. Francis Drake fue el primer inglés que cruzó el Estrecho de Magallanes y el primer inglés en dar la vuelta al mundo, por consiguiente no tuvo reparos en sostener que fue el primer hombre en circunnavegar la Tierra. En su escudo de armas ostentaba la leyenda «*Tu primus circumdedisti me*», pasándose por alto que 60 años antes Juan Sebastián Elcano había alcanzado la hazaña iniciada con Magallanes. También se arrogó el derecho de ser quien notó que la Tierra del Fuego no era parte del continente sino un archipiélago. Él mismo bautizó el Pasaje de Drake. A pesar de que tal pasaje fue descubierto por el español Francisco de Hoces en el 1525, justamente en el Mar de Hoces.

Sea como fuere, lo importante a destacar en este caso es que el famoso galeón *Golden Hind*, comandado por el no menos famoso Sir Francis Drake, navegaba a su aire los alrededores de la Tierra del Fuego. Esas tierras misteriosas al fin del mundo, insumisas, que en el siglo XVI creían desconocidas y deshabitadas, a no ser por la presencia de aquellos monstruos medievales con que la representaron los primeros navegantes que bajaron desde esos otros mares fríos en el otro extremo del mundo. Francis Drake, pirata, comerciante de esclavos y saqueador inglés, gracias a todas sus audacias e irreverencias, fue nombrado Vicealmirante por la *Royal Navy* y *Sir* por la reina Isabel I. Su pasatiempo fue abordar, robar e incluso secuestrar todo navío y con mayor intemperancia los españoles, conviertiéndose en un héroe para la *Royal Navy* y para la Armada española un bandido despreciable. El 28 de enero de 1596, en un combate en Portobelo, Panamá, fue atravesado por la espada de Méndez de Cancio, cuyos hombres acabaron con la tripulación del *Golden Hind*, menos uno para que diera la noticia. Cuando se enteraron en España las campanas de las iglesias de Castilla repicaron de alegría; Francisco Quevedo y Miguel de Cervantes dedicaron versos a la muerte del innoble enemigo que dejaba algún tesoro escondido y una estela de sangre en las misteriosas aguas de las Tierras del Fuego. Drake había encontrado aquella ansiada puerta interoceánica que le permitió dar la vuelta al mundo en agosto de 1578, en un viaje de 17 días.

Alexandre Olivier Exquemelin, o Esquemeling, Exquemeling y Oexmelin, (1645-1707) no solo fue pirata, sino que se convirtió en autor de la obra que más y mejor ha documentado el estudio de la piratería en el siglo XVII: *Bucaneros de América* (en holandés *De Americaensche Zee-Roovers*), que fue publicada en Amsterdam por Jan ten Hoorn, en 1678.

No obstante existen pocos indicios de su vida. Se dice que era un hugonote francés, nacido en Honfleur hacia 1645 y que, huyendo de las persecuciones religiosas, se embarcó en 1666 en el barco *Saint Jean*, de la Compañía Francesa de las Indias Occidentales. El navío sufrió el asalto de piratas, y el joven Alexandre que fue vendido como esclavo llegó a la isla de Tortuga donde tuvo que quedarse tres años. Al parecer, fue entonces donde aprendió el oficio de cirujano, y luego de formar parte de la Hermandad de la Costa, como cirujano fue pasando por barcos de famosos piratas como El Olonés, Morgan o Bertrand D'Oregon, hasta que el buque fue derrotado en Puerto Rico el año 1674. Aparece también como cirujano en el ataque a Cartagena de Indias, de 1697, y al parecer participó también en el asalto a Maracaibo, la isla de Santa Catalina y Panamá. Luego de todas estas aventuras, se estableció en Amsterdam. En su libro, *Los bucaneros de América*, mediante un relato que él dice verdadero, cuenta los más famosos saqueos o, por lo menos, aquellos a los que él mismo diera fama, saqueos perpetrados en las costas de las Indias Occidentales por los bucaneros de la Tortuga y Jamaica. El libro, en el que expone minuciosamente los usos y costumbres de los piratas del Caribe, ha sido considerado como uno de los textos que más imitaciones y literatura ha generado en diversas lenguas.

Capitán Misson, Tew y Libertatia

El Capitán Misson, nombrado tam- bién como Bartolomé, Olivier o James, fue un pirata de Provenza que se ganó la fama con una pira- tería «un tanto humanista». Al norte de Madagascar logró fundar una ciudad en la que promovió la igual- dad de derechos entre las gentes de distintos orígenes, razas, nacionali- dad y especialmente en cuanto a su condición social. Se hablaba una lengua combinada entre el francés, inglés, holandés y portugués, algo asi como el esperanto.

Aun habiendo recibido una educación relacionada con la ma- temática y la lógica, pidió a su padre lo enrolara en un buque. Que- ría hacerse a la mar. Su padre lo enroló entonces en el buque de guerra *Victoire*. Acomodándose a la tripulación, Misson puso fuerza en aprender todo lo relacionado con el conocimiento naval. En una visita a Roma, cuando el *Victoire* fondeaba Nápoles, Misson se topó con el cura Caraccioli, un dominico visionario que predicaba el socialismo por encima del clericalismo. Tanto Misson como Ca- raccioli se influeron mutuamente con sus ideas e ideologías. Hasta tal punto se influenciaron que el clérigo abandonó los habitos para enrolarse en el *Victoire* con Misson. Sin demora se dedicaron a aleccionar o adoctrinar a toda la tripulación.

Establecida una lucha con el buque de guerra inglés *Win- chester*, y aunque pudieron ganar la batalla, el capitán del *Vic- toire* resultó muerto, de inmediato Caraccioli convenció a Misson de tomar el puesto de capitán. El nuevo capitán dio un discurso a su tripulación dejando claro que el *Victoire* era una nueva re- pública marítima. Aunque al comienzo pensaron navegar por- tando bandera negra, finalmente Caraccioli le convenció no solo de utilizar una bandera blanca sino de transcribir en ella el lema «Dios y la Libertad».

Así se hizo, se navegó con esa bandera como lema y bajo su amparo capturaron barcos y ejercieron la piratería, aunque sin maltratar a los capturados, ni quemar los navíos. Solo se quedaban con algo de mercancía y luego los dejan partir. Uno de esos navíos era holandés y estaba cargado de esclavos y oro. Misson habló acerca de su política abolicionista y liberó a los esclavos que, al retirarse, llevaban puesta la ropa de sus amos. Muchos marineros pretendieron pasarse a la tripulación de Misson, pero debieron prometer una conducta irreprochable.

Despues de años de piratería, Misson desembarcó en Madagascar. Anjouan esposó a una nativa y lo mismo hicieron varios de sus marineros. Misson se acercó al norte de la bahía de Madagascar y fundó la mencionada colonia utópica, que llamó Libertatia o Libertalia, en la que se practicaban principios socialistas. Misson fue nombrado *Lord Protector;* Caraccioli, Secretario de Estado, y Thomas Tew, uno de los más famosos piratas ingleses, Almirante de la Flota.

Aquel sueño de Misson y Caraccioli se mantuvo firme y con esas consignas durante 25 años. Al fin, los nativos acabaron por arrasar Libertalia y dieron muerte a Caraccioli. Misson, entonces, se hizo de nuevo a la mar. Pero poco después murió cuando su barco resultó arrasado por un huracán. Tomas Tew volvió a Francia con los manuscritos donde se contaban los pormenores de aquella experiencia de república, divulgados por la prensa, experiencias que según se dice sirvieron de guía para los ideales de la revolución francesa.

Esta historia de Libertatia o Libertalia se cuenta en uno de los episodios del libro *Historia general de los robos y asesinatos de los más notorios piratas*, escrito por el capitán Charles Johnson y que fuera dado a la luz en Londres, en 1728. Sin embargo, al parecer su verdadero autor fue Daniel Defoe (1661-1731), con el *nom de plume* del tal Johnson. Defoe ya se había aproximado al género con *El capitán Singleton* y su obra más relevante: *Robinson Crusoe*. De todos modos nunca logró saberse si esa historia era ficción o si, aun siendo un relato de Defoe, era la crónica de algunos episodios reales acerca del tal Misson, del que cuenta: «...trató sobre el Gobierno, y mostró que cada Hombre nace libre, y tiene tanto Derecho como quien le sustenta al Aire que respira... que la gran diferencia entre Hombre y Hombre, que en uno nada en la Lujuria, y en el otro en la más punzante Necesidad, se debía solo a la Avaricia y la Ambición en uno, y al Vasallaje pusilánime en el otro». Aunque es cierto que dicha consideración podría haberlas aplicado a las generalidades de la ley en cuanto a hombres y mujeres, según su propia visión y experiencias, claro está.

Aunque también se dijo por aquellos días que Libertatia fue solo propaganda del ala radical de un partido político inglés, los Whigs, del siglo XVIII; algo así como un ataque a los principios de esa época en relación al dinero, la guerra, y la religión. De ahí, el seudónimo de Defoe, y la carencia de datos especificos en relación no solo al autor que firmó el trabajo y la época de realización. Al parecer con *Historia general de los robos y asesinatos de los más notorios piratas* se pretendió hacer creer que había sido escrito y

¿Fue Daniel Defoe el autor de *Robinson Crusoe*, quien bajo el pseudónimo de Charles Johnson se inventó el mito de Libertatia?

editado en tiempos lejanos a los acontecimientos. Sin embargo, por entonces, la historia pareció real y producto de hechos verídicos. Finalmente se trataba nada menos que de la pluma de Defoe, lo que dio como resultado un texto que por lo menos resultó verosimil en torno a aquellos piratas que sí se sabía eran dueños de ideas libertarias y radicales; por otro lado esos establecimientos piratas de Madagascar eran reales, habían existido y, aunque se sabía que no era real todo lo que en la historia se contaba, sí quedaba claro que la ficción había sido un pretexto para contar entre líneas las bases reales de lo que acontecía. De todos modos, queda como un manifiesto acerca de los sueños y deseos del proletariado durante los últimos tiempos del siglo XVII e inicios del XVIII, y esto no es poca cosa. Un documento en sí de la voluntad popular.

Veamos algo de las prácticas piratas que pregona la mencionada historia, con respecto a ciertos valores que se relacionan con el mando, la esclavitud y el racismo, el sexo y por qué no, por entonces igual que hoy, la droga. Sus autoridades eran elegidas democráticamente, mediante el voto de toda la tripulación y del mismo modo eran destituidos al primer error o fallo en contra de la misma tripulación. No tenían privilegio ni siquiera en el reparto del botín capturado. Y a dicho capitán o autoridad de «mando» solo se le reconocía ese derecho durante las batallas, luego toda resolución era resultado de la elección general. Pero como casi toda democracia, tenía sus bemoles, no solía ser del todo eficaz. Entre ellos mismos solían no ponerse de acuerdo y en esos cambios de opinión terminaban vagando sin rumbo ni finalidad cierta.

En cuanto a la esclavitud y su consecuencia, el racismo, era común tratar a un africano como a uno más, no se tenía en cuenta ni por sospecha tratarlo de otro modo por el color de su piel o su lugar de nacimiento, su condición religiosa o tribal. Los bucaneros solo juzgaban a su tripulación en cuanto a su capacidad. Nunca por el color; eso felizmente no era condición de la época. Por lo tanto, la piratería era el modo que tenían los esclavos de recuperar esa libertad con la que habían nacido. Muchos de ellos, una vez llegados al *Victoire*, eran encarados por Misson que les comunicaba: «El comercio de aquellos de nuestra propia especie, nunca será agradable a los ojos de la Justicia Divina. Ningún hombre tiene poder sobre la libertad de otro; que él no les eximía su cuello del galante yugo de la esclavitud, y afirmado su propia libertad, para esclavizar a otros».

Por otro lado, era bien sabido que se destacaban entre los capitanes muchas mujeres que se desempeñaban como tales a la par de los hombres, con total igualdad de derechos y deberes. Los únicos casos no fueron los de Anne Bonney ni Mary Read; fueron innumerables las mujeres dentro de la actividad pirata. No había conflicto en torno a la sexualidad ni a la homosexualidad. No eran pocos los bucaneros que vivían en una suerte de unión conocida como «matelotage»; significaba una especie de matrimonio en el que compartían posesiones en común con su compañero, y las heredaban en caso de fallecimiento de su pareja o compañero. Modalidad, el «matelotage», que hasta permitía compartir la esposa.

En cuanto a la droga o el consumo de *alchole* era de total libertad. Justamente, aunque parezca algo trivial para el resto de esos otros valores que se tienen en cuenta de los piratas, se dice que esa libertad del consumo de alcohol era uno de los atractivos que llevaba a enrolarse en una tripulación pirata, claro que con las inevitables consecuencias, como sucedió con la derrota del buque en que viajaban Calicó, Mary Read y Anne Bonny, por el estado de embriaguez de la tripulación.

Thomas Tew, que difundió las teorías de Misson, fue uno de los pocos que sobrevivió a la experiencia. Había nacido en Nueva Inglaterra, en la costa Este de los actuales Estados Unidos, en 1650 y por el 82 ya navegaba por el Caribe; se había establecido en Jamaica donde compró parte del *Amity*, sumando a su flota un barco capitaneado por George Drew. Ambas embarcaciones pasaron el Cabo de Buena Esperanza y viajaron hacia el norte, hacia el Golfo de Adén. Allí atacaron un velero árabe ganando un tesoro de importancia, quedándose cada uno con tres mil libras esterlinas. Regresando hacia el Sur, buena parte de la tripulación se estableció en una colonia, mientras otros que volvían a América se toparon con Libertatia.

Dibujo del ilustrador norteamericano Howard Pyle en el que el pirata Thomas Tew relata sus fechorías.

En esa ocasión Misson envió uno de sus buques a Guinea con la intención de capturar barcos con gran cantidad de esclavos y se ofreció a ir por ellos para liberar a Tew. Frente a la costa de la actual Angola, logró capturar un barco inglés que llevaba 240 hombres, mujeres y niños. Todos estaban engrillados en las bodegas y fueron liberados por Misson a quien se le sumó buena parte de la tripulación del barco del pirata *William Kidd.*

Tew decidió regresar a América, sin embargo al fin volvió a Libertatia en un nuevo buque, el *Frederick,* llevando a cabo una fuerte campaña para capturar buques esclavistas en el Golfo de Adén. Tew y Misson, cada uno desde su embarcación de 250 tripulantes, echaron proa al norte y en la costa sur de Arabia se toparon con un barco indio que trasladaba un millar de peregrinos en viaje hacia La Meca; pudieron capturarlo sin perder un solo hombre, desembarcaron a todos menos a cien muchachas de entre 12 y 18 años, que los piratas reclamaron para hacerlas sus mujeres con intenciones de establecerse, para «crecer y multiplicarse».

Misson, comprobando la angustia de las adolescentes y sus familiares, estuvo a punto de abandonar la idea, pero sus hombres le exigieron continuar con la propuesta. En otra ocasión, enviaron un navío para levantar el mapa de las costas. Para eso se instruyó en la navegación y la lengua francesa a un grupo de esclavos liberados y, leal a los principios de la república, fueron enviados 50 hombres blancos y 50 hombres negros. Momento que fue aprovechado por los nativos para atacar y tomar la plaza. Cuenta el novelista español Arturo Pérez-Reverte: «*Ya no eran piratas poderosos y buenos, sino proscritos fugitivos y cabreados, cuya única patria era la cubierta del barco que pisaban. Destrozada la utopía, se hicieron sanguinarios*». Tew y Misson se repartieron los barcos y el dinero y se separaron. Antes de alcanzar el Cabo, se desató una terrible tormenta y fue el fin de François Misson.

Veamos otro texto de Arturo Pérez Reverte en el que hace referencia en su *Sin rey ni amo* a este curioso tema:

«Hace unas semanas mencioné aquí al fraile Caracciolo y al capitán Misson, los piratas buenos del Índico. Y unos cuantos amigos se han interesado por los personajes, preguntándome quién diablos eran esos pájaros y a santo de qué viene ese epíteto de piratas buenos, cuando se supone que un pirata es un perfecto hijo de puta que saquea, y viola, y mata, y cosas así, y es notorio que se empieza con ese tipo de cosas y al final se termina vaya usted a saber cómo. Votando al Pepé o haciendo trampas al mus. Así que voy a contarles la historia de ese par de interesantes sujetos, que vivieron entre los siglos XVII y XVIII. Caracciolo era un fraile dominico napolitano, un poco golfo, que había leído la Utopía de Tomás Moro y soñaba con una república ideal basada en la liberté, la egalité y la fraternité. Una noche que andaba de furcias y vino, el fraile topó en una taberna con un oficial de la marina francesa que se llamaba Misson: joven, bastante cultivado, que como muchos marinos de la época andaba provisto de cultura filosófica, lógica, retórica y otras disciplinas humanísticas que ahora a nadie le importan una mierda, pero que entonces tenían su cosita y su encanto. Se hicieron colegas en el curso de una recia intoxicación etílica, y se comieron el tarro el uno al otro: Caracciolo convenció al marino de que la utopía era posible, y Misson hizo que el fraile se embarcara en el Victoria, que era su barco. Viajaron bajo el mando de un capitán llamado Fourbin, hasta que estando en las Antillas, y después de un combate naval con los inevitables ingleses, Fourbin palmó y Caracciolo, que era un tipo visionario y convincente, propuso a la tripulación nombrar a su colega Misson capitán y dedicarse al filibusterismo, y que al rey de Francia y a la armada real les fuesen dando. Y dicho y hecho, pero con una notable diferencia.

En vez del Jolly Roger, la bandera negra de los piratas, Caracciolo y Misson izaron una de seda blanca con la leyenda: Por Dios y la Libertad. Y dispuestos a hacer realidad el sueño de una república de hombres iguales e independientes, pusieron proa al océano Índico para materializar allí su utopía. De camino escribieron un código de conducta para sus hombres que habría causado depresión traumática a cualquier rudo bucanero de Jamaica o Tortuga, pues se establecía el trato humanitario a los prisioneros, la prohibición de emborracharse o de blasfemar y el respeto a las mujeres. Y lo cierto es que aquellos insólitos piratas predicaron con el ejemplo, pues cada vez que abordaron un buque lo hicieron solo para aprovisionarse de lo imprescindible en aquel tiempo, el oro era lo más imprescindible, o para reclutar nuevos ciudadanos para su república, como los esclavos de un barco negrero holandés, a cuyo capitán afearon muy seriamente su conducta antes de darle unas cuantas collejas y dejarlo irse. En el fondo eran unos primaveras, supongo. Pero con una suerte de cojón de pato. Porque siguieron viaje como si tal cosa, empleando Caracciolo la larga travesía en adoctrinar a sus piratas para que fuesen buenos y temerosos de Dios, y en educar en gramática y humanidades —eso tuvo que ser digno de verse— a los mandingas liberados. Durante una larga temporada el Victoria anduvo de aquí para allá, capturando lo mismo barcos ingleses que portugueses o árabes, aprovechando cada presa para aumentar la flotilla y el número de tripulantes. Y al final, capitaneando una tropa bastante marchosa, se establecieron primero en las Comores y luego en Madagascar, donde al fin fundaron Libertatia; que fue, que yo sepa, una de las primeras repúblicas comunistas de la Historia, con estatutos que abolían la propiedad privada y obligaban a sus ciudadanos al trabajo y a la defensa común, so pena de inflarlos a hostias. Libertatia se convirtió en un activo nido de piratas al que se fueron uniendo con el tiempo destacados fulanos del oficio, como el capitán inglés Thomas Tew y otros elementos de alivio, reclutados entre lo mejor de cada casa. Y hay que reconocer que, pese a que asolaron las costas y las rutas marítimas, reuniendo un tesoro considerable, aquellos piratas, vigilados por el ojo filantrópico del ideólogo Caracciolo, se comportaron, dentro de lo que cabe, de una manera bastante decente. Aunque parezca imposible, la aventura duró veinte años. Y luego pasó lo que pasa siempre: Caracciolo, Misson y Tew se hicieron viejos, hubo desavenencias, y los indígenas malgaches vecinos, que aquello no lo veían muy claro y estaban de Libertatia hasta el gorro, asaltaron un día la república. Caracciolo murió allí, y Misson y Tew huyeron en los barcos, acosados por todas las marinas del mundo. Ya no eran piratas poderosos y buenos, sino proscritos fugitivos y cabreados, cuya única patria era la cubierta del barco que pisaban. Destrozada la utopía, se hicieron sanguinarios. Misson lo perdió todo en una tormenta, incluido el pellejo; y el capitán Tew, el último superviviente de Libertatia, murió de un tiro en el estómago durante un abordaje desesperado en el mar Rojo. Y ese fue, triste como el de todas las utopías, el final de los piratas buenos del océano Índico» (ARTURO PÉREZ REVERTE, 17 de diciembre de 2000).

El corsario Amaro Pargo

Dentro de las multiples leyendas en torno a piratas y corsarios, está la de Amaro Pargo. Como buena leyenda, ha circulado por vía oral y como bien se sabe en estos casos acrecentada con cada voz a lo largo de las diferentes generaciones. Sin embargo aunque intensificada por las distintas voces, no pocos documentos son los que ratifican su paso por la historia. La información recabada a lo largo de los años acerca de la actividad de estos señores ha sido encubierta en muchos casos o por lo menos disimulada por ellos mismos, su familia y seguramente por las mismas autoridades que les otorgaban su permiso para delinquir. Ninguna duda de que más allá del halo de romanticismo que les rodea, su actuación no era un ejemplo a recomendar ni a seguir. Difícil evitar la delincuencia en aras del enriquecimiento fácil, pero difundirlo regodéandose en sus hazañas, por lo menos habla de algo de la ética profesional del corsario en cuestión y el monarca o gobierno que lo amparaba, ética que por cierto sigue en boga en nuestros días.

Don Amaro Pargo fue corsario y capitán de un buen número de navíos en los que navegaba al amparo del pabellón del país que le proporcionó su patente. Atacando buques con piratas o corsarios enemigos al gobierno que representaba por cuyas leyes, además de la ley pirata, se regía. Claro está que siempre fue difícil, mucho más hoy, determinar las diferencias entre una y otra actividad. Los límites siempre son sutiles, especialmente cuando se trata de reparto de valores o botines. No olvidemos además, que en cada uno de los casos que hemos venido considerando el corsario era un héroe para sus compatriotas y un pirata asesino para sus enemigos. Lo cierto, y que creo a estas alturas nos queda claro, es que el pirata mucho menos el corsario era aquel con su pata de palo y bebiendo ron mientras escondía o sacaba a la luz su cofre lleno de oro y joyas en una playa del Caribe.

Los más han sido mucho más terrenales. Ni harapientos, ni descalzados hambrientos ni con ropajes miserables. Muy por el contrario. Su aspecto en general era el de un auténtico señor, estrechamente ligado a la aristócrata de su país y sobre todo al servicio del rey o de una reina, no solo en cuanto a botín se refiere, o de algún obispo tan deseoso como él del enriquecimiento rápido. Sin importar si fuera ilícito, ese siempre ha sido y es un simple detalle a no tener en cuenta. En el caso de Amaro Pargo nació en el siglo XVII y creció bajo la influencia y época de auge de la piratería en Tenerife, donde desde sus playas y de pequeño veía fondear barcos con esos personajes deseosos de agua potable, frutas y mujeres, cuyos acantilados resultaban además tentadores para todo tipo de pillaje, y en especial como refugio de muchos bandidos. Bucaneros entre ellos, deseosos de intercambiar cueros, carne ahumada y otros productos por armas, pólvora, ropas y licores, sin dejar de lado algunos capturados destinados a la esclavitud o alguna otra actividad. Aún le tocó presenciar a Amaro no pocos filibusteros que pretendían arrasar esas tierras descendiendo de sus naves que enarbolaban la bandera negra con su calavera y las tibias cruzadas.

Todo eso visto y aprendido bajo cuerda hizo que nuestro personaje tan temido por unos y admirado por otros, según cuenta la leyenda, que hiciera suya la tarea, por lo tanto se lo sabe negrero y que preparó muy bien sus barcos para poder cargar mayor cantidad de esclavos, que como se acostumbraba eran transportados en tan precarias condiciones que muchos morían en el trayecto. Esos esclavos eran comercializados en las islas Canarias, como mano de obra barata en los ingenios azucareros. Sin embargo, con esa contradicción de la leyenda o de los mismos personajes a los que alude, se le atribuye tambien cierto de benefactor con los esclavos, a quienes recomendaba con insistencia que exigieran a sus amos trato indulgente, dada su condición de cruel destierro y traslado, recomendándoles insistir con una buena alimentación y otros beneficios.

Se dice que buena parte de esa fortuna producto de la rapiñas y el tráfico de esclavos no solo le sirvió para su propio beneficio, sino que destinó buena parte de ella a la caridad y beneficiencia. Fortuna que se dice era de más de 900 fanegas de tierras, con casi un centenar de casas, viñas, trigales, tributos monetarios, gran cantidad de dinero e inumerables tesoros en joyas. Este corsario «caballeroso» fue sin dudas un gran hombre de negocios que tal vez, más para lavar sus culpas que por convicción, dedicaba buena parte del producto de sus saqueos a obras de caridad.

En su adolescencia, debido a problemas con su familia, un buen día decidió echarse a la mar a como diera lugar con intenciones de conocer el mundo y por supuesto armarse de fortuna. Fue aprendiz de botamen y se embarcó para empezar sirviendo en galeras reales. Una vez familiarizado con el cordaje, tuvo gran facilidad para nudos, costuras y todos aquellos trabajos propios a todo marinero raso. Luego, llegó a ser dueño, capitán y maestre de sus propias naves. Desde el comienzo y siempre, alardeó de generosidad y valentía, nobles sentimientos que solo disimulaba frente al enemigo amparado tras su coraza de corsario.

Se dice que era muy humano a pesar de ser pirata y que nunca dejó de ser pirata pese a ser tan humano. O sea que durante

Lápida de la tumba del corsario Amaro Pargo, fallecido en 1747, y enterrado en la iglesia de Santo Domingo de La Laguna, Tenerife.

sus saqueos guardaba especialmente las formas de su caballerosidad. Tenía un especial cuidado y predisposición para acercarse a los navíos sin levantar sospechas de ataque, y un gran coraje para echarse al abordaje sin haber despertado ninguna desconfianza del buque a saquear. Su barco favorito, *El Clavel,* estaba bien provisto de cañones con que destruir sin tregua al enemigo. Por lo tanto perfectamente armado no solo para el ataque sino para la defensa, contaba con veinticuatro piezas de artillería, *según* la disposición de las Ordenanzas de la Casa de Contratación. La Corona cuidaba bien de que los isleños artillaran sus barcos.

Había nacido en mayo del 1678 en La Laguna (Tenerife) y murió en octubre de 1747, a los 69 años. Nunca se casó, pero sí tuvo un hijo Manuel de la Trinidad Amaro, con una mujer cubana Josefa María del Valdespino. Como dato curioso, Doña Josefa resultó ser una mujer de recursos, dueña de dos casas y una buena cantidad de esclavos y «otras» joyas de gran valor por aquellos tiempos. Y en la casa de esta mujer Amaro permanecía durante sus estadías en La Habana. Pese a que era una relación bien conocida por todos y solía llevar a su hijo, a quien publicamente reconocía, jamás quizo regularizar su situación marital por lo cual era muy hablada esa unión que el vecindario y conocidos mencionaban como «ilícita». Finalmente dejó de visitar La Habana, se embarcó definitivamente hacia Tenerife y a doña Josefa y a su hijo Manuel solo les enviaba ropa y algunas mercaderías para que pudieran vender. Cuando quiso mandar a buscar a su hijo y doña Josefa se negó a enviárselo, Amaro puso punto final no solo a la relación sino al envío de bienes. Cortó entonces todo tipo de contacto. Habiendo pasado muchos años, ya con 27 años Manuel pidió a su padre ser reconocido legalmente, puesto que su madre lleva muchos años ciega y ambos vivían en la más extrema pobreza.

Amaro Pargo, que había conseguido una gran fortuna no solo con el producto de sus saqueos y el comercio negrero, sino con la venta de lo producido por el cultivo de sus tierras y viñas, gracias al trabajo de todos aquellos que a su servicio, ganó prestigio como terrateniente, ganadero y cacique. Solo así, habiendo transcurrido el tiempo, su padre Amaro Rodríguez Felipe estaba bien contento con ese hijo que apenas cumplidos los 14 años de edad, mostró gran juicio y disposición como para decidir su propio futuro, fortuna y una buena cantidad de propiedades. Al parecer, como tantos hijos en la historia de los hijos del mundo en relación a su padre, o madre, le tocó dar la vuelta al mundo combatiendo con molinos de viento, o mejor dicho las mil vueltas por los océanos y mares, para volver a su tierra a mostrar a su papá las manos llenas y una sonrisa típica del que ha cumplido con lo establecido. Todo esto, «tratando y contratando por mar y tierra y haciendo diferentes navegaciones».

Como si todo esto fuera poco, se dedicó a la exportación de muchos productos entre los vinos y el aguardiente elaborados con sus propias cosechas. Mucho había pasado por sus manos y sus ojos, muchas historias atravesó desde aquel su primer viaje, por lo menos el primero que dejó por escrito, a La Habana y La Guaira, cuando contaba escasos 23 años a bordo del navío *Ave María*, conocido vulgarmente como *La Chata*. Durante ese viaje era un alférez. Según la leyenda, allá en la adolescencia en su primer viaje, el galeón fue abordado por piratas; Amaro aconsejó que simulara el haberse rendido y una vez que el enemigo creyese haber ganado la batalla, podrían ellos arrebatarle el botín, y más o menos así se hizo. Al mismo tiempo que ambos capitanes se disputaban el poder en una pelea cuerpo a cuerpo, Amaro se puso a tapar el agujero de los cañones enemigos para que no pudiesen hacer fuego. Todo esto mientras da aviso a su propio barco de que hicieran disparar sus propios cañones. Resultara inútil, mientras da aviso a sus compañeros de barco que sabían que estaba haciendo él en el barco enemigo, para que empezaran a disparar. Cuando esto sucedía, él cargó con todo lo que pudo, la mayor parte del botín que acababan de robarles y regresó airoso y cargado a su propio barco.

En reconocimiento a su inteligencia y valentía, el capitan regaló a Amaro el que fuera su primer barco, así ganó su independencia como corsario. Pudo entonces navegar el mar, ese ilimitado camino que le abría las puertas al mundo, y el desarrollo del exitoso comercio entre Europa y América. Amaro consideraba el poder naval como el principal elemento que marcaba diferencias entre las distintas naciones y le confería el grado de fuerza entre los estados modernos y al mismo tiempo, entendía que aquel que no dispusiera de grandes fuerzas en los mares, estaba expuesto a constantes peligros. Busca entonces la manera de aconsejar a los pueblos que estuviesen interesados en dominar o gozar de respeto, que se empeñaran, sin descuidarse en ningún instante, de organizar sus escuadras navales.

Con los años fueron llegando otros cuatro navíos y aquellos otros que compartía con otros como él. En 1728, yendo hacia el puerto de San Cristóbal de La Habana, *El Clavel* se hundió sin remedio. También comandó el *Fortuna*, el *Ave María*, *Nuestra Señora de los Remedios*, el *Blandón* y *La Isabela*.. Durante las largas travesías, cuando notaba el tedio de su tripulación, los incitaba a hacer música y cantar tratando de mantener en alto el ánimo de sus hombres. Y que imitaran sus modos tanto valiente como violento, aun si se tratase en principio de saquear a sus pares, los otros piratas o corsarios. Reconociendo acertadamente qué correspondía hacer en cada ocasión, qué era lo más conveniente. De todos modos, pese a su moral siempre en alto y su tenacidad o entereza, al parecer muchas veces le asaltaba la melancolía y cierto remordimiento, y así como él seguramente se lo preguntaba, también hoy y a la distancia es difícil pensar en que esos sentimientos pudieran afectar la conciencia de un pirata, con patente de corso o no. Sin duda ostentaba para él y para los que le rodeaban una especie de indulgencia que le premitía cierto regocijo como para incentivarlos a la aventura y la música o la poesía, pues solía expresarse con palabras bien cuidadas. Bebía poco, respetuoso del orden y entre ese orden establecido por él no admitía a bordo a mujer alguna, ni los naipes o los dados, como tampoco ninguna pelea personal a bordo.

En cierta oportunidad, la galera del rey que fue atacada entre Cádiz y el Caribe, después de resistir un par de horas el ataque del buque inglés, logró abordar este buque salvando la nave real. Los pocos que sobrevivieron, bandoleros todos de origen inglés y holandés, resultaron ahorcados según el código pirata y con un odio o revancha que tenía ya vieja data. Es por esta razón que el rey de España lo nombra «señor de soga y cuchillo».

También se dice que en una ocasión se cruzó con Barbanegra y lo saludó fogueando sus cañones. Gesto que según se cuenta se repitió en muchas ocasiones, hasta que finalmente un día se enfrentaron a todo furor. Ataque que Amaro pudo repeler o por lo menos salir ileso. Otra anécdota relata la captura de un buque procedente de Jamaica, y una sangrienta batalla en la que Amaro, luego de abordar el buque, mantuvo una pelea casi personal con el capitan del navío enemigo al que hirió de gravedad. La leyenda lo eleva a incontables momentos de contradicciones. Que tanto lo muestran como un ser de temer y no siempre justo y por otro como un héroe. Claro que estos atributos son casi habituales en estas historias de piratas.

En otro caso un tanto mitológico, emprendió un ataque contra unos bucaneros que luego de emprender un saqueo contra una hueste de bucaneros que acechaban las costas caribeñas, y uno de aquellos le arrojó un puñal con el que creyó darle muerte, pero Amaro acabó arribando a tierra, envuelto y rodeado por un grupo de sus propios hombres que lo ayudaron a llegar al centro mismo de la población, como cualquier parroquiano. Pero no lograron pasarlo desapercibido, no para todos. Así, entre la multitud surgieron otros tres para atacarlos con los que tuvo que batirse él solo. En medio de la lucha otra puñalada pareció alcanzarlo, sin embargo lo salvó el cobertor con que lo habían envuelto, una prenda que según la leyenda pertenecía a una Santa por la que Amaro guardaba una especial devoción. En otra ocasión, regresando con una importante carga a Tenerife en el *Fortuna*, los despertó el grito del gaviero: «Buque pirata con bandera sarracena» y Amaro Pargo corrió dando la orden: «Los afortunados a las armas». También en este caso, una vez ensamblados los buques, luego del siempre confuso abordaje, hubo una sangrienta pelea cuerpo a cuerpo en el que no se dieron tregua; entre tanto un esclavo, Cristóbal, a la par de un grupo consiguieron liberar a unos prisioneros cristianos que llevaban tiempo capturados en costas europeas. Al fin, luego de que la sangre y el fuego se entremezclasen en la cubierta y en cada rincón de proa y popa, los turcos fueran cayendo prisioneros, nuestro personaje volvió a emprender la marcha satisfecho de su botín, empezando por los prisioneros sarracenos.

Entre esas muchas veces que estuvo a un palmo de perder la vida, y no pocas veces lo salvó la milagrosa devoción que profesaba por Sor María de Jesús, una monja de la cual portaba su figura en todo viaje. Aquel día el mar estaba realmente tempestuoso, y le resultaba imposible mantenerse en pie. Arrojó entonces, una parte del brazo del cilicio que forma una cruz (objeto de cuero

Ruinas de la casa de Amaro Pargo en Tenerife.

u otro material que se usaba para la penitencia) al mar para que se calmara la tempestad y sucedió lo siguiente; la sacudida de una ola derribó al corsario sobre la cubierta, y por un instante tuvo la sensación de precipitarse a las profundidades. La borrasca se desencadenaba por encima de su cabeza, y, a veces, lanzaba al chocar contra el aparejo un largo aullido que le hizo temblar de pies a cabeza. El mar lo perseguía despiadado, haciéndole pegar enormes saltos y el oleaje barría la cubierta de punta a punta. Acto seguido, intentó mantener el rumbo y se encaramó al aparejo, luego trepó hasta la gavia sin temor a las espantosas sacudidas, interrogó al horizonte por el suroeste con una mano encima de los ojos y, jadeante con el rostro surcado por el sudor, arrojó al mar el cilicio que portaba encima adherido a su cuerpo, tomó de nuevo posesión del timón, luego se hizo un intervalo y contempló en el silencio de las aguas un relámpago que iluminó por un instante la lontananza. De esta manera puso a salvo las vidas de quienes navegaban con él.

Otra vez, cuando Amaro Pargo regresaba de combatir contra los piratas que buscaba eliminar de la ruta de las Américas, recibió un ataque y se salvó gracias a la intervención de Sor María de Jesús, monja de su devoción de la cual portaba dicha reliquia, tomó el cilicio en forma de cruz, que se usaba para llevar a cabo la penitencia y lo guardó bajo su camisa. En ese momento una ola gigante arrasó la cubierta y creyó caer al mar. Todo mientras por encima también lo asolaban no solo el mar sino el viento, gritó, aulló, creyó morir o estar muerto ya con ese mar que lo barría de una punta hasta la otra de cubierta. Hasta que logró encaramarse al aparejo y después de un instante, alcanzó a trepar a la gavia. Dicen que solo atinó a ponerse la mano encima de los ojos como mirando lejos, jadeando, empapado de mar y de sudor. Al fin arrojó al mar el cilicio de sor María de Jesús, que llevaba adherido al cuerpo. Volvió a tomar el timón y casi al momento el mar se serenó luego de un relámpago definitivo.

Tal vez por estas cuestiones, producto de su ensoñación o realidad, como todo en su vida, en el sarcófago donde reposan los restos de la santa, que se abre cada 15 de febrero, con tres llaves que giran en tres direcciones diferentes, hay unos versos que pertenecen al corso en su homenaje y agradecimiento. Así como también el sarcófago es obra y donación de Amaro; él era el que poseía una de esas tres llaves. Tal era la devoción de Amaro que influyó y propició la entrada de su sobrina sor Beatriz en la congregación de la santa, para lo cual tuvo que ofrecer una dote de 1000 ducados y como en ese momento no tenía esa suma decidió poner en garantía todos sus bienes. De ese modo su sobrina sor Beatriz logró profesar su fe como una religiosa de coro y velo negro.

Su vocacion religiosa era importante. Entre sus prisioneros supo de un clérigo protestante con el que trabó una gran amistad que los llevó a debatir e intercambiar acerca de las diferencias de sus creencias.

Amaro Pargo compartía las ideas masónicas, era caritativo y se mostraba siempre dispuesto a ayudar a los pobres. Como todo francmasón, había juramentado prestar ayuda mutua entre ellos, no importa la nacionalidad o el origen. Iniciado en una Logia española le había sido otorgado el grado de «compañero» y como ellos, su propósito era el estudio de la moral universal, de las ciencias y de las artes y el ejercicio de la beneficencia. Algunos de sus propósitos claro, por lo visto no tan difíciles de compartir con las razias, saqueos y demás hábitos. Aunque tal vez esto pudiera justificarselo a sí mismo con ese principio de la absoluta libertad de conciencia y la solidaridad humana o la redención final de la Humanidad que profesaba con los de su Logia.

Intuyendo la cercanía de su propia muerte, decidió encomendar su alma a Dios. Cuando dictó su testamento al escribano, nada le importaron la gloria, riqueza y felicidad, que por cierto ya poseía y en abundancia, solo deseaba para entonces elevar su alma y enviar su cuerpo a la tierra, porque ahí *«fue formado para que de ella sea reducido…»* Destinó buena parte de su fortuna a los encarcelados y a los niños pobres. Justamente la situación de estos últimos llevó a que Amaro tuviese su participación activa en las sesiones del Cabildo, en Tenerife, no como corsario ni capitán, sino solo como comerciante y vecino.

Tal vez este de Amaro Pargo sea uno de esos típicos casos a los que refiere Joseph Campbell, en el *El héroe de las mil caras*. Si bien habla del héroe en la literatura, podría aplicarse su teoría porque nada hay más literario o de leyenda que la supuesta biografía de un corsario-pirata. Dice Campbell:

«Son tres los puntos centrales en torno a los cuales se articula la experiencia del héroe en la mayoría de las literaturas del mundo (y en estos relatos). En primer lugar, el héroe inicia su recorrido desde su mundo cotidiano, desde su lugar de origen, pasando, luego, a una etapa de iniciación que constituye la aventura. Finalmente, el héroe vuelve a su universo cotidiano profundamente enriquecido y dispuesto a entregar su valioso conocimiento a los demás».

Amaro Pargo parece haber seguido al pie de la letra la teoría de Campbell. O viceversa.

Pero no todas fueron glorias para el curioso hombre. Alguna vez fue apresado por los oficiales de la Casa de Contratación de Cádiz, porque se resistió a la revisión de su navío *El Blandón*. El consejo de Indias informó al rey que el gobernador de Caracas y un oficial real de La Guaira, cuando quisieron cumplir con el requisito legal de revisación de todo buque antes de zarpar, no solo fueron resistidos por Amaro sino que de inmediato Pargo se había alejado más de legua y media de la costa. Por lo tanto se ordenó a Francisco de Varas a que fuese por él, luego fue llevado preso. Cuando fue interrogado repondió tener 45 años, ser vecino de Tenerife y desconocer el motivo de su detención, además que había llegado de Veracruz solo como capitán del *Blandón*, un navío fabricado en Campeche y que había echádose a la mar en abril de 1718 de La Guaira con rumbo a Veracruz, solo para transportar cacao. En realidad, al parecer el gobernador estaba algo receloso del poder de Pargo y acuñaba una gran rivalidad. No obstante el 9 de enero de 1727, le es otorgada la real certificación de Nobleza y Armas.

En cuanto a su tesoro, se ha perdido en el mar de la leyenda. Su casa en Machado fue saqueada en varias ocasiones. Sin embargo, dicen que guardaba su tesoro en la caja fuerte del camarote de uno de sus navíos. Tesoro del cual solo se ha verificado y constatado una pequeña parte. Desde la casa de Machado, en Tenerife, vigilaba el arribo de los probables buques enemigos, barcos y las naves comerciales. También ha pasado a la leyenda la cueva de San Mateo, Punta del Hidalgo-Tenerife, donde se cree que pudo esconder sus botines y/o en los Roques de Anaga, al este de la isla de Tenerife, donde pueden verse aún restos de embarcaciones hundidas en su intento de fondear los arrecifes.

Hizo su primer testamento don Amaro Pargo en 1734 al que confirmó definitivamente en 1747, con un buen número de legados, y cambios de escritura con respeto a los anteriores. Cientos de páginas cosidas y encuadernadas en un tomo con tapas de cuero. Y como condiciones para sus posibles herederos, debían ser hijos legítimos, procreados y nacidos en el seno de un hogar, y que debían contraer matrimonio con personas de la nobleza y de limpia sangre, todo con intenciones de conservar la memoria de su linaje. Manuel de la Trinidad Amaro, que nunca fue reconocido como hijo legítimo, en 1714 había presentado un recurso de apelación por la parte de su herencia, pero el resto de herederos se opusieron a concederle alguna cosa.

El corsario-noble don Amaro Pargo o Amaro Rodríguez Felipe murió un 14 de octubre de 1747 en La Laguna, Tenerife, su lugar de nacimiento. Le fue ofrecido un solemne cortejo fúnebre y posterior entierro en el mismo que sus padres. En el templo de Santo Domingo. Bajo una losa de mármol con el escudo de armas de la familia, que consta de armaduras, puñales, cañones y, al pie del corsario, una calavera que aunque cruzada por las dos tibias tiene el ojo derecho cerrado y el izquierdo abierto. Al año siguiente, murió su esclavo, aunque era libre ya y tenía unos ochenta años. En su testamento Amaro Pargo había dispuesto que este esclavo, apodado Linche, recibiese todo tipo de atención y ser enterrado en el mismo sepulcro que los Rodríguez Felipe. También dispuso que antes del 10 de noviembre debían ofrendarse al sepulcro un barril de vino y una fanega de trigo mientras era oficiada una misa y responso.

Alonso de Contreras

«Aun me queda América...»
ALONSO DE CONTRERAS

«Yo he visto cosas que vosotros no podríais ni imaginar» dicen que dijo Contreras dirigiéndose a la tertulia de literatos con Lope de Vega a la cabeza. Y muchos de ellos tan pendientes de sus peroratas cotidianas y superficiales o recitándose los unos a los otros sus versos. En realidad, esa fue la primera impresión que tuvieron pero la verdad es que aquel soldado que de pronto les interrumpió dejándolos sin palabras no era un simple soldado, era nada menos que Alonso de Contreras, el corsario más popular de los que tuvieron participación activa en la actividad pirata llevada a cabo en los últimos tiempos del siglo XVI y primeros del XVII.

Cuando logró la atención de los literatos, que sin conocer al que había roto el intercambio armónico y poético de aquellos hombres y aunque la mayoría no vieron en esos cuentos que narraba sino el producto de una imaginación un tanto enfermiza, fue interrumpido por el mismo Lope de Vega que le pidió que pusiera por escrito todas aquellas aventuras o sucedidos. Aburridos todos de pasarse horas frente a sus papeles y libros, estuvieron de acuerdo con la propuesta que el poeta hizo al recién llegado. Tal vez un poco falto de aventuras y relatos maravillosos o tal vez, por qué no, para quebrarle aquella vitalidad y entusiasmo aquietándolo en un cuarto maniatado con el cepo de la escritura. Era como encerrar a un búfalo en un bazar, como suele decirse. Contreras había combatido en Flandes y en Italia, para luego desertar de las exigencias de los ejércitos del Imperio por simple rebeldía o por no compartir aquella ideología.

Decidió entonces ser uno de los aventureros piratas que haciendo alarde de libremente y antiprejuicio, enarbolando otra lógica, asolaban las aguas del Mediterráneo. De ese modo se había armado de unos buenos recursos económicos, pero consciente de que había intercambiado tareas e ideas con tanto héroe cuyas andanzas no se conocían o se irían perdiendo a lo largo de la historia bien pensada y redactada por los historiadores de biblioteca. Por otro lado, había apostado su juventud, sus fuerzas y valentía atrapando barcos, vaciando las arcas de los que legal o ilegalmente surcaban los mares y como si esto fuera poco había conquistado no pocos corazones.

Todo lo vivido, lo visto y lo actuado era bucólico; si se trataba de combates, se enfrentaba contra cien como él y les quebraba, si se trataba de amores enamoraba a doscientas bellas y por qué no seguramente algún que otro grumete de tierna mirada. Había participado exitosamente durante 1601 en el cerco de Hammamet, haciéndose de embarcaciones turcas, sumándolas a su riqueza y negociando por supuesto las ventas de buena parte del botín. Era bucólico. Cuanto mayor resultaba su fortuna, más le provocaba a gastar sus dineros en juergas con amigos y mujeres. «Oh noches en hoteles de una noche», comentó no solo sin pudor, sino con aires de ensoñación en mitad de aquella tertulia de literatos.

Una vez que logró dilapidar sus fuerzas y dineros, volvió a embarcarse rumbo a Grecia. Es que para él no era tan importante vivir, ni siquiera en el despilfarro que le imponían sus mujeres y la vida de ciudad, lo vital e importante era navegar. Vivir intensamente todo. Había que navegarlo todo para poder contarlo todo. Lo suyo en el papel pocas veces sería producto de una imaginación que se tocaba con la locura, como la de muchos aquellos que rodeaban a Lope de Vega, sus palabras las había ganado con la acción, sabía bien del color y la textura de la sangre, de la adrenalina que provocaba hundir la hoja de su puñal en la carne del enemigo. Quiso ser como Ulises para poder llegar a ser un Homero. Por esos tiempos los caballeros de Malta daban trabajo a muchos mercenarios a quienes solo les interesaba cobrar, no importa en nombre de quien enarbolaban sus espadas o qué bandera.

Alonso era desmedido. Combatió en Italia y Flandes. Luego desertó, eligiendo la piratería en el Mediterraneo. Todo lo que le sucedía y propiciaba era extremo. Como pirata hizo gran riqueza y conoció a héroes cuyos nombres se perdieron para siempre en los vericuetos de la historia. Gastó su juventud y fuerzas atrapando y saqueando cientos de barcos y conquistando cientos de corazones. De regreso a España, fue preso acusado de ser cabecilla del complot morisco de Hornachuelos. «No hay quien se crea todo lo que este tipo cuenta», dijeron muchos en las tertulias literarias a las que asistía. Sin embargo Lope de Vega no dejó de rogar que le contara todo lo vivido. Si no era cierto, para un escritor de la talla de Lope de Vega sin duda merecía ser cierto.

Al parecer, en cierta ocasión fue detenido, juzgado y encarcelado acusado de conspirar. Todo aquello le dio igual, pues cuánto más extraños acontecimientos le sucedieran mucho más tendría para contar. Una vez en libertad, dice que se dijo: «*Aún me queda América*». Y allá rumbeó durante esa recuperada libertad. Hacia las aguas del Caribe, a pastorear con los pueblos originarios de sus orillas y a reformular su fortuna. Pronto fue nombrado gobernador. Una vez que regresó a España, cansado ya de repartir y recibir palos, cargados los ojos de mar y visiones del pasado, decide que había llegado la hora de contar su vida, desde aquella niñez en que escapó de su casa para ganarse esa alegría, o desventura según se vea, de abrir los ojos tratando de recordar donde despertaba

Quizá por influencia de Lope de Vega, el capitán Alonso de Conteras escribió su singular autobiografía, una de las pocas que existen de soldados que sirvieron en la Corte de los Austrias.

cada día. Fue entonces cuando tomó conciencia de aquello que tanto había repetido a quienes lo escuchaban: «*He visto cosas que vosotros no podríais ni imaginar…*» Pero sus escritos tuvieron que esperar siglos para ser editados. Y fue Ortega y Gasset quien le prologó manifestando que lo que contaba Contreras resultaba inverosímil. Puede que fuera cierto el decir de don Ortega y Gasset, puede ser que Contreras, madrileño de origen nacido en 1582 y muerto en 1641, fuese exagerado al vivenciar sus andanzas o fuera poseedor de una vasta imaginación y, como se sabe, ambas cosas son imperdonables para todo escritor de culto.

George Shelvocke

La hoja de vida de Shelvocke, que él mismo convirtió en libro, destaca más por sus desventuras que por su grandeza en el mundillo pirata en los mares del Sur. No alcanzó la estatura heroica de sus colegas Francis Drake o Thomas Cavendish. Aunque asaltó galeones, saqueó sin tregua, y se pasó por alto acuerdos de paz entre Inglaterra y España, que quebró a su antojo, pasó a la historia como un pirata-corsario de poca monta. Ni siquiera, al parecer, logró dar veracidad a su *Diario de Viajes*, que el mismo editó en

1726. Solo Coleridge, poeta romántico, logró rescatarlo del olvido dedicándole su balada.

Fue, dicen, un oscuro marino inglés que al ser relevado de la Armada decidió lanzarse a la marina mercante a principios del siglo XVIII y de la marina mercante a la piratería sin dudas había apenas un paso. Eran épocas políticamente confusas además, y de comunicaciones precarias, ambiciones varias y dudosas intenciones acerca de los distintos marinos, algunos con la bandera pirata y otros alardeando de su patente de corso; ambas actividades, como hemos dicho anteriormente, eran difícil de precisar y cualquier corsario devenía facilmente en pirata o viceversa. Lo legal bien pronto resultaba ilegal.

En el prefacio de su libro *Un viaje alrededor del mundo por la ruta del Gran Mar del Sur*, el pirata sospechado de tal cuenta: «El motivo principal de un autor, al presentar obras de este tipo, debe ser el de servir a su país en la medida que pueda, y no ha sido esta una razón menor en mi decisión de publicar este viaje; pero, al mismo tiempo, debo admitir que tuve otras para hacerlo» (George Shelvocke*)*.

Y pocos renglones más abajo, manifiesta que acerca de su proceder en aquel viaje a los mares del sur hubo «cierta censura» y no menos «*injustas calumnias*», producto de los «espíritus malignos» que buscaban mancillar su reputación y al parecer ha sido esta la circunstancia que le hiciera tomar la decisión de llevar el mismo un minucioso diario de bitácora con detalle de la expedición. De ese modo quedaría librada su reputación «a la ingenua opinión de los lectores sin prejuicios hasta dónde soy merecedor de ellas».

Según parece de esas llamadas por él «calumnias», le fueron endilgados no pocos procesos legales por los cargos de defraudación, cargos que enfrentó con valentía a su regreso y que le obligaron luego a abandonar su país.

Y son esos límites imprecisos entre sus andanzas como marino, corso o pirata, el principal atractivo del libro de Shelvocke. Empieza el relato dando su versión de las enormes dificultades y enredos que sufrió antes de la partida, pues se le había prometido capitanear el barco principal de la expedición, pero la comisión había sido firmada por un tal «Carlos», al parecer supuesto heredero legítimo del trono español desplazado tras la guerra de Sucesión, lo que solo le habilitaba para atacar turcos o infieles, o sea a los «no cristianos». Luego aparecía en el documento que le habilitaba una cláusula extra, escrita más abajo de la firma, que le permitía atacar a españoles o súbditos de esa Corona, cláusula rubricada por firmantes relacionados con la aristocracia de los Habsburgo.

Comisión que no conformó a los mercaderes aventureros de la *Fellowship of Merchant Adventurers*, una asociación que puede tildarse como «precapitalista», ya que aportaba fondos para financiar ese tipo de travesías a cambio de participar con un buen porcentaje de las futuras ganancias. Al parecer, ellos consiguieron una firma del rey Jorge de Inglaterra y contrataron al capitán John Clipperton poniéndolo al mando del *Success*, el mayor de los dos navíos que hacía parte de la expedición, por lo que Shelvocke fue relegado a capitanear el *Speedwell*. Circunstancia que le predispuso mal de entrada; además sostiene en el libro que, entre otros detalles, ni siquiera se le permitió elegir su propia tripulación. Lo cierto es que ambas naves parten de Plymouth, un 13 de febrero de 1719, con destino a Chile por el Estrecho de Magallanes. Como era de esperarse, la concordia dura poco. Seis días más tade, una tormenta feroz separa a los que no vuelven encontrarse hasta mucho más adelante.

En su diario, Shelvocke se ocupa bien de remarcar los motivos de la pérdida del *Success*: «*el Speedwell va demasiado cargado y carece de cierto instrumental y cartas náuticas*». Claro que también a partir de ese momento, queda libre pues ya no está bajo la autoridad de Clipperton. Una vez que acabó la tormenta, el *Speedwell* atravesó las Canarias y las islas de Cabo Verde en dirección a la isla de Santa Catalina, frente a las costas de Brasil donde logra fondear. Al parecer es la última parada que realiza antes de avanzar en territorio hostil, a merced del estado de guerra de Inglaterra con España, y aliada con Portugal. Sin embargo, esa escala breve, para aprovisionarse de mercaderías y seguir navegando hacia los mares del Sur con destino al Pacífico, es lo que genera la mayoría de los confusos episodios que marcarían su vida.

Al parecer surge una estafa a un navío portugués, de la que él acusa a su primer oficial Simon Hatley y un supuesto motín de la tripulación del *Speedwell* en la que le entregan una carta al capitán Shelvocke, con exigencias en el reparto del botín, amotinamiento que Shelvocke no tiene más remedio que acatar para poder seguir. Y son particularmente estos hechos los que le hicieron ganarse su posterior acusación de piratería e insubordinación. Algunos hombres se convierten en desertores en esa ocasión, sin embargo el *Speedwell* continúa su viaje. Una vez que llegó al Pacífico a finales de 1719, se da otro dudoso episodio en la isla de Chiloe que le hace perder más hombres. Luego de un intercambio de notas entre el acusado y la autoridad de la isla adonde, según se dijo, había fondeado con intenciones de saquearla, el gobernador del Chacao en prenda de su buena voluntad solo le hizo entrega de una docena de jamones. Con ese botín de guerra, del que sin duda hizo buen uso y reparto durante la travesía, fue bordeando las costas chilenas hasta llegar a la isla de Juan Fernández, también llamada de Robinson, donde hizo una nueva escala para volver a aprovisionarse de alimentos. A poco de llegar continuaron la travesía rumbo al Perú, pero se detuvieron apenas cruzando la frontera en la caleta de Payta donde tomaron el pueblo.

Las desventuras no acabaron ni siquiera en aquel caserío gris y lejano de Payta, a cinco grados de latitud Sur y ochenta de longitud Oeste sobre el Pacífico Sur. A poco de llegar, divisa con su catalejo la presencia de un gran navío, *El Peregrino*, la nave insignia de la Armada española. Se establece un encarnizado combate del que logra escapar. Seriamente averiado, el *Speedwell* con su desventurado capitán encallan contra las rocas de la isla Juan Fernández y se hunde. Poco logran salvar del naufragio. Apenas rescata algo de la tripulación diezmada y con ellos y una dieta básica pasa un largo tiempo en la isla hasta que logra organizar a los pocos hombres que le quedan, con los que construye una embarcación tan frágil como pequeña a la que bautizan *Recovery*.

La isla de Juan Fernández, en la costa chilena, famosa por ser la que inspiró el personaje de Robinson Crusoe, ¿una isla que tiene un tesoro pirata, o solo una leyenda?

Cuando se decide a abandonar la isla, una decena de aquellos hombres a la par de un número igual de pobladores originarios le mandan decir que «todavía no estaban preparados para viajar al otro mundo» y deciden quedarse.

Finalmente, sucios, hambrientos y desarrapados, aquel grupo de ingleses gana el mar y, apretujados en el *Recover,* y viajan oteando el horizonte tratando de descubrir una mejor embarcación para tentar la suerte de apropiarse de ella. La oportunidad les fue concedida. Finalmente dan con el *Jesús María,* barco español al que curiosamente encuentran además desprotegido y logran abordarlo. Para entonces, todos y cada uno de sus fracasos eran ya bien conocidos. La flota española les sigue de cerca y sin aminorar la marcha. Shelvocke y su escasa tripulación navegan con el *Jesús María* hacia el centro de América, zona donde con criterio el capitán imagina que ya no serán perseguidos. En las cercanías de Panamá, después de dos años se reencuentra con el *Success,* siempre al mando de Clipperton, que advertido de las incursiones piratas de Shelvocke no lo admite a bordo.

Demasiado cansados y empobrecidos van todos como para intentar una nueva contienda con el *Success.* Deciden seguir. Al llegar a las costas de El Salvador, al puerto de Sonsonate, resultan alcanzados por el imponente navío español *Sacra Familia,* aunque los españoles se resisten y le informan que es un acto fuera de la ley porque España e Inglaterra habían firmado la paz; Shelvocke se apoderará del *Sacra Familia* y sigue viaje. Sin embargo, cansado, con pocos hombres y comida como para atravesar el Pacífico, decide regresar a Panamá y rendirse. Pero en esa travesía rumbo a la rendición se topan con otro barco español, el *Concepción de Recova*, cuyo saqueo les da fuerzas y nuevos esclavos para continuar el viaje hasta las tranquilas costas de California, donde descansar y reponerse antes de intentar alcanzar el mar de la China.

Después de un tiempo en concordancia con los pueblos originarios de California, retoman la decisión de cruzar el océano. Una tarea que sin dudas les es difícil cuando empiezan a escasear de nuevo el agua y el alimento, a lo que se suman el escorbuto y la disentería. El mismo Shelvocke llega muy enfermo a Cantón. Sus hombres le roban todas sus pertenencias y parte del botín, causan algunos desmanes en la población entre los nativos. Lo entregan a las autoridades chinas e inglesas de Cantón, abandonándole a su suerte y se emplean en las tripulaciones de la Compañía de Indias Orientales.

Una vez recuperado, Shelvocke, aunque quejándose por las altas tasas que debe pagar por derechos de puerto logra liquidar su barco, compra un pasaje en el *Cadogan* con rumbo a Inglaterra. Después de atravesar la ruta de Batavia y el Cabo de Buena Esperanza, el *Cadogan* realiza una escala en Dungenes. Es un 30 de julio de 1722, al fin Shelvocke junto a un grupo de pasajeros despachan un velero a Dover. En él llega a Londres el 1 de agosto. Regresaba después de tres años, siete meses y once días de «largo y fatigoso viaje».

«Ciertamente, el frío resulta mucho más insoportable en estas latitudes que en sus equivalentes del hemisferio norte, porque aunque ya estábamos bien adentrados en la estación estival y los días eran muy largos, teníamos continuos chubascos de granizo, nieve y lluvia, y los cielos se encontraban perpetuamente ocultos de nuestra vista por lúgubres nubes opacas. En síntesis, uno podría pensar que es imposible para cualquier ser vivo subsistir en un clima tan riguroso. Y, ciertamente, desde que cruzamos hacia el sur el estrecho *Le Maire*, no vimos un solo pez ni ave marina alguna, con la desconsolada excepción de un albatros negro que nos acompañó durante varios días, revoloteando a nuestro alrededor como si estuviera perdido. Hatley, mi primer oficial, observó, en uno de sus arranques de melancolía, que ese pájaro sobrevolaba siempre en torno nuestro y creyó que auguraba algún presagio funesto. Este hecho, sumado a los vientos contrarios y tempestuosos que habíamos enfrentado desde que nos hicimos a la mar, lo llevó a alentar ideas supersticiosas. Al fin, después de algunos intentos vanos, logró derribar al albatros de un tiro, con la convicción, acaso, de que eso nos traería vientos favorables» (George Shelvocke).

Fatigoso y desventurado viaje que relata con precisión en el libro que el mismo George Shelvocke publica en 1726, pocos años después de regresar a Londres. Libro que al parecer solo ha sido traducido al español por, y con prólogo y notas, del historiador argentino Rogelio Paredes y publicado en el 2003 por la Editorial Universitaria de Buenos Aires (EUDEBA) en una edición especialmente pensada para la Colección Reservada del Museo del Fin del Mundo.

Y para cerrar veamos un fragmento de *La balada del viejo marinero*, en traducción de Miguel Alfredo Olivera, que el poeta Samuel Taylor Coleridge dedica al pintoresco y vapuleado personaje de leyenda:

«Y he aquí un albatros, de repente/ Cruzando la niebla hacia nosotros vino: / Como a un alma cristiana lo esperamos / Y en el nombre de Dios lo recibimos./ Comió lo que jamás había comido/ Y después voló en torno a la nave;/ Entonces, con un trueno, se abrió el hielo/ Y el piloto al través pudo internarse./ Luego el buen viento sur sopló de popa./ El albatros, sereno, nos guía / Y al "hola" marinero se acercaba/ A comer, o a jugar, todos los días./ Entre nubes y nieblas, sobre el mástil,/ O en las velas pasó nueve veladas,/ Y la luna, de noche, entre la niebla,/ como humo blanco, blanco fulguraba./ —¡Dios te proteja, Viejo Marinero,/ Del demonio que tanto te atormenta!/ ¿Por qué miras así?— ¡Ay! ¡Al albatros/ Maté con mi ballesta!».

Y LAS
MUJERES TAMBIÉN...

«Abogamos por nuestros vientres señor».

ANNE BONNY Y MARY READ

Aunque la actividad parece ser cosa de hombres, y aún en lo cotidiano el término «pirata o filibustero» se aplica siempre a los hombres, hubo ciertamente muchas mujeres que practicaron la actividad, aun cuando dentro del código pirata se prohibe la presencia de mujeres, claro que seguramente se refiere a mujeres como acompañantes. Al parecer ignoraba la posiblidad de que las mujeres ejercieran la piratería. Y no fueron pocas, solo debían vestirse de hombres, o tal vez, viéndolo desde el presente podríamos decir que solo se vestían más cómodamente y no como hombres. Difícil separar los conceptos desde el presente.

Anne Bonny, conocida como «Boon», fue una de las dos mujeres, junto a Mary Read, con mayor fama reconocida entre las pocas que pasaron a la historia por su dedicación a la actividad de la piratería durante los primeros años del siglo XVIII. El interés acerca de Anne Bonny, su historia como mujer, su vida amorosa, y otros aspectos de sus andanzas, han provocado información bastante confusa en relación a su vida y pocos rastros. La escasa información que se difundió es la que recopiló o por lo menos difundió Charles Johnson, uno de los estudiosos de la piratería que fuera contemporáneo de Boon, de quien escribió *A General History of the Robberies and Murders Of the most notorious Pyrates*, editado en el año 1724. Al parecer, Anne Bonny había nacido en una población cercana a County Cork, en Irlanda, entre los años 1697 y 1705. Sus padres fueron el hombre de leyes William Cormac, y Mary o Peg (se desconoce el nombre con exactitud) Brennan, que era la sirvienta o criada de la esposa de Cormac. El *affaire*, adulterio en realidad, fue descubierto y la noticia corrió como reguero de pólvora provocando gran revuelo entre los habitantes de County Cork hasta el punto de obligar a William Cormac a escapar con la joven madre y la niña, lejos de su lugar de residencia. La nueva familia emigró a Charleston, en Carolina del Sur. Una vez establecidos, Cormac rápidamente logró amasar otra fortuna, en este caso mediante la inversión en diferentes plantaciones. De ese modo, muy pronto recuperó su fortuna y pudo ofrecer a su nueva familia una vida decente y acomodada. Conflicto que les trajo no pocos problemas, en aquellos tiempos en que la mujer no tenía más de-

Anne Bonny y Mary Read, dos mujeres piratas, que suelen aparecer juntas en las ilustraciones armadas y dispuestas a luchar.

sempeño que el de la maternidad y el cuidado de su familia. Sin embargo, este modo de vida parecía no conformar a la muchacha que decidió no ser igual a esa mayoría silenciosa de mujeres que soñaba en silencio y entre los suyos con una vida de aventuras y libertad, o por lo menos más vital que el del modelo de vida femenino que frecuentaba.

Cumpliendo los dieciséis años, se enamoró locamente de un marinero que, no obstante haber flirteado apenas con la piratería, logró deslumbrar a Anne. Su nombre era James Bonny. James por su lado se deslumbró con la fortuna del padre de Anne y sus plantaciones y decidió apropiarse del negocio. Desde el comienzo de la relación, el padre de Anne tuvo reparos y, percibiendo las intenciones de James Bonny, no dudo ni demoró en desheredar a su hija, estropeando así las pretensiones de su yerno y la relación con su hija. James Bonny le devolvió la galantería, abandonando la ciudad y llevándose a Anne. Ambos partieron en un pequeño barco hacia New Providence, actualmente Nassau, en las Bahamas, que ya por entonces era famosa por ser refugio de piratas y gobernada oficial y legalmente por uno de los más importantes piratas, Woods Rogers, que contrató a James Bonny como informador.

A consecuencia de su nueva actividad, James Bonny pasaba largas temporadas alejado de la isla y de su mujer. Por otro lado, Anne, que era una muchacha muy atractiva y de carácter arrollador, no pudo impedir ser cortejada con frecuencia por muchos hombres del lugar y rápidamente se hizo popular en la isla. Se dice que sus escarceos amorosos fueron muchos y que buena parte del día la pasaba en zonas cercanas al muelle pues hizo una gran amistad con un pirata homosexual, retirado ya de la piratería y muy respetado llamado «Pierre»; en realidad este dato de la homosexualidad es algo que quizá pueda llamarnos la atención hoy, pero al parecer era algo que no se tenía en cuenta en el ambiente de la piratería, especialmente en los que ocupaban New Providence; lo cierto es que Anne y Pierre, dicen, competían en sus conquistas.

Por esos días, Anne conoció a uno de los hombres más ricos del Caribe, Chidley Bayard, de quien se enamoró o encaprichó de inmediato. Bayard viajaba en compañía de su amante, una española de dudosa reputación, María Vargas, con un carácter no menos fuerte que el de Anne. Esto llevó a ambas mujeres a un sangriento duelo a muerte. Anne triunfó en la contienda y empezó a viajar con su amante y recuperando aquel alto nivel de vida que había quedado atrás con su padre. Sin embargo, otro altercado entre mujeres volvería a cambiar su vida. En una fiesta en casa del gobernador de Jamaica, la hermana de este hizo bromas acerca de Anne y su condición de meretríz. Ante la agresión, Anne no se quedó atrás y con un tablón rompió varios dientes a la mujer. Chidley Bayard debió hacer uso de toda su influencia para evitar que el gobernador detuviera a Anne. Una vez que logró salvarle el pellejo, decidió alejarse de ella.

Anne tuvo que volver a New Providence. Cuando llegó, su marido seguía en alta mar y ella continuó con sus conquistas. Conoció al pirata Jack Rackham, conocido también como «Calicó Jack» y se enamoró.

Jack Rackham (1682- 1720), o Calico Jack o Jack el Calicó, había sido contramaestre del capitán Charles Vane. Cuando su capitán se negó a atacar un buque de guerra francés, la tripulación se molestó de tal manera que se amotinaron nombrando a Rackham como su nuevo capitán. Decidió aceptar una oferta de perdón y navegó hacia New Providence donde como ya comentamos conoció a Anne Bonny, casada, y dedicó buena parte de su botín a enamo-

Jack Rackham, Calico Jack o Jack el Calicó, personaje que inspiró al autor de comics belga Hergé en la serie *Aventuras de Tintín.*
En *El secreto del Unicornio,* aparece como Rackham el Rojo, a quien elimina el capitán Francisco de Hadoque.

rarla. Luego se unió a la tripulación del capitán Burgess, corsario en esa época ocupado en buscar barcos españoles en el Caribe. Cuando el Gobernador amenazó con azotar a Anne por adulterio, decidieron robar un navío y escapar. Anne temiendo no ser aceptada por la tripulación se vistió de hombre y dijo llamarse Adam Bonny, luchando a la par de sus compañeros. Fueron perseguidos en Bahamas y capturados por un barco español aunque lograron escapar. El gobernador de Jamaica envió al cazador de piratas Capitan Barnet que los capturó. Se dice que había ofrecido al gobernador entregarse sin violencia a cambio de que aquel dejara en libertad a Anne y a Mary Read. El pirata era notablemente atractivo y ambos coincidieron no solo en enamoramiento, sino en temperamentos. Aprovechando el año de Amnistía extraordinario ofrecido por el gobernador Woods Rogers, se embarcó en el navío *Venganza*, propiedad y bajo las ordenes del capitán Charles Vane. Pero como era un signo de mal agüero llevar mujeres, al no ser aceptada entre la tripulación Anne decidió sencillamente hacerse pasar por hombre e ir tras su nuevo amor… aunque tal vez para entonces, su gran amor ya fuese más la piratería que el mismo Calicó Jack. De ese modo pudieron viajar juntos y dar juntos los primeros y pequeños golpes. Días inolvidables que sin duda marcó la vida de ambos. Un día Anne se sintió mal, estaba embarazada, abortó en forma natural por lo debieron regresar a New Providence.

Al llegar a la isla, Anne supo que su marido había denunciado ante el gobernador la infidelidad de su esposa. Anne se enteró también que se planeaba un complot con el gobernador, y astutamente decidió que le sería propicio denunciar el atentado. De este modo, Anne se ganó la amistad y perdón del gobernador. De ese modo, cuando el marido de Anne regresó a la isla, el gobernador fue indulgente con Anne, y sugirió a James que simplemente se divorciara de su mujer. El ofendido marido se negó a aceptar el acuerdo y temiendo que el gobernador se echara atrás, Anne y su amante Jack Rackham robaron un barco en el puerto y después de lograr reunir una tripulación se lanzaron definitivamente al mar y a la piratería.

Grabado del siglo XVIII que representa a Anne Bonny.

Encuentro con Mary Read

La actividad les resultó altamente productiva a la temeraria pareja. No pasó mucho hasta que capturaron un barco alemán. Entre la tripulación diezmada, surgió un muchacho extremadamente delicado y hermoso que atrajo a Anne y pidió a Jack le dejase vivo y manifestó querer conservar al muchacho para sí. Receloso o celoso de esta relación que percibió más allá de la amistad entre Anne y el muchacho, un día demandó explicaciones a ambos. Fue cuando descubrió que el joven era una bella mujer, otra que como Anne debía vestirse de hombre para pasar desapercibida. Era Mary Read. A partir de entonces, al parecer, la pareja agregó a la nueva dama al romance triangular. O por lo menos a la actividad pirata del barco.

Las mujeres se desempeñaban con total valentía, sin mostrar diferencia con sus compañeros de ruta y ataques. Peleaban igual o mejor que cualquier hombre. El tiempo pasó y vivieron muchas aventuras y victorias. Pero en 1720, un navío comandado por Jonathan Barnet, por órdenes del gobernador de Jamaica, puso fin a los días de piratería del trío. Fácilmente atraparon el barco de Rackham pues la mayoría de la tripulación estaba ebria, por lo tanto no estaban en condiciones de oponer resistencia. Al parecer justamente Anne y Mary fueron las últimas en caer, ambas lucharon en cubierta hasta que fueron capturadas por la fuerza y llevadas a Jamaica ante el gobernador. El juicio tuvo repercusión en todo el Caribe. No solo por la situación sino que resultó ser el primer testimonio, y por escrito, de la existencia de mujeres piratas. Jack Rackham y la tripulación fueron condenados a la horca. Pero Anne y Mary debieron ser libradas de la muerte pues ambas exigieron al juez: «*Abogamos por nuestros vientres señor*».

A pesar de su condición de prisionera, se le permitió a Anne hablar con Jack justo antes de que este fuera ahorcado. Las únicas palabras de Anne hacia su hombre y compañero de largas aventuras fueron decididamente impiadosas: «Si hubieras peleado como un hombre, no tendrías que morir ahora como un perro».

Llevaban ambas poco tiempo en la cárcel cuando Mary Read murió, poco antes de que Anne diese a luz. Cuando la noticia del estado de Anne llegó a oidos de su padre, este fue a buscarla acompañado por un procurador al que la misma Anne había salvado la vida. Ambos intercedieron por Anne y compraron al gobernador James Woods la libertad de Anne, que pudo lavar su prontuario y regresar al hogar paterno para acabar sus días como una señora más. Sin embargo, también se dijo que no fue gracias al dinero de su padre que obtuvo la libertad.

Una historia paralela cuenta que el indulto de Anne Bonny fue logrado no por la intervención económica de su padre o sus admiradores, si no por una carta que recibió en su domicilio el gobernador de Jamaica, en la cual estaba escrito: «Si Anne Bonny no es liberada inmediatamente será mejor que se preparen desde Port Royal hasta Kingston para el trueno de los cañones de mis barcos» y la firma de Bartolomew Roberts, uno de los más importantes piratas de todos los tiempos.

Después de la liberación se le pierde el rastro histórico a Anne Bonny; por esos días tenía apenas 20 años y dio a luz a su hijo poco después, se dice que pudo haberse casado con el procurador amigo de su padre pues James Bonny había muerto poco antes cuando su barco fue azotado por un huracán en las Bahamas.

Mary Read

En cuanto a su compañera, Mary Read había nacido en Londres. Aunque no se sabe demasiado del por qué de hacerse pasar por hombre, la versión más difundida es la de Daniel Defoe, que afirma que había nacido de los adúlteros amores entre la esposa de un capitán de la Marina mercante que dio a luz en alta mar. Según parece, la madre logró ocultar el nacimiento por un tiempo y dado que su primer hijo había fallecido, cuando su marido falleció en alta mar, decidió hacer pasar a la niña por niño y llevárselo a la familia de su marido para poder cobrar la herencia. Mary o Mark, como le decían, durante su adolescencia vivió cómodamente con

Mary Read, compañera de aventuras piratas de Anne Bonny, después de herir a un hombre al que revela su condición de mujer en un grabado de 1853 procedente del libro *Historia de Piratas y Corsarios*. Ambas fueron condenadas a la horca, y se salvaron pronunciando ante el juez la famosa frase que encabeza esta sección: «*Abogamos por nuestros vientres señor*».

su madre y aquella herencia. Pero un día el dinero de la herencia se acabó y como ella todavía se vestía como muchacho, decidió que sería más sencillo conseguir trabajo como muchacho, exactamente como paje. Sin embargo, pronto abandonó este empleo y se alistó en la Armada. Participó en combates y no pasó mucho hasta que se enamoró de uno de sus compañeros. Pronto se casaron y con el dinero que ambos habían ganado en la Marina de guerra pudieron abrir una posada *The three horseshoes* (*Las tres herraduras*).

Fueron esos pocos años los que Mary vivió como mujer, pero pronto su marido murió y debió volver a la Armada, una vez más disfrazada de hombre. Pero finalmente abandonó la vida militar para embarcarse hacia las Indias Occidentales. Durante esa larga travesía, el barco en que viajaba fue capturado por el pirata Jack Rackham o Calicó y Anne Bonny. El resto de la historia es la que se cuenta en los párrafos dedicados a Anne Bonny. Mientras navegaba formando parte de la tripulación y en connivencia con la pareja de piratas, Mary se enamoró de otro de sus compañeros y volvió a casarse. Durante tres meses, aquel barco fue escenario de alegría y exitosos atracos hasta que les ganó la desidia y el alcohol. El barco fue atrapado el 20 de octubre de 1720.

Ching Shih

Es verdad que decían que la presencia de mujeres en los barcos traía mala suerte, no obstante ese «odor di femina» rezumaba con frecuencia en los barcos, claro que se dice que a través de mujeres, viudas en su mayoría, que se mostraban y comportaban como «auténticos hombres», y que les superaban en valentía y destreza. Sea como fuera muchas se destacaron en todos los mares. Hasta en el mar de la China en que la piratería de comienzos del siglo XIX se redujo al imperio absoluto de una mujer: Ching Shih (1775-1844).

La mujer pirata se hizo a la mar sin mezquinarse a la actividad pirata en los tiempos en que murió su marido, jefe de los corsarios y nombrado por el Emperador «maestre de los establos imperiales». La viuda, sin mostrar desconsuelo, rápidamente se hizo cargo del negocio familiar y no dudó en ocupar el sitial y la patente de su marido. Al frente de su tripulación saqueó y arrasó aldeas pasando a cuchillo a todo aquel que intentase cruzarse en su camino. No solo llevó el mando sino las cuentas con mano y férrea voluntad.

Hasta Jorge Luis Borges le ha dedicado unos escritos, describiéndola como:

«...una mujer sarmentosa de ojos dormidos y sonrisa cariada. El pelo renegrido y aceitado tenía más resplandor que los ojos» (J.L. BORGES).

Sin embargo no son pocos los que prefieren imaginarla como el objeto que describe un poema chino del siglo XIV:

«Atrapada por el viento suave,
su falda de seda ondea y se agita.
El loto florece en los zapatos ajustados,
¡como si ella pudiera mantenerse sobre las aguas otoñales!
La punta de sus zapatos no asoma más allá de la falda,
por temor a que se vean los pequeños bordados».

Lo cierto es que la señora Ching llegó a ser la reina absoluta al frente de seis grandes escuadras, conformadas por quinientos barcos de quince a doscientas toneladas cada uno y con veinticinco cañones en ambas bandas. Los colores de las oriflamas eran rojo, verde, amarillo, violeta y negro. La sexta escuadra, además, lucía el emblema de una serpiente. Comandados cada uno de los navíos con personajes de refinados nombres como: Pájaro y Sílex, Alto Sol, Joya de Toda la Tripulación y Olla Llena de Peces. El reglamento de la señora Ching no era condescendiente. Empezando por considerar que:

«Si un hombre va a tierra por su cuenta, o si comete el acto llamado "franquear las barreras", se le horadarán las orejas en pre-

sencia de toda la flota; en caso de reincidencia, se le dará muerte»
y también prohibió: "tomar a título privado la menor cosa del botín
procedente del robo y el pillaje. Tomar lo que quiera que fuere del
fondo general, traerá consigo la muerte"».

Tan lacónica, concisa y eficaz como Napoleón era la viuda
Ching. No solo prohibió pensar en quedarse con parte del botín,
sino que decididamente prohibió hablar de botín —una palabra
con tintes bárbaros, casi occidentales—, refiriéndose al fruto de sus
andanzas como «productos transbordados», expresión que sin duda
suena a ejercicio postindustrial y globalizado, de una absoluta mo-
dernidad. El año 1808 fue atacada sin piedad por una flota imperial, sin embargo «la viuda Ching» venció ampliamente en la

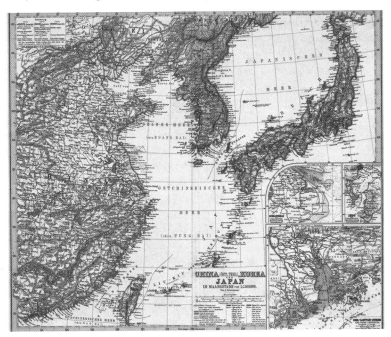

Mapa del Mar de la China de 1870, el teatro de operaciones que la viuda
Ching dominó durante muchos años.

contienda. Lo que provocó el suicidio del almirante imperial Kuo-Lang, incapaz de superar la derrota y un deshonroso altercado con Pao, un joven lugarteniente de la mujer-pirata. Durante un año más, el negocio de la viuda resultaba floreciente, hasta que el Emperador le reemplaza al que se había suicidado con un nuevo almirante, Tsuen-Mon-Sun, que logró someterla a una nueva cruzada que terminó en humillante derrota.

No obstante, la viuda Ching logra rearmar sus fuerzas. Sigue al mando de unas escuadras cada vez más fuertes con las que invade y saquea cientos de aldeas. Deviene en un verdadero ángel de la muerte.

Pekín le envía a un temible guerrero: el almirante Ting Kvei, que irrumpe en el mar con una flota armada de máquinas de guerra y astrólogos. La historia llegaba a su fin, nadie mejor que ella para comprender que su tiempo había acabado. Hay más de una versión acerca de estas circunstancias. Algunos dicen que llegó a un acuerdo con el Gobierno, y que después se dedicó a dirigir una empresa de contrabando de opio haciéndose llamar: «Esplendor de la Verdadera Instrucción». Otra versión dice que se casó con un gobernador y dejó sus actividades. En cuanto a la versión de Borges, parece que la mujer arrojó sus dos espadas al río y arrodillada en un bote dio órdenes de ser conducida de ese modo hasta la nave del comando imperial. Atardecía. En esa ocasión el cielo estaba lleno de dragones amarillos: «*La zorra busca el ala del dragón*» dijo al subir a bordo.

Sean como fuere la multiplicidad de casos considerados dentro de la piratería o cada uno de los casos tratados en esta Breve Historia, y su historia en particular, lo real es que en hombres y mujeres el ser pirata, el ser errante, el ser paria va más allá de enfrentar la muerte o escapar de ella. Reúne innumerables objetivos y motivaciones que tal vez a modo de mandato, aunque ya en el siglo XX intenta resumirnos en pocas palabras el poeta colombiano Álvaro Mutis: «Sigue a los navíos. Sigue las rutas que surcan las gastadas y tristes embarcaciones. No te detengas. Evita hasta el más humilde fondeadero. Remonta los ríos. Desciende por los ríos. Confúndete en las lluvias que inundan las sabanas. Niega toda orilla».

BIBLIOGRAFÍA

ARCINIEGAS, G.: *América mágica.* Ed. Sudamericana, Buenos Aires, 1959.

BRAUDEL, FERNAND: *El Mediterráneo y el mundo mediterráneo en la época de Felipe II.* 4.ª reimpresión, México, FCE, 1997, Tomo II, p. 291.

Enciclopedia Encarta.

Es.wikipedia.org, (varios).

EXQUEMELIN, ALEXANDER OLIVIER: *El libro de los piratas. Bucaneros de América,* Ed. Valdemar, Madrid, 1999.

GALL, J. y F.: *El filibusterismo.* México, FCE, 1957.

La aventura de la Historia, (varios números).

LE GOFF, JACQUES: *Mercaderes y banqueros de la Edad Media.* Buenos Aires, Eudeba, 1986.

MELVILLE, HERMAN: *Billy Budd, Marinero.*

MUTIS, ÁLVARO: *Oración de Maqroll.*

PÉREZ REVERTE, ARTURO: *Sin rey ni amo.*

SANTIAGO CRUZ, FRANCISCO: *Los hospitales de México y la caridad de don Benito.* Editorial Jus. Núm. 67. México, 1959.

SHELVOCKE, GEORGE: *Diario de Viajes.*

SHELVOCKE, SERGIO: *Un viaje alrededor del mundo por la ruta del Gran Mar del Sur.* Londres, 1726.TODOROV, TZVETAN: *La conquista de América: El problema del otro.* Editorial Siglo Veintiuno, México, 1997.

TASSINARI, SERGIO: *Historia de la Piratería.*

VIAL, SARA: *Neruda en Valparaiso.*

DA ODC 2010